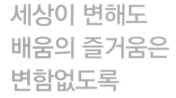

세상이 변해도
배움의 즐거움은
변함없도록

시대는 빠르게 변해도
배움의 즐거움은
변함없어야 하기에

어제의 비상은
남다른 교재부터
결이 다른 콘텐츠
전에 없던 교육 플랫폼까지

변함없는 혁신으로
교육 문화 환경의 새로운 전형을
실현해왔습니다.

비상은 오늘, 다시 한번
새로운 교육 문화 환경을 실현하기 위한
또 하나의 혁신을 시작합니다.

오늘의 내가 어제의 나를 초월하고
오늘의 교육이 어제의 교육을 초월하여
배움의 즐거움을 지속하는 혁신,

바로, 메타인지 기반 완전 학습을.

상상을 실현하는 교육 문화 기업 비상

메타인지 기반 완전 학습

초월을 뜻하는 meta와 생각을 뜻하는 인지가 결합한 메타인지는
자신이 알고 모르는 것을 스스로 구분하고 학습계획을 세우도록 하는
궁극의 학습 능력입니다. 비상의 메타인지 기반 완전 학습 시스템은
잠들어 있는 메타인지를 깨워 공부를 100% 내 것으로 만들도록 합니다.

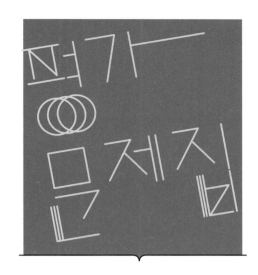

HIGH
SCHOOL
ENGLISH

Structures & Features

영역별 **핵심 정리**와 **확인 문제**로 놓치는 부분 없이 꼼꼼하게,
풍부한 **실전 문제**로 내신에 철저하게 대비할 수 있습니다.

Words & Expressions

- 단원의 주요 어휘 및 표현 정리
- 다양한 유형의 어휘 및 표현 평가 문제 수록

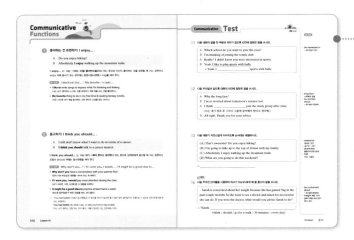

Communicative Functions

- 의사소통 기능문 해설 및 예문 정리
- 의사소통 기능문을 평가하는 다양한 유형의 문제 수록

Language Structures

- 단원 목표 언어형식에 대한 친절한 해설과 풍부한 예문
- 서술형 문제를 포함한 실전대비 문법 문제 수록

Reading

- 교과서 지문 전체를 읽으며 핵심 어휘 및 표현, 주요 문법 사항을 점검할 수 있는 시험 직전 본문 정리 테스트
- 다양한 유형으로 구성한 Reading Test

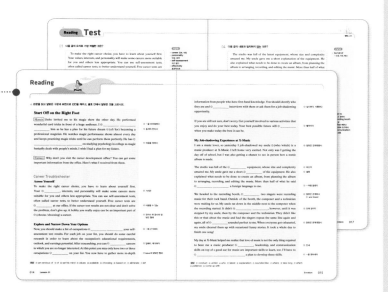

단원평가, 중간·기말고사

- 서술형, 단답형을 포함하여 학교 시험에 대비할 수 있는 단원평가 단원별 2회 제공
- 학기별 중간고사 대비 실전문제, 기말고사 대비 실전문제 총 4회 수록

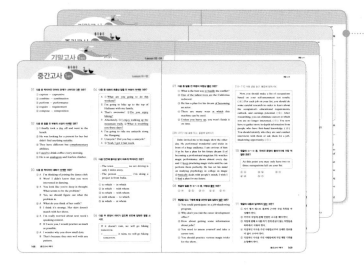

Contents

"Be the change
that you wish
to see in the
world."

- Mahatma Gandhi -

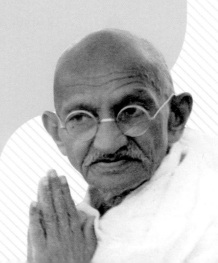

Lesson 01

Envision

Topic 장래의 꿈과 미래 설계 / 자기 이해를 통한 진로 탐색

Communicative Functions

- 좋아하는 것 표현하기

  I enjoy walking up the mountain trails.

  나는 산길을 오르는 것을 좋아해.

- 충고하기

  I think you should talk to a career mentor.

  나는 네가 진로 멘토와 이야기해 보는 게 좋을 것 같아.

Language Structures

- 동격의 of

  He has a plan for his dream **of** becoming a magician.

  그는 마술사가 되겠다는 그의 꿈을 위한 계획을 가지고 있다.

- 전치사＋관계대명사

  Choose a career **in which** you're interested.

  당신이 흥미를 느끼는 직업을 고르시오.

Words & Expressions

✦ 다음을 읽고 자신이 기억해야 할 것에 ☑표시 하시오.

Words

- [ ] **perform** [pərfɔ́ːrm] 동 공연하다
- [ ] **trick** [trik] 명 마술, 장난
- [ ] **envious** [énviəs] 형 부러워하는
- [ ] **psychology** [saikɑ́lədʒi] 명 심리학
- [ ] **troubleshooter** [trʌ́bəlʃùtər] 명 분쟁 중재자
- [ ] **instantly** [ínstəntli] 부 즉각, 즉시
- [ ] **assess** [əsés] 동 평가하다(= judge)
- [ ] **value** [vǽljuː] 명 가치 cf. values 명 가치관
- [ ] **suitable** [súːtəbl] 형 적합한
- [ ] **appropriate** [əpróupriət] 형 적절한
- [ ] **available** [əvéiləbl] 형 이용할 수 있는
- [ ] **occupation** [ɑ̀kjupéiʃən] 명 직업(= job)
- [ ] **requirement** [rikwáiərmənt] 명 요건, 필요조건
- [ ] **outlook** [áutluk] 명 전망
- [ ] **earning** [ɔ́ːrniŋ] 명 (pl.) 소득, 수입
- [ ] **eliminate** [ilímənèit] 동 없애다, 제거하다(= remove)

- [ ] **in-depth** [indepθ] 형 상세한, 면밀한
- [ ] **first-hand** [fɔ́ːrsthǽnd] 형 직접 경험한, 직접 얻은
- [ ] **conduct** [kɑ́ndʌkt] 동 수행하다
- [ ] **unfold** [ʌnfóuld] 동 펼쳐지다
- [ ] **producer** [prədjúːsər] 명 제작자
- [ ] **equipment** [ikwípmənt] 명 장비
- [ ] **complexity** [kəmpléksəti] 명 복잡함
- [ ] **arrange** [əréindʒ] 동 편곡하다
- [ ] **edit** [édit] 동 편집하다
- [ ] **head** [hed] 동 ~으로 향하다
- [ ] **composer** [kəmpóuzər] 명 작곡가
- [ ] **technician** [tekníʃən] 명 기술자
- [ ] **repeat** [ripíːt] 동 되풀이하다
- [ ] **exhausted** [igzɔ́ːstid] 형 지친, 진이 다 빠진
- [ ] **occasional** [əkéiʒənəl] 형 가끔의
- [ ] **develop** [divéləp] 동 개발하다

Expressions

- [ ] **the other day** 일전에, 최근에
- [ ] **set one's mind on** 마음에 ~을 두다
- [ ] **deal with** ~을 다루다(= handle)
- [ ] **narrow down** 좁히다
- [ ] **be interested in** ~에 관심이 있다
- [ ] **get oneself involved in** 스스로 ~에 몰두하다

- [ ] **day off** 쉬는 날
- [ ] **in person** 직접, 몸소(= personally, directly)
- [ ] **cheer up** ~을 격려하다
- [ ] **on top of** ~뿐만 아니라(= in addition to)
- [ ] **come up with** ~을 찾아내다, ~을 생각해내다

Words & Expressions Test

· 정답 p.02

note

01 다음 영어는 우리말로, 우리말은 영어로 쓰시오.

(1) envious   ＿＿＿＿＿＿＿＿   (7) 수행하다   ＿＿＿＿＿＿＿＿

(2) appropriate   ＿＿＿＿＿＿＿＿   (8) 작곡가   ＿＿＿＿＿＿＿＿

(3) unfold   ＿＿＿＿＿＿＿＿   (9) 복잡함   ＿＿＿＿＿＿＿＿

(4) day off   ＿＿＿＿＿＿＿＿   (10) 전망   ＿＿＿＿＿＿＿＿

(5) earnings   ＿＿＿＿＿＿＿＿   (11) ～으로 향하다   ＿＿＿＿＿＿＿＿

(6) first-hand   ＿＿＿＿＿＿＿＿   (12) 편곡하다   ＿＿＿＿＿＿＿＿

02 다음 괄호 안에서 문맥상 알맞은 것을 고르시오.

(1) First, we should (eliminate / culminate) unsuitable candidates from the list.

(2) I'd like to play golf with you, but I don't have any (requirement / equipment) yet.

(3) (Physiology / Psychology) is the scientific study of the human mind and the reasons for people's behavior.

(4) Edward Munch's painting *The Scream* was sold for a very high price at an auction. How do you think they (assessed / accessed) it?

- culminate
  끝내다, 절정에 이르다
- unsuitable
  부적절한
- candidate
  후보자, 지원자
- physiology
  생리학
- auction 경매
- access
  접근하다, 이용하다

03 다음 빈칸에 들어갈 말로 가장 적절한 것을 고르시오.

(1) In order to remember the password, Carol had to ＿＿＿＿＿ it over and over again.

  ① unfold   ② edit   ③ repeat

  ④ move   ⑤ develop

(2) Steve finally ＿＿＿＿＿ a great idea to find a home for stray dogs.

  ① came up with   ② narrowed down   ③ cheered up

  ④ dealt with   ⑤ got himself involved in

- in order to
  ～하기 위해
- password
  암호, 비밀번호
- over and over
  again 반복해서
- stray
  길을 잃은

04 다음 영영풀이에 해당하는 단어를 〈보기〉에서 골라 쓰시오.

〔보기〕

  instantly   occasional   technician   producer

- technical 기술적인

(1) ＿＿＿＿＿: happening sometimes but not very often

(2) ＿＿＿＿＿: someone whose job is to do scientific or technical work

Communicative
Functions

① 좋아하는 것 표현하기: I enjoy... .

> **A** Do you enjoy hiking?
>
> **B** Absolutely. **I enjoy** walking up the mountain trails.

I enjoy... .는 '나는 ~(하는 것)을 좋아한다(즐긴다).'라는 뜻으로 자신이 좋아하는 것을 표현할 때 쓰는 표현이다. enjoy 뒤에 동사가 오는 경우에는 동명사(동사원형+-ing)를 써야 한다.

> **유사표현** I like(love) (to)... . / My favorite ~ is(are)... .

- **I like to** write songs to express what I'm thinking and feeling.
  (나는 내가 생각하고 느끼는 것을 표현하기 위해 곡을 쓰는 것을 좋아한다.)

- **My favorite** thing to do in my free time **is** reading fantasy novels.
  (자유 시간에 내가 제일 즐겨하는 것은 판타지 소설을 읽는 것이다.)

② 충고하기: I think you should... .

> **A** I still don't know what I want to do in terms of a career.
>
> **B** **I think you should** talk to a career mentor.

I think you should... .는 '나는 네가 ~해야 한다고 생각한다.'라는 뜻으로 상대방에게 충고할 때 쓰는 표현이다. 조동사 should 뒤에는 동사원형을 써야 한다.

> **유사표현** Why don't you... ? / If I were you, I would... . / It might be a good idea to... .

- **Why don't you** have a conversation with your parents first?
  (먼저 너희 부모님과 대화를 나누어 보는 게 어때?)

- **If I were you, I would** pay more attention during the class.
  (내가 너라면, 수업 시간에 좀 더 집중을 하겠어.)

- **It might be a good idea to** practice at least twice a week.
  (최소한 일주일에 두 번은 연습을 하는 것이 좋아.)

cf. 「You had better(+not)+동사원형」은 이 충고를 따르지 않으면 좋지 않은 일이 일어날지도 모른다는 느낌으로 강하게 충고할 때 쓰는 표현이다.
    You had better do what I say, or else you'll be in big trouble.
    (너는 내가 말하는 것을 하는 것이 좋아, 그렇지 않으면 너는 곤란해질 거야.)

note

01 다음 대화의 밑줄 친 부분과 의미가 같도록 빈칸에 알맞은 말을 쓰시오.

> A Which school do you want to join this year?
>
> B I'm thinking of joining the tennis club.
>
> A Really? I didn't know you were interested in sports.
>
> B Yeah, I like to play sports with balls.
>
> = Yeah, I _____ _____ sports with balls.

· be interested in
~에 관심이 있다

02 다음 우리말과 같도록 대화의 빈칸에 알맞은 말을 쓰시오.

> A Why the long face?
>
> B I'm so worried about tomorrow's science test.
>
> A I think _____ _____ join the study group after class.
>
> (나는 네가 방과 후 스터디 그룹에 참여해야 한다고 생각해.)
>
> B All right. Thank you for your advice.

· long face
시무룩한 얼굴
· be worried about
~에 대해 걱정하다

03 다음 대화가 자연스럽게 이어지도록 순서대로 배열하시오.

> (A) That's awesome! Do you enjoy hiking?
>
> (B) I'm going to hike up to the top of Jirisan with my family.
>
> (C) Absolutely. I enjoy walking up the mountain trails.
>
> (D) What are you going to do this weekend?

→ _____

· awesome
굉장한, 멋진
· up to ~까지
· absolutely
물론이지(강한 동의)
· trail
산길, 시골길

▇ 서술형

04 다음 주어진 단어들을 사용하여 의사가 Sarah에게 해 줄 충고의 말을 쓰시오.

> Sarah is concerned about her weight because she has gained 5kg in the past couple months. So she went to see a doctor and asked for an exercise she can do. If you were the doctor, what would you advise Sarah to do?

→ "Sarah, _____."

(think / should / go for a walk / 30 minutes / every day)

· be concerned about
~에 대해 염려하다
· weight 체중, 무게
· gain (체중·속도) 증가하다, 얻다

Language Structures

① 동격의 of

동격의 of는 앞에 오는 명사와 뒤에 오는 구가 동격을 이루며, of 이하의 명사구는 앞의 명사를 부연 설명한다. of 뒤에는 보통 동명사(동사원형+-ing)가 온다.

동격을 나타내는 방법	명사+of+동명사(-ing)	She was excited about *the idea* **of starting a new business**. ───── 동격 ───── (그녀는 새로운 사업을 시작한다는 생각으로 들떠 있었다.)
	(대)명사와 명사(구)가 동격	*Mr. Brown*, **my English teacher**, was standing in front of the ───── 동격 ───── gate. (나의 영어 선생님인 **Mr. Brown**이 정문 앞에 서 계셨다.)
	명사와 명사절이 동격	*The news* **that his wife got injured** was a great shock to us. ───── 동격 ───── (그의 아내가 다쳤다는 소식은 우리에게 큰 충격이었다.)

cf. 동격의 명사구나 명사절을 이끄는 주요 명사에는 news, fact, thought, idea, habit, opinion, proposal, conclusion, dream 등이 있다.
People seemed to agree with **my proposal of donating all the money** we had collected.
(사람들은 우리가 모금한 전액을 기부하자는 나의 제안에 동의하는 듯 보였다.)

② 전치사+관계대명사

관계대명사가 관계사절 안에서 전치사의 목적어로 쓰일 때, 전치사는 관계대명사 앞 또는 관계사절의 동사 뒤에 올 수 있는데, 전치사가 관계대명사 앞에 올 때는 관계대명사를 생략할 수 없다.

> She took a job in the company **which** her father worked **for**.
> = She took a job in the company **for which** her father worked. 〈관계대명사 생략 불가능〉
> = She took a job in the company her father worked **for**. 〈관계대명사 생략 가능〉
> (그녀는 그녀의 아버지가 근무했던 회사에 취직했다.)

cf. 관계대명사 that 앞에는 전치사가 올 수 없다.
The bank **that** he works **in** is very large. (그가 근무하는 은행은 매우 크다.)
The bank **in that** he works is very large. (×)

cf. whom 대신 who를 쓸 때 「전치사+who」는 쓸 수 없다.
He is the man **who(m)** I traveled **with**. (그는 내가 함께 여행했던 사람이다.)
= He is the man **with whom** I traveled.
He is the man **with who** I traveled. (×)

note

01 다음 괄호 안에 주어진 단어들을 바르게 배열하시오.

(1) She doesn't like (with my hands / of / my habit / rubbing / my eyes).

→ She doesn't like _____ .

(2) I wrote an article about (a new building / of / his proposal / constructing).

→ I wrote an article about _____ .

(3) Julie agrees with Sophia's (in Europe together / traveling / idea / of).

→ Julie agrees with Sophia's _____ .

· rub
비비다, 문지르다
· article
(신문·잡지 등의) 기사
· proposal 제안
· construct
짓다, 건설하다

02 다음 문장에 자연스럽게 이어질 말을 찾아 바르게 연결하시오.

(1) The author with whom he worked ·

(2) She bought her son a toy ·

(3) The movie to which we went ·

· ⓐ was the best movie I've ever seen in my life.

· ⓑ with which he wanted to play.

· ⓒ gained popularity in Asia.

· author 작가
· gain popularity
인기를 얻다

03 다음 밑줄 친 부분이 어법상 옳으면 ○표를 하고, 틀리면 바르게 고쳐 쓰시오.

(1) We've heard about <u>the city's plan of build a parking lot here.</u>

→ _____

(2) I don't know what to say about <u>my son's dream of to be a magician.</u>

→ _____

(3) The subject <u>in that I am most interested</u> is physics.

→ _____

· parking lot
주차장
· magician 마술사

서술형

04 다음 두 문장을 괄호 안에 주어진 단어를 사용하여 한 문장으로 바꾸어 쓰시오.

(1) Andy decided to give up his idea. His idea was running for student council president. (of)

→ _____

(2) We couldn't go to the Halloween party. We were invited to it. (which)

→ _____

· give up 포기하다
· run for ~에 출마하다
· student council
president 학생회장

Reading

✚ 본문을 읽고 알맞은 구문과 표현으로 빈칸을 채우고, 괄호 안에서 알맞은 것을 고르시오.

Start Off on the Right Foot

Homin Jinho invited me to his magic show the other day. He performed wonderful card tricks in front of a huge audience. I ❶ _____ _____ _____ him as he has a plan for his future dream ❷ (of / for) becoming a professional magician. He watches magic performance shows almost every day and keeps practicing magic tricks until he can perform them perfectly. He has ❸ _____ _____ _____ on studying psychology in college as magic basically deals with people's minds. I wish I had a plan for my future.

Eunseo Why don't you visit the career development office? You can get some important information from the office. Here's what I received from them.

Career Troubleshooter
Assess Yourself

To make the right career choice, you have to learn about yourself first. Your ❹ _____, interests, and personality will make some careers more suitable for you and others less appropriate. You can use self-assessment tests, often called career tests, to better understand yourself. Free career tests are ❺ _____ at our office. If the career test results are not clear and don't solve the problem, don't give up. A hobby you really enjoy can be an important part of ❻ (choose / choosing) a career.

Explore and Narrow Down Your Options

Now, you should make a list of occupations ❼ _____ _____ your self-assessment test results. For each job on your list, you should do some careful research in order to learn about the occupation's educational requirements, outlook, and earnings potential. After researching, you can ❽ _____ careers in which you are no longer interested. At this point you may only have two or three occupations ❾ _____ on your list. You now have to gather more in-depth

❶ ~을 부러워하다

❷ 동격의 전치사

❸ 마음을 정하다

❹ 가치관

❺ 이용할 수 있는

❻ 전치사 뒤 동사의 알맞은 형태

❼ ~에 근거하여

❽ 없애다, 제거하다

❾ leave의 알맞은 형태

정답 ❶ am envious of ❷ of ❸ set his mind ❹ values ❺ available ❻ choosing ❼ based on ❽ eliminate ❾ left information from people who have first-hand knowledge. You should identify who they are and ⑩ _____ interviews with them or ask them for a job-shadowing opportunity.

If you are still not sure, don't worry. Get yourself involved in various activities that you enjoy and do your best today. Your best possible future will ⑪ _____ when you make today the best it can be.

My Job-shadowing Experience at X-Music

I am a music lover, so yesterday I job-shadowed my uncle ⑫(who / which) is a music producer at X-Music. I left home very excited. Not only was I getting the day off of school, but I was also getting a chance to see in person how a music album is made.

The studio was full of the ⑬ _____ equipment, whose size and complexity amazed me. My uncle gave me a short ⑭ _____ of the equipment. He also explained what needs to be done to create an album, from planning the album to arranging, recording, and editing the music. More than half of what he said ⑮ _____ _____ a foreign language to me.

We headed to the recording booth, ⑯ _____ two singers were recording music for their rock band. Outside of the booth, the composer and a technician were waiting for us. My uncle sat down in the middle next to the composer when the recording started. It didn't ⑰ _____ _____, however, until it was stopped by my uncle, then by the composer and the technician. They didn't like this or that about the music and had the singers repeat the same line again and again, all of ⑱ _____ sounded perfect to me. When everyone got exhausted, my uncle cheered them up with occasional funny stories. It took a whole day to finish one song!

My day at X-Music helped me realize that love of music is not the only thing required to become a music producer: ⑲ _____, leadership, and communication skills on top of a good ear for music are important skills to learn, too. I'll have to ⑳ _____ _____ _____ a plan to develop these skills.

⑩ 실시하다, 시행하다

⑪ 펼쳐지다

⑫ 알맞은 관계대명사

⑬ 최신의

⑭ 설명

⑮ ~처럼 들렸다

⑯ 알맞은 관계부사 (= and there)

⑰ 오래 걸리다

⑱ 알맞은 관계대명사

⑲ 인내

⑳ ~을 찾아내다

정답 ⑩ conduct ⑪ unfold ⑫ who ⑬ latest ⑭ explanation ⑮ sounded like ⑯ where ⑰ take long ⑱ which ⑲ patience ⑳ come up with

01 다음 글의 요지로 가장 적절한 것은?

- career 진로, 직업
- personality 인성, 성격
- self-assessment 자기 평가
- effectively 효과적으로
- advantage 장점, 이점

> To make the right career choice, you have to learn about yourself first. Your values, interests, and personality will make some careers more suitable for you and others less appropriate. You can use self-assessment tests, often called career tests, to better understand yourself. Free career tests are available at our office. If the career test results are not clear and don't solve the problem, don't give up. A hobby you really enjoy can be an important part of choosing a career.

① a variety of self-assessment tests
② the importance of having a career
③ the way to take a free career test effectively
④ learning about yourself through a career test
⑤ advantages and disadvantages of a career test

02 다음 주어진 문장 다음에 이어질 ⓐ~ⓓ의 순서를 바르게 배열하시오.

- make a list 목록을 작성하다
- research 조사(연구)하다
- first-hand 직접 얻은(경험한)
- potential 가능한, 잠재적인

> Now, you should make a list of occupations based on your self-assessment test results.
> ⓐ At this point you may only have two or three occupations left on your list.
> ⓑ After researching, you can eliminate careers in which you are no longer interested.
> ⓒ You now have to gather more in-depth information from people who have first-hand knowledge.
> ⓓ For each job on your list, you should do some careful research in order to learn about the occupation's educational requirements, outlook, and earnings potential.
> You should identify who they are and conduct interviews with them or ask them for a job-shadowing opportunity.

→ _____

03 다음 글의 빈칸에 들어갈 말로 가장 적절한 것은?

- in person 직접, 몸소
- indifferent 무관심한
- reluctant 꺼리는, 망설이는

> I am a music lover, so yesterday I job-shadowed my uncle who is a music producer at X-Music. I left home very _____. Not only was I getting the day off of school, but I was also getting a chance to see in person how a music album is made.

① worried ② excited ③ depressed
④ indifferent ⑤ reluctant

04 다음 글의 내용과 일치하지 <u>않는</u> 것은?

note

> The studio was full of the latest equipment, whose size and complexity amazed me. My uncle gave me a short explanation of the equipment. He also explained what needs to be done to create an album, from planning the album to arranging, recording, and editing the music. More than half of what he said sounded like a foreign language to me.

· be full of
~으로 가득 차다

① 스튜디오에는 최신 장비들이 많았다.

② 'I'는 스튜디오 장비의 규모와 복잡함에 놀랐다.

③ 'I'의 삼촌은 장비와 앨범 제작에 관한 설명을 해 주셨다.

④ 앨범 제작에는 기획, 편곡, 녹음, 편집에 이르는 과정이 포함된다.

⑤ 평소 음악을 좋아하는 'I'는 삼촌의 말을 쉽게 이해할 수 있었다.

[05~06] 다음 글을 읽고, 물음에 답하시오.

· head to
~으로 향하다
· recording booth
녹음실
· realize 깨닫다
· require 요구하다
· communication
의사소통

> We ⓐ headed to the recording booth, where two singers were recording music for their rock band. Outside of the booth, the composer and a technician were ⓑ waiting for us. My uncle sat down in the middle next to the composer when the recording started. It ⓒ didn't take long, however, until it was stopped by my uncle, then by the composer and the technician. They didn't like this or that about the music and ⓓ had the singers repeat the same line again and again, all of which sounded perfect to me. When everyone ⓔ got refreshed, my uncle cheered them up with occasional funny stories. It took a whole day to finish one song!
>
> My day at X-Music helped me realize that love of music is not the only thing required to become a music producer: patience, leadership, and communication skills on top of a good ear for music are important skills to learn, too. I'll have to come up with a plan to develop these skills.

05 윗글의 밑줄 친 ⓐ~ⓔ 중, 문맥상 쓰임이 적절하지 <u>않은</u> 것을 골라 바르게 고쳐 쓰시오.

→ _____

서술형

06 윗글의 'I'가 음악 프로듀서가 되는 데 필요하다고 깨달은 것을 우리말로 쓰시오.

Things required to be a music producer	· 음악에 대한 사랑
	· _____
	· _____
	· _____
	· _____

단원평가 1회

01 다음 밑줄 친 부분에 해당하는 단어는?

> If you click on this button, the webpage will appear <u>immediately without waiting</u>.

① repeatedly ② instantly
③ eventually ④ constantly
⑤ occasionally

02 다음 영영풀이 ⓐ~ⓓ에 해당하는 단어를 〈보기〉에서 골라 각 단어의 첫 번째 철자의 조합으로 만들 수 있는 단어를 쓰시오.

〈보기〉
assess	composer	technician
suitable	develop	envious

ⓐ someone who writes music
ⓑ to examine something and make a decision about it
ⓒ appropriate for a purpose or situation
ⓓ wishing that you had something that someone else has

→ _____

[03~04] 다음 대화의 빈칸에 들어갈 말로 가장 적절한 것을 고르시오.

03

> A Somin, where did you get this doll?
> B I made it myself. Do you like it?
> A It's amazing! Wasn't it hard to make dolls?
> B Yeah. But _____ .

① I really enjoy working with fabrics
② I like to look around doll shops
③ I enjoy collecting different kinds of dolls
④ my hobby is buying dolls from doll stores
⑤ my favorite thing is playing with dolls

04

> A I always forget about important things. This morning, I forgot to bring my homework on which I spent my whole weekend. What should I do?
> B _____

① I think you should join a book club.
② Why don't you study harder?
③ My advice is to do your homework.
④ If I were you, I would get some rest.
⑤ It might be a good idea to make a to-do list.

05 다음 중 짝지어진 대화가 <u>어색한</u> 것은?

① A What do you usually do on weekends?
B I enjoy riding a bicycle along the Han River.
② A I'm thinking of joining the gardening club.
B Well.... If I were you, I would join the cooking club. That seems more fun.
③ A I don't know what to wear to the concert.
B I think you should wear a skirt and blouse.
④ A I haven't decided what to make for the robotics competition.
B Why don't you make a robot dog that can speak?
⑤ A I still don't know what I want to do in terms of a career.
B Yeah, it's a big problem. What would you advise me to do?

중요

06 다음 주어진 문장의 밑줄 친 of와 쓰임이 같은 것은?

> He has a dream of becoming a professor.

① The house was built of bricks.
② His father died of lung cancer.
③ I was surprised at the news of his victory.
④ *Romeo and Juliet* is a work of Shakespeare.
⑤ Of all our friends, Tom lives farthest away.

07 다음 빈칸에 알맞은 말을 〈보기〉에서 골라 쓰시오.

〈보기〉
in which   to which   with which

(1) I want some flowers _____ I can decorate my room.
(2) On Saturday, we visited an art gallery, _____ we'd never been before.
(3) This is the book _____ I am interested.

[08~10] 다음 글을 읽고, 물음에 답하시오.

Jinho invited me to his magic show the other day. He performed wonderful card tricks in front of a huge audience. I am envious of him as he has a plan for (dream, becoming, magician, his, of, a, professional, future). He watches magic performance shows almost every day and keeps practicing magic tricks until he can perform them perfectly. He has set his mind on studying psychology in college as magic basically deals with people's minds. I wish I had a plan for my future.

서술형

08 윗글의 문맥에 맞게 괄호 안의 단어들을 바르게 배열하시오.

→ _____

09 윗글의 중심 내용으로 가장 적절한 것은?

① 진호와 'I'의 우정
② 마술사가 되기 위한 요건
③ 고등학생들 사이에서 인기 있는 직업
④ 꿈과 연계된 대학 전공 선택의 중요성
⑤ 진호의 마술 공연에 다녀온 후 'I'의 느낌

10 윗글의 내용과 일치하지 <u>않는</u> 것은?

① 'I' watched Jinho's magic show a few days ago.
② Jinho did good magic tricks in the show.
③ 'I' am interested in becoming a magician, too.
④ Jinho tries very hard to become a better magician.
⑤ Jinho has decided what to study in college.

[11~12] 다음 글을 읽고, 물음에 답하시오.

To make the right career choice, you have to _____ first. Your values, interests, and personality will make some careers more suitable for you and others less appropriate. You can use self-assessment tests, often called career tests, to better understand yourself. Free career tests are available at our office. If the career test results are not clear and don't solve the problem, don't give up. A hobby you really enjoy can be an important part of choosing a career.

11 윗글의 빈칸에 들어갈 말로 가장 적절한 것은?

① learn about yourself
② invest a lot of money
③ do Internet research
④ talk with people to get advice
⑤ get as much job experience as possible

12 윗글의 내용과 일치하도록 빈칸에 알맞은 말을 쓰시오.

> In order to make a right choice for your career and understand yourself better, you can use career tests. However, if the test results are not as helpful as you expected, you can consider your _____, too.

[13~15] 다음 글을 읽고, 물음에 답하시오.

Now, you should make a list of occupations based on your self-assessment test results. For each job on your list, you should do some careful research in order to learn about the occupation's educational requirements, outlook, and earnings potential. After researching, you can _____ careers in which you are no longer (A) interesting / interested . At this point you may only have two or three occupations (B) leaving / left on your list. You now have to gather more in-depth information from people who have first-hand knowledge. You should identify who they are and conduct interviews with them or ask them for a job-shadowing opportunity.

If you are still not sure, don't worry. Get yourself (C) involving / involved in various activities that you enjoy and do your best today. Your best possible future will unfold when you make today the best it can be.

13 윗글의 제목으로 가장 적절한 것은?

① Advantages of Making a Job List
② How to Get Information about Jobs
③ Assess Yourself by Taking a Career Test
④ Explore and Narrow Down Your Options
⑤ The Benefits of Job-Shadowing

14 윗글의 빈칸에 들어갈 말로 가장 적절한 것은?

① add   ② explore
③ choose   ④ eliminate
⑤ shadow

15 윗글의 (A), (B), (C)의 각 네모 안에서 어법에 맞는 표현으로 가장 적절한 것은?

	(A)	(B)	(C)
①	interesting	leaving	involving
②	interesting	left	involving
③	interesting	left	involved
④	interested	leaving	involved
⑤	interested	left	involved

[16~18] 다음 글을 읽고, 물음에 답하시오.

I am a music lover, so yesterday I job-shadowed my uncle who is a music producer at X-Music. I left home very excited. Not only was I getting the day off of school, but I was also getting a chance to see in person how a music album is made.

The studio was full of the latest equipment, ____ⓐ____ size and complexity amazed me. My uncle gave me a short explanation of the equipment. He also explained what needs to be done to create an album, from planning the album to arranging, recording, and editing the music. ⓑMore than half of what he said sounded like a foreign language to me.

16 윗글의 빈칸 ⓐ에 들어갈 말로 가장 적절한 것은?

① who   ② which
③ whom   ④ whose
⑤ with which

17 윗글의 밑줄 친 ⓑ가 의미하는 것은?

① My uncle spoke in a foreign language.
② It's easier to understand what he said in another language.
③ It was interesting enough to keep my attention.
④ It was difficult to figure out what he was saying.
⑤ My uncle's music was so unique that I couldn't fully understand it.

18 윗글을 읽고 답할 수 <u>없는</u> 질문은?

① Who did 'I' job-shadow?
② What was the studio filled with?
③ How did 'I' feel when I left home?
④ What did the uncle explain to 'I'?
⑤ How was the song arranged before recording?

[19~20] 다음 글을 읽고, 물음에 답하시오.

> We headed to the recording booth, where two singers were recording music for their rock band. (ⓐ) Outside of the booth, the composer and a technician were waiting for us. (ⓑ) My uncle sat down in the middle next to the composer when the recording started. (ⓒ) They didn't like this or that about the music and <u>had</u> the singers repeat the same line again and again, all of which sounded perfect to me. (ⓓ) When everyone got exhausted, my uncle cheered them up with occasional funny stories. (ⓔ) It took a whole day to finish one song!

19 윗글의 ⓐ~ⓔ 중, 주어진 중 문장이 들어가기에 가장 적절한 곳은?

> It didn't take long, however, until it was stopped by my uncle, then by the composer and the technician.

① ⓐ   ② ⓑ   ③ ⓒ
④ ⓓ   ⑤ ⓔ

20 윗글의 밑줄 친 had와 쓰임이 같은 것은?

① I wish I <u>had</u> a brother like you.
② We <u>had</u> some money to lend her.
③ The police officer <u>had</u> the driver stop the car.
④ Have you <u>had</u> any of the mushroom soup that I made?
⑤ You <u>had</u> better talk with your professor first.

단원평가 2회

01 다음 빈칸에 들어갈 말로 가장 적절한 것은?

> If you _____ something, you open it up and flatten it out.

① unfold
② compose
③ produce
④ edit
⑤ eliminate

02 다음 영영풀이 ⓐ~ⓓ에 해당하지 않는 단어는?

> ⓐ very tired
> ⓑ something that you do to deceive someone or do as a joke
> ⓒ the things people use for a particular activity
> ⓓ considering all the details

① trick
② equipment
③ requirement
④ exhausted
⑤ in-depth

03 다음 대화의 빈칸에 알맞지 않은 것은?

> **A** My family is going to visit India next month. You've been there a few times. Can you give me some tips?
> **B** Well, _____.

① While you're there, try traditional food such as tandoori chicken
② I think you should bring warm clothes since it'll be cold
③ I used to enjoy traveling with my family, too
④ you'd better not eat with your left hand
⑤ if I were you, I would study about the history of India in advance

04 다음 대화가 자연스럽게 이어지도록 순서대로 배열하시오.

> (A) Hey, Jason. You don't look so good. What's the matter?
> (B) Thanks for your advice.
> (C) I think I have a bad cold. I have a cough and a terrible headache.
> (D) I think you should go see a doctor. Also, you'd better drink some warm water and get some rest.

→ _____

05 다음 대화의 괄호 안에 주어진 단어들을 바르게 배열하시오.

> **A** Ms. Cho, I wonder what you liked to do when you were young.
> **B** Well, I (the characters / watching / enjoyed / and drawing / animations) that are in them. I think that helped me a lot to be an animator.

→ _____

06 다음 빈칸에 알맞은 말을 써 넣어 문장을 완성하시오.

(1) She took a job at the company for _____ her mother worked.

(2) I happened to meet a man _____ _____ I used to work.

07 다음 밑줄 친 부분이 어법상 옳으면 ○표를 하고, **틀리면** 바르게 고쳐 쓰시오.

(1) This is the house <u>which</u> my uncle lives in.

→ _____

(2) Do you know the guy <u>with who</u> Jim goes jogging every morning?

→ _____

서술형

08 다음 밑줄 친 부분을 우리말로 바르게 해석하시오.

(1) In spite of <u>the danger of losing their lives</u>, they didn't give up.

→ _____

(2) His mother rejected <u>the idea of living in a nursing home</u>.

→ _____

[09~11] 다음 글을 읽고, 물음에 답하시오.

Homin Jinho invited me to his magic show the other day. He performed wonderful card tricks in front of a huge audience. I am envious of him as he has a plan for his future dream of becoming a professional magician. He watches magic performance shows almost every day and keeps practicing magic tricks _____ⓐ_____ he can perform them perfectly. He has set his mind on studying psychology in college _____ⓑ_____ magic basically deals with people's minds. I wish I had a plan for my future.

Eunseo Why don't you visit the career development office? You can get some important information from the office. Here's what I received from them.

09 윗글에서 은서가 호민이에게 메시지를 남긴 목적은?

① to give him a piece of advice
② to invite him to a magic show
③ to request information about a show for him
④ to explain to him how to set goals
⑤ to ask him to go to a job fair together

10 윗글의 빈칸 ⓐ, ⓑ에 들어갈 말이 바르게 짝지어진 것은?

① until – as   ② as – if
③ because – if   ④ until – although
⑤ since – because

11 윗글을 읽고 답할 수 **없는** 질문은?

① What did Jinho do in his magic show?
② Why does Homin feel envious of Jinho?
③ What does Jinho do every day to achieve his dream?
④ What is Jinho going to study in college?
⑤ What does Homin want to be in the future?

[12~13] 다음 글을 읽고, 물음에 답하시오.

<u>To make</u> the right career choice, you have to learn about yourself first. Your values, interests, and personality will make some careers ⓐ<u>more suitable</u> for you and others less appropriate. You can use self-assessment tests, often called career tests, to ⓑ<u>less understand</u> yourself. Free career tests ⓒ<u>are available</u> at our office. If the career test results are ⓓ<u>not clear</u> and don't solve the problem, ⓔ<u>don't give up</u>. A hobby you really enjoy can be an important part of choosing a career.

12 윗글의 밑줄 친 To make와 쓰임이 같은 것은?

① To see is to believe.
② My mom wants me to clean the room.
③ What can we do to celebrate it?
④ I hope to be ready by next week at the latest.
⑤ The best way to get there is to take a subway.

중요

13 윗글의 밑줄 친 ⓐ~ⓔ 중, 문맥상 쓰임이 적절하지 않은 것은?

① ⓐ   ② ⓑ   ③ ⓒ
④ ⓓ   ⑤ ⓔ

[14~15] 다음 글을 읽고, 물음에 답하시오.

　Now, you should make a list of occupations ⓐbased on your self-assessment test results. For each job on your list, you should do some careful research in order to learn about the occupation's educational requirements, outlook, and earnings potential. ⓑAfter researching, you can eliminate careers ⓒin which you are no longer interested. At this point you may only have two or three occupations left on your list. You now ⓓhave to gather more in-depth information from people who have first-hand knowledge. You should identify ⓔwho are they and conduct interviews with them or ask them for a job-shadowing opportunity.

14 윗글의 밑줄 친 ⓐ~ⓔ 중, 어법상 틀린 것은?

① ⓐ   ② ⓑ   ③ ⓒ
④ ⓓ   ⑤ ⓔ

15 윗글의 내용과 일치하도록 다음 문장을 순서대로 배열하시오.

ⓐ Learn more about jobs.
ⓑ Do careful research of each job.
ⓒ Make a list of jobs.
ⓓ Narrow down the list.

→ _____

[16~17] 다음 글을 읽고, 물음에 답하시오.

　I am a music lover, so yesterday I job-shadowed my uncle who is a music producer at X-Music. I left home very excited. (of school / not only / was / the day off / I / getting), but I was also getting a chance to see in person how a music album is made.
　The studio was full of the latest equipment, whose size and complexity amazed me. My uncle gave me a short explanation of the equipment. He also explained what needs to be done to create an album, from planning the album to arranging, recording, and editing the music. More than half of what he said sounded like a foreign language to me.

서술형

16 윗글의 괄호 안의 단어들을 주어진 우리말과 같도록 바르게 배열하시오.

나는 학교에 가지 않아도 되었을 뿐만 아니라

→ _____

17 윗글의 내용과 일치하지 <u>않는</u> 것은?

① There was a lot of modern equipment in the studio.

② I had seen many music recordings before visiting X-Music.

③ I was surprised at the size and complexity of the studio equipment.

④ My uncle explained the process of recording.

⑤ I couldn't understand my uncle's explanation easily.

[18~20] 다음 글을 읽고, 물음에 답하시오.

We headed to the recording booth, where two singers were recording music for their rock band. Outside of the booth, the composer and a technician were waiting for us. My uncle sat down in the middle next to the composer when the recording started. It didn't take long, however, until it was stopped by my uncle, then by the composer and the technician. (①) They didn't like this or that about the music and had the singers ⓐrepeating the same line again and again, all of which sounded perfect to me. (②) When everyone got ⓑexhaust, my uncle cheered them up with occasional funny stories. (③) It took a whole day to finish one song! (④) My day at X-Music helped me realize that love of music is not the only thing ⓒrequire to become a music producer: patience, leadership, and communication skills on top of a good ear for music are important skills to learn, too. (⑤)

18 윗글의 ①~⑤ 중, 주어진 문장이 들어가기에 가장 적절한 곳은?

I'll have to come up with a plan to develop these skills.

①　　②　　③　　④　　⑤

서술형

19 윗글의 밑줄 친 ⓐ~ⓒ를 알맞은 형태로 고쳐 쓰시오.

ⓐ: _____

ⓑ: _____

ⓒ: _____

20 윗글의 내용과 일치하지 <u>않는</u> 것은?

① 녹음실에는 가수 두 명이 녹음하고 있었다.

② 녹음이 시작되고 얼마되지 않아 녹음이 중단되었다.

③ 가수들은 노래의 똑같은 소절을 반복해서 불렀다.

④ 노래 한 곡을 녹음하는 데 하루 종일 걸렸다.

⑤ 음악 프로듀서가 되기 위해서는 음악에 대한 애정 만 있으면 된다.

핵심 콕콕

Communicative Functions

1 좋아하는 것 표현하기

I enjoy... .는 '나는 ~(하는 것)을 좋아한다(즐긴다).'라는 뜻으로 자신이 좋아하는 것을 표현할 때 쓰는 표현이다. enjoy 뒤에 동사가 오는 경우에는 동명사 형태가 와야 한다.
I enjoy dancing to hip-hop music.

> 유사표현 ▶ I like〔love〕(to).... / My favorite ~ is〔are〕....

2 충고하기

I think you should... .는 '나는 네가 ~해야 한다고 생각한다.'라는 뜻으로 상대방에게 충고할 때 쓰는 표현이다. 조동사 should 뒤에는 동사원형이 온다.
I think you should take this problem seriously.

> 유사표현 ▶ Why don't you...? / If I were you, I would.... / It might be a good idea to....

Language Structures

3 동격의 of

동격의 of는 앞에 오는 명사와 뒤에 오는 구가 동격을 이루며, of 이하의 명사구는 앞의 명사를 부연 설명한다. of 뒤에는 보통 동명사(동사원형+-ing) 형태가 온다.

• Do you agree with his idea **of** expanding the company?

4 전치사 + 관계대명사

관계대명사가 관계사절 안에서 전치사의 목적어로 쓰일 때, 전치사는 관계대명사 앞 또는 관계사절의 동사 뒤에 올 수 있다.
Mark visited the factory **which** he used to work **for.**
= Mark visited the factory **for which** he used to work. 〈관계대명사 생략 불가능〉
= Mark visited the factory he used to work **for.** 〈관계대명사 생략 시, 전치사는 문장의 맨 끝에 온다.〉

cf. 관계대명사가 that인 경우는 「전치사+관계대명사」 형태로 쓸 수 없고, whom 대신 who를 쓸 때 「전치사+who」의 형태로는 쓸 수 없다.

Express

Communicative Functions

- 의견 묻기

  What do you think of his style?

  그의 스타일에 관해 어떻게 생각해?

- 궁금증 표현하기

  I wonder if you have a bigger one.

  저는 더 큰 것이 있는지 궁금해요.

Language Structures

- one of+the 최상급 형용사+복수명사

  Combining analogous colors is **one of the easiest ways** of matching colors.

  유사색을 조합하는 것은 색상 맞추기의 가장 쉬운 방법 중 하나이다.

- 접속사 unless

  Unless your signature style **is** to wear colors that clash, using the color wheel **will help** you.

  당신의 시그니처 스타일이 서로 충돌하는 색상을 입는 것이 아니라면, 색상환을 사용하는 것이 도움이 될 것이다.

Words & Expressions

➕ 다음을 읽고 자신이 기억해야 할 것에 ☑표시 하시오.

Words

☐ **current** [kə́:rənt] 〔형〕 현재의, 지금의(= present)

☐ **create** [kriéit] 〔동〕 만들다, 창조하다

☐ **showcase** [ʃóukeis] 〔동〕 ~을 돋보이게 하다

☐ **charm** [tʃa:rm] 〔명〕 매력

☐ **individuality** [ìndəvìdʒuǽləti] 〔명〕 개성, 특성

☐ **personal** [pə́rsənl] 〔형〕 개인의, 개인적인

☐ **signature** [sígnətʃər] 〔명〕 특징 〔형〕 특징적인

☐ **experiment** [ikspérəmənt] 〔동〕 실험하다; 시도하다

☐ **avoid** [əvɔ́id] 〔동〕 피하다(= escape)

☐ **realize** [rí:əlàiz] 〔동〕 깨닫다, 알아차리다

☐ **shade** [ʃeid] 〔명〕 색조

☐ **eventually** [ivéntʃuəli] 〔부〕 마침내, 결국(= finally)

☐ **suit** [su:t] 〔동〕 어울리다

☐ **discover** [diskʌ́vər] 〔동〕 알아내다, 발견하다(= find out)

☐ **combine** [kəmbáin] 〔동〕 결합하다(= join)

☐ **analogous** [ənǽləgəs] 〔형〕 유사한

☐ **complementary** [kàmpləméntəri] 〔형〕 상호 보완적인

☐ **elegant** [éligənt] 〔형〕 우아한, 품격 있는

☐ **bold** [bould] 〔형〕 뚜렷한, 두드러진(= striking)

☐ **impression** [impréʃən] 〔명〕 인상

☐ **tricky** [tríki] 〔형〕 (하기) 힘든, 까다로운

☐ **clash** [klæʃ] 〔동〕 충돌하다, (빛깔이) 안 어울리다

☐ **uniform** [jú:nəfɔ̀:rm] 〔명〕 교복, 제복

☐ **casual** [kǽʒuəl] 〔형〕 평상시의, 캐주얼한

☐ **layer** [léiər] 〔명〕 겹, 겹침 〔동〕 (옷을) 껴입다

☐ **outfit** [áutfit] 〔명〕 복장, 옷

☐ **frame** [freim] 〔명〕 (pl.) 안경테

☐ **angular** [ǽŋgjulər] 〔형〕 각이 진

☐ **square** [skwɛər] 〔형〕 직각의, 직각을 이루는

☐ **material** [mətíəriəl] 〔명〕 (물건의) 재료

☐ **eyebrow** [áibràu] 〔명〕 눈썹

☐ **expressive** [iksprésiv] 〔형〕 (감정을) 나타내는

☐ **hide** [haid] 〔동〕 가리다, 숨기다(= conceal)

☐ **strict** [strikt] 〔형〕 엄한, 엄격한(= severe)

Expressions

☐ **be in fashion** 유행하고 있다

☐ **tend to** ~하는 경향이 있다

☐ **as for** ~에 관해 말하자면

☐ **go well with** ~와 잘 어울리다

☐ **result in** (결과적으로) ~을 낳다

☐ **pay attention to** ~에 주의를 기울이다

☐ **in terms of** ~ 면에서, ~에 관하여

☐ **be happy with** ~에 만족하다

☐ **used to** ~하곤 했다

☐ **on top of** ~ 위에

☐ **in layers** 겹쳐서

note

01 다음 영어는 우리말로, 우리말은 영어로 쓰시오.

(1) eventually _____   (7) 눈썹 _____

(2) outfit _____   (8) 결합하다 _____

(3) strict _____   (9) 우아한, 품격 있는 _____

(4) bold _____   (10) 충돌하다 _____

(5) go well with _____   (11) ~을 돋보이게 하다 _____

(6) as for _____   (12) 깨닫다, 알아차리다 _____

02 다음 괄호 안에서 문맥상 알맞은 것을 고르시오.

(1) At that time, the roofs of most houses were (angular / singular).

(2) This situation is (anonymous / analogous) to the one from last month.

(3) Mr. Johnson's speech left a deep (impression / expression) on the audience.

(4) Most employees in this company seem to be satisfied with their (current / corrupt) job.

- singular 단일의
- anonymous 익명의
- be satisfied with ~에 만족하다
- corrupt 부패한

03 다음 빈칸에 들어갈 말로 가장 적절한 것을 고르시오.

(1) He looks better when he wears _____ clothes than formal clothes.

① tricky   ② casual   ③ subtle

④ definite   ⑤ complementary

(2) Miniskirts have been in _____ for the past few years.

① charm   ② frame   ③ fashion

④ individuality   ⑤ shade

- subtle 미묘한, 섬세한
- definite 확실한

04 다음 영영풀이에 해당하는 단어를 (보기)에서 골라 쓰시오.

(보기)

| layer | signature | square | experiment |

(1) _____ : being a shape whose corners are all ninety degree angles

(2) _____ : to try using various ideas or methods to find out how good or effective they are

- angle 각도, 각
- find out ~을 알아내다

Communicative Functions

① 의견 묻기: What do you think of[about]...?

> **A** **What do you think of** cat eye sunglasses?
>
> **B** I think they're cool and stylish.

What do you think of[about]...? 는 '너는 ~에 관해 어떻게 생각하니?'라는 뜻으로 상대방의 의견이나 생각을 물을 때 쓰는 표현이다.

유사표현 ▶ How do you feel about...? / What's your view[opinion] on...?

- **How do you feel about** our school's new policy?
  (우리 학교의 새로운 교칙에 관해 어떻게 생각하니?)

- **What's your opinion on** moving to the U.S.A?
  (미국으로 이민 가는 것에 관해 어떻게 생각하니?)

cf. 의견을 말할 때는 「주어+think (that)+주어+동사 ~」 또는 In my opinion ~을 쓸 수 있다.
   I think (that) donating our books was a great idea.
   (나는 우리 책을 기부하는 것이 좋은 아이디어였다고 생각해.)
   In my opinion, it helps the students learn better.
   (내 생각에 그것은 학생들이 더 잘 학습하도록 도와준다.)

② 궁금증 표현하기: I wonder....

> **A** **I wonder** why you often wear sports pants.
>
> **B** I feel comfortable in them.

I wonder.... 는 '나는 ~가 궁금하다.'라는 뜻으로 궁금증을 표현할 때 쓰는 표현이다. 뒤에 의문사절이나 if절이 쓰이며 이때, if는 '~인지 아닌지'라는 의미로 whether와 바꾸어 쓸 수 있다.

유사표현 ▶ I'm curious about.... / I'd be interested to know....

- **I'm curious about** what he looks like.
  (나는 그가 어떻게 생겼을지 궁금하다.)

- **I'd be interested to know** where noodles come from.
  (나는 국수가 어디서 유래했는지 아는 것에 관심이 있다.)

cf. wonder 뒤의 접속사가 whether일 경우에는 뒤에 바로 or not을 쓸 수 있지만, if 뒤에는 바로 or not을 쓸 수 없다. 단, 문장 끝에 or not은 둘 다 쓸 수 있다.
   We wonder **whether or not** it will rain tomorrow. (○)
   (우리는 내일 비가 올지 안 올지 궁금하다.)
   We wonder **if or not** it will rain tomorrow. (×)

note

01 다음 질문에 대한 응답으로 가장 알맞은 것은?

> What do you think about this documentary?

① I don't think so.
② I think it was great.
③ I totally agree with you.
④ I'll go to a movie tonight.
⑤ I've already watched it three times.

· documentary
다큐멘터리
· totally 완전히

02 다음 두 문장의 의미가 같도록 빈칸에 알맞은 말을 쓰시오.

> How do you feel about George's new movie?
> = _____ _____ _____ _____ about George's new movie?

03 다음 대화가 자연스럽게 이어지도록 순서대로 배열하시오.

> (A) Yes, a lot. I wonder where I can get my face painted.
> (B) I see. Thank you!
> (C) Are you enjoying the festival?
> (D) You can get it done right over there.

· festival 축제

→ _____

🖊 서술형

04 다음 주어진 단어들을 사용하여 준호가 미나에게 할 말을 쓰시오.

> Today is Mina's birthday. Junho, one of her friends, makes her bracelet for her birthday. After giving it to her, he waits for her reaction, thinking to himself, 'Does she like it? Does she not like it?'

· bracelet 팔찌
· think to oneself
마음속으로 생각하다

→ "Mina, _____."

(wonder / if / my gift)

Language Structures

① one of + the 최상급 형용사 + 복수명사

「one of+the 최상급 형용사+복수명사」는 '가장 ~한 것들(사람들) 중 하나'의 의미로 단수 취급하여 뒤에 단수동사가
와야 한다.

> **One of the easiest ways** to get there **is** to use public transportation.
> ┗━━━━━━━━━━━━━━━━━┛ 단수동사
>
> (그곳에 가는 가장 쉬운 방법들 중 하나는 대중교통을 이용하는 것이다.)
>
> I think Audrey Hepburn was **one of the greatest actresses** of the 20th century.
>
> (나는 Audrey Hepburn이 20세기의 가장 훌륭한 여배우들 중 한 명이었다고 생각한다.)

cf. 최상급에 the를 붙이지 않는 경우

부사의 최상급일 때	He runs **fastest** in his school. (그는 학교에서 가장 빨리 달린다.)
소유격과 쓰일 때	She is my **best** friend. (그녀는 나의 가장 친한 친구이다.)
동일물의 성질을 나타낼 때	This pond is **deepest** here. (이 연못은 여기가 가장 깊다.)

② 접속사 unless

접속사 unless는 '만약 ~하지 않는다면'이라는 뜻으로, 'if ~ not'과 바꾸어 쓸 수 있다. unless 자체가 부정(not)의
의미를 이미 포함하고 있으므로 부정어를 중복해서 쓰지 않도록 주의해야 한다.

> *If* you do *not* read the book, you can't do your homework.
> = **Unless** you read the book, you can't do your homework.
>
>   (만약 네가 그 책을 읽지 않는다면, 너는 숙제를 할 수 없다.)
>
> ≠ *Unless* you do *not* read the book, you can't do your homework. (×)

cf. 조건을 나타내는 부사절에서는 주절이 미래시제여도 종속절은 현재시제로 써야 한다.
   Unless we go to the supermarket now, there won't be anything for supper.
   (우리가 지금 슈퍼마켓에 가지 않는다면, 저녁에 먹을 것이 아무것도 없을 것이다.)

cf. Otherwise: '만약 그렇지 않다면(= If ~ not)'의 뜻으로, 앞에 나온 문장과 반대 상황을 가정한다.
   I always leave home before 7 : 40 a.m., **otherwise** I will miss the school bus.
   (나는 항상 아침 7시 40분 전에 집을 나선다. 그렇지 않으면 스쿨버스를 놓칠 것이다.)
   = **If** I **don't** leave home before 7 : 40 a.m., I will miss the school bus.

01 다음 대화의 밑줄 친 ①~⑤ 중, 어법상 틀린 것은?

> A What would you like ① to have for dinner, Suji?
> B I'd like some Italian food. How about ② going to Francesco's?
> A Sounds good. It's ③ one of the ④ best Italian ⑤ restaurant in town.

02 다음 문장에 자연스럽게 이어질 말을 찾아 바르게 연결하시오.

(1) You will fall behind ·   · ⓐ unless something unexpected
     others   happens.

(2) I'll see you tomorrow ·   · ⓑ if it is not too far from here.

(3) You can just walk   ·   · ⓒ unless you make an effort.

서술형

03 다음 문장에서 어법상 틀린 부분을 찾아 바르게 고쳐 쓰시오.

(1) He will be in trouble unless the train will arrive on time.

→ _____

(2) One of the most influential politicians in France are D. Morris.

→ _____

서술형

04 다음 괄호 안의 단어들을 바르게 배열하시오.

(1) Jim Smith is _____

_____.

   (music producers / of / most famous / in England / one / the / regarded as)

(2) The little kids are _____

_____.

   (too much / they / noise / allowed / to / stay / unless / make)

Reading

✚ 본문을 읽고 알맞은 구문과 표현으로 빈칸을 채우고, 괄호 안에서 알맞은 것을 고르시오.

Totally You!

Wide pants, a striped shirt, a baseball cap: walk down the street and you'll see what's in fashion. Teens, like adults, ❶_____ _____ follow popular trends. That's fine if you're happy with the current style, ❷(but / so) you can also create your own style if you're not. Think of Steve Jobs, and a figure of a man wearing a black shirt and blue jeans might pop into your head. Likewise, you can showcase your own charm and ❸_____ with your own unique style, which can become a part of your personal image: a signature style. Here are some tips from three teenage fashion leaders on how to ❹_____ and find your own style.

❶ ～하는 경향이 있다

❷ 알맞은 접속사

❸ 개성, 특성

❹ 실험하다

Have Fun with Colors!   Amanda Brown

What is your favorite color? Do you often wear fashion items in ❺(that / which) color? As for me, my favorite color is green, but I felt it did not ❻_____ _____ _____ my skin tone, so I ❼_____ _____ avoid wearing it. One day, I realized that green has many shades, so I experimented with various shades of green and eventually, I found that a deep green helps me ❽(look / looked) great. If you like a certain color, you can try various shades like I did, and find one that suits you.

❺ 알맞은 관계대명사

❻ ～와 잘 어울리다

❼ ～하곤 했다 (과거의 습관)

❽ help의 목적격 보어

Once you decide on a color, you may ❾_____ the color wheel useful to find other colors ❿(that / what) go well together. There are three simple ways to use the color wheel: combining analogous colors, choosing complementary colors, and mixing together analogous and complementary colors.

❾ 알아내다, 발견하다

❿ 알맞은 관계대명사

❶ Analogous colors
Pick one color on the color wheel, skip one, and choose the next one.
❷ Complementary colors
Select two colors on opposite sides of the color wheel.
❸ Split complementary colors
Choose two analogous colors and the complementary color of the one that is found between them.

The color wheel

정답 ❶ tend to ❷ but ❸ individuality ❹ experiment ❺ that ❻ go well with ❼ used to ❽ look ❾ discover ❿ that

Combining analogous colors is one of the ⑪_____ ways of matching colors that will give you an ⑫_____ look, for example, a yellow shirt on top of green pants. Choosing complementary colors, like wearing a green skirt with red shoes, creates a ⑬_____ impression. Choosing a mixture of analogous and complementary colors together, called split complementary colors, can be tricky but results ⑭(in / from) a calmer look than a combination of complementary colors. Unless your signature style is to wear colors that ⑮_____, using the color wheel will help you choose colors that are natural and pleasing to the eye.

⑪ easy의 알맞은 형태

⑫ 우아한, 품격 있는

⑬ 뚜렷한, 두드러진 (= striking)

⑭ 알맞은 전치사

⑮ 충돌하다

You Don't Need Many Clothes! Dan Oakley

I spend a lot of time at school in my uniform, so I don't pay too much attention to what I wear. But there is one thing I often wear outside of school: a black striped shirt. It's very casual with a simple design. I like to wear it under a denim shirt, a leather jacket, or a cardigan. Putting on clothes in ⑯_____ like this keeps my style fresh even though I don't have a lot of clothes. Mixing and matching clothes is a lot of fun! My point is: ⑰(If / Unless) you have a favorite fashion item, and it goes well with your other clothes, you can create a new outfit every single day.

⑯ 겹, 겹침

⑰ 알맞은 접속사

Invest in Your Glasses! Jake Peavy

One of the simplest ways to develop your own style is to ⑱_____ _____ _____ accessories like shoes, hats, glasses, or watches. I spend a lot of time choosing my eye glasses because they can be an important part of my look. When I choose frames, I think of my face shape. Since my face is rather angular, I usually choose round frames. If your face is round, however, you may look better in angular or square frames. Here's another important tip. People tend to make purchasing decisions about frames ⑲_____ _____ _____ material or color, but not many think about their eyebrows. Eyebrows can be so expressive, and covering them with your frames may hide the feelings you express, eventually making you look ⑳_____.

⑱ ~에 주의를 기울이다

⑲ ~의 면에서

⑳ 엄한, 엄격한 (= severe)

정답 ⑪ easiest ⑫ elegant ⑬ bold ⑭ in ⑮ clash ⑯ layers ⑰ If ⑱ pay attention to ⑲ in terms of ⑳ strict

01 다음 글 바로 뒤에 올 수 있는 내용으로 가장 적절한 것은?

note
· unique 독특한
· tip 조언; 정보

Likewise, you can showcase your own charm and individuality with your own unique style, which can become a part of your personal image: a signature style. Here are some tips from three teenage fashion leaders on how to experiment and find your own style.

① The history of fashion in the 21st century
② Advice on how to find one's own fashion style
③ Tips for creating a new style by matching colors
④ Importance of having individuality in terms of fashion
⑤ Introduction of the most popular trends among teenagers

02 다음 주어진 글 다음에 이어질 글의 순서로 가장 적절한 것은?

· tone 색조

What is your favorite color? Do you often wear fashion items in that color?

(A) If you like a certain color, you can try various shades like I did, and find one that suits you.

(B) One day, I realized that green has many shades, so I experimented with various shades of green and eventually, I found that a deep green helps me look great.

(C) As for me, my favorite color is green, but I felt it did not go well with my skin tone, so I used to avoid wearing it.

① (A) — (B) — (C)   ② (B) — (A) — (C)   ③ (B) — (C) — (A)
④ (C) — (A) — (B)   ⑤ (C) — (B) — (A)

03 다음 글의 빈칸에 주어진 철자로 시작하는 알맞은 단어를 쓰시오.

· mixture 혼합
· split 분할된
· combination
  조합, 결합
· pleasing 만족스러운

Combining analogous colors is one of the easiest ways of matching colors that will give you an elegant look, for example, a yellow shirt on top of green pants. Choosing complementary colors, like wearing a green skirt with red shoes, creates a bold impression. Choosing a mixture of analogous and complementary colors together, called split complementary colors, can be tricky but results in a calmer look than a combination of complementary colors. U_____ your signature style is to wear colors that clash, using the color wheel will help you choose colors that are natural and pleasing to the eye.

04 다음 글의 흐름으로 보아, 주어진 문장이 들어가기에 가장 적절한 곳은?

> Putting on clothes in layers like this keeps my style fresh even though I don't have a lot of clothes.

I spend a lot of time at school in my uniform, so I don't pay too much attention to what I wear. (①) But there is one thing I often wear outside of school: a black striped shirt. (②) It's very casual with a simple design. (③) I like to wear it under a denim shirt, a leather jacket, or a cardigan. (④) Mixing and matching clothes is a lot of fun! (⑤) My point is: If you have a favorite fashion item, and it goes well with your other clothes, you can create a new outfit every single day.

note
· leather 가죽

[05~06] 다음 글을 읽고, 물음에 답하시오.

One of the simplest ways to develop your own style is to pay attention to accessories like shoes, hats, glasses, or watches. I spend a lot of time choosing my eye glasses because they can be an important part of my look. When I choose frames, I think of my face shape. Since my face is rather angular, I usually choose round frames. If your face is round, however, you may look better in angular or square frames. Here's another important tip. People tend to make purchasing decisions about frames in terms of material or color, but not many think about their eyebrows. Eyebrows can be so expressive, and covering them with your frames may hide the feelings you express, eventually making you look strict.

· purchasing 구매
· express 표현하다

05 윗글의 내용과 일치하지 <u>않는</u> 것은?

① 장신구를 활용하는 것도 스타일 개발에 도움이 된다.
② 'I'는 안경테를 고를 때 얼굴형을 고려한다.
③ 얼굴이 둥근 사람에게는 둥근 안경테가 각진 것보다 잘 어울린다.
④ 사람들은 재질이나 색상 위주로 안경테를 고르는 경향이 있다.
⑤ 안경테로 눈썹을 가리면 착용하는 사람의 감정을 숨길 수 있다.

> 서술형

06 윗글의 내용과 일치하도록 주어진 단어들을 사용하여 준수에게 할 알맞은 조언을 쓰시오.

Junsu: My coworkers think I always look strict, even though I'm not strict. I want to look less strict. What should I do?

· coworker 동료

→ Try not _____.

(to cover / eyebrows / frames)

단원평가 1회

01 다음 빈칸에 들어갈 말로 가장 적절한 것은?

> If you want to _____ something unpleasant that might happen, you will have to take action in order to prevent it from happening.

① create
② avoid
③ discover
④ realize
⑤ experiment

02 다음 중 밑줄 친 단어의 쓰임이 어색한 것은?

① If something is <u>tricky</u>, it's easy to deal with.
② That is highly <u>analogous</u> to what happened to Tom last year.
③ Some people have the wrong <u>impression</u> about this city.
④ When I was growing up, my parents had very <u>strict</u> rules about TV.
⑤ Anyone in this meeting can freely express themselves on <u>current</u> issues.

03 다음 주어진 문장에 이어질 대화의 순서를 바르게 배열한 것은?

> What did you think about the musical, Anna?

> (A) It was okay. What did you think, Junsu?
> (B) Really? I don't think it was that special.
> (C) I agree. I think the music was really good. I liked the musical a lot.

① (A) ─ (B) ─ (C)
② (A) ─ (C) ─ (B)
③ (B) ─ (C) ─ (A)
④ (C) ─ (A) ─ (B)
⑤ (C) ─ (B) ─ (A)

[04~05] 다음 대화의 빈칸에 들어갈 말로 가장 적절한 것을 고르시오.

04

> A Wow, there are so many stars in the night sky.
> B _____ if there is any life out there.
> A Yeah. That's what I'm curious about, too.

① I know
② I'm sure
③ I wonder
④ I understand
⑤ I don't think

05

> A I think the food here is really good.
> B I agree. It is very delicious.
> _____
> A I think the prices are a little high.

① How do you like the food here?
② What's your opinion on the salad?
③ What do you think about the price?
④ Could you give me a discount, please?
⑤ How do you feel about the taste of the food?

▪ 서술형

06 다음 대화를 읽고, 괄호 안의 단어를 사용하여 문장을 완성하시오.

> A Jason, what are you reading?
> B I'm reading *A Midsummer Night's Dream*.
> A I've never heard of it before. Who wrote it?
> B It was written by William Shakespeare. I think he _____ in history. (one / greatest / writers)

서술형

07 다음 문장에서 어법상 **틀린** 부분을 찾아 바르게 고쳐 쓰시오.

(1) Don't ask me what happened unless you are not ready to hear the truth.

_____

(2) Unless he will get here soon, we will have to start the meeting without him.

_____

09 윗글의 빈칸 ⓑ에 들어갈 말로 가장 적절한 것은?

① Likewise
② Otherwise
③ Therefore
④ However
⑤ On the other hand

서술형

10 윗글을 읽고, 다음 질문에 알맞은 응답을 쓰시오.

Q What is a unique style that can become a part of a personal image called?

A _____

[08~10] 다음 글을 읽고, 물음에 답하시오.

Wide pants, a striped shirt, a baseball cap: walk down the street and you'll see what's in fashion. Teens, like adults, tend to follow popular trends. That's fine if you're happy with the current style, but you can also create your own style if you're not. Think of Steve Jobs, and a figure of a man ⓐ wear a black shirt and blue jeans might pop into your head. ___ⓑ___, you can showcase your own charm and individuality with your own unique style, which can become a part of your personal image: a signature style. Here are some tips from three teenage fashion leaders on how to experiment and find your own style.

[11~12] 다음 글을 읽고, 물음에 답하시오.

What is your favorite color? Do you often wear fashion items in that color? As for me, my favorite color is green, but I felt it did not go well with my skin tone, so I used to avoid wearing it. One day, I realized that green has many shades, so I experimented with various shades of green and eventually, I found that a deep green helps me look great. If you like a certain color, you can try various shades like I ⓐ did, and find one ⓑ that suits you.

08 윗글의 밑줄 친 ⓐ wear의 형태로 가장 적절한 것은?

① wear
② wore
③ wearing
④ being worn
⑤ being wearing

11 윗글의 밑줄 친 ⓐdid가 의미하는 것은?

① buying various kinds of clothes
② putting on the deepest color of green
③ experimenting with various shades of green
④ wearing clothes whose colors are similar
⑤ choosing a color analogous to one's skin tone

12 윗글의 밑줄 친 ⓑthat과 쓰임이 같은 것은?

① No one knows who lives in that house.
② This is the same watch that I lost yesterday.
③ The color of the wall clashes with that of the floor.
④ It is impossible that he has not received the letter yet.
⑤ The girl that offered an old lady her seat looked very kind.

[13~15] 다음 글을 읽고, 물음에 답하시오.

(①) Once you decide on a color, you may discover the color wheel useful to find other colors that go well together. (②)

Combining analogous colors is one of the easiest ⓐways of matching colors that will give you an elegant look, for example, a yellow shirt on top of green pants. (③) Choosing complementary colors, like wearing a green skirt with red shoes, ⓑcreate a bold impression. (④) Choosing a mixture of analogous and complementary colors together, ⓒcalled split complementary colors, can be tricky but ⓓresults in a calmer look than a combination of complementary colors. Unless your signature style is to wear colors that clash, using the color wheel will help you ⓔchoose colors that are natural and pleasing to the eye. (⑤)

13 윗글의 밑줄 친 ⓐ~ⓔ 중, 어법상 어색한 것은?

① ⓐ   ② ⓑ   ③ ⓒ
④ ⓓ   ⑤ ⓔ

14 윗글의 ①~⑤ 중, 주어진 문장이 들어가기에 가장 적절한 곳은?

> There are three simple ways to use the color wheel: combining analogous colors, choosing complementary colors, and mixing together analogous and complementary colors.

①   ②   ③   ④   ⑤

15 아래 그림을 참고하여, 동아리 신입생 환영식을 앞둔 학생들의 발언 중 윗글의 내용과 일치하지 않는 것은?

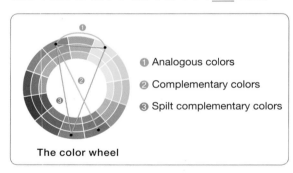

❶ Analogous colors
❷ Complementary colors
❸ Spilt complementary colors

The color wheel

① 민아: 나는 어울리는 색을 찾기 위해 가끔 색상환(color wheel)을 이용해. 환영식에 입고 갈 옷을 고를 때도 활용해야지.
② 소민: 난 핑크색 블라우스에 보라색 치마를 입으려고 생각 중이야. 우아하게 보이고 싶어서.
③ 세진: 녹색 바지에 빨간 모자를 쓰고 갈까 해. 첫날부터 강렬한 인상을 심어 주려고.
④ 승욱: 나는 파란색 티셔츠에 연두색 바지, 그리고 주황색 모자도 써야겠어. 사람들에게 보다 더 강렬한 인상을 주며 돋보이고 싶어!
⑤ 주원: 자연스럽고 어울리는 색상을 고르는 데에 색상환(color wheel)이 이렇게 유용한지 몰랐어.

[16~18] 다음 글을 읽고, 물음에 답하시오.

One of the simplest (A) | way / ways | to develop your own style is to pay attention to accessories like shoes, hats, glasses, or watches. I spend a lot of time (B) | to choose / choosing | my eye glasses because they can be an important part of my look. When I choose frames, I think of my _____. Since my face is rather angular, I usually choose round frames. If your face is round, however, you may look better in angular or square frames. Here's another important tip. People tend to make purchasing decisions about frames in terms of material or color, but not many think about their eyebrows. Eyebrows can be so expressive, and covering them with your frames may hide the feelings you express, eventually (C) | to make / making | you look strict.

16 윗글의 빈칸에 들어갈 말로 가장 적절한 것은?

① age
② height
③ hair style
④ face shape
⑤ the position of eyebrows

17 윗글의 (A), (B), (C)의 각 네모 안에서 어법에 맞는 표현으로 가장 적절한 것은?

	(A)	(B)	(C)
①	way	choosing	to make
②	way	to choose	making
③	ways	choosing	making
④	ways	to choose	to make
⑤	ways	choosing	to make

18 윗글의 내용과 일치하도록 빈칸에 알맞은 말을 쓰시오.

When you purchase frames, you shouldn't only consider the _____ or _____ You should also consider if they cover your _____.

[19~20] 다음 글을 읽고, 물음에 답하시오.

I spend a lot of time at school in my uniform, so I ⓐdon't pay too much attention to what I wear. But there is one thing I often wear ⓑoutside of school: a black striped shirt. It's very casual with a simple design. I like to wear it under a denim shirt, a leather jacket, or a cardigan. Putting on clothes in layers like this ⓒkeeps my style boring even though I don't have a lot of clothes. ⓓMixing and matching clothes is a lot of fun! My point is: If you have a favorite fashion item, and it ⓔgoes well with your other clothes, you can create a new outfit every single day.

19 윗글의 밑줄 친 ⓐ~ⓔ 중, 문맥상 쓰임이 적절하지 않은 것은?

① ⓐ 　　② ⓑ 　　③ ⓒ
④ ⓓ 　　⑤ ⓔ

20 윗글의 마지막 문장에 나타난 'I'의 의도로 알맞은 것은?

① to praise
② to criticize
③ to analyze
④ to appreciate
⑤ to give advice

01 다음 중 단어의 영영풀이가 어색한 것은?

① square: having four equal sides and four right angles

② complementary: mutually supplying what each other lacks

③ current: occurring in or existing at the present time

④ combine: to disconnect or separate two things

⑤ uniform: dress of a distinctive design worn by members of a particular group

02 다음 빈칸에 공통으로 들어갈 말로 가장 적절한 것은?

- Alice will _____ with different textures in her paintings.
- I don't like the idea of _____(e)s on animals.

① showcase   ② experiment

③ layer   ④ clash

⑤ trend

03 다음 빈칸에 공통으로 들어갈 알맞은 말을 쓰시오.

- You can sleep at my house _____ you want.
- I wonder _____ people can live on Mars.

04 다음 대화의 빈칸에 들어갈 말로 가장 적절한 것은?

A What did you think about the book?
B _____ I didn't like it.

① It was boring.

② I found it excellent.

③ I think it was great.

④ It was so interesting.

⑤ The characters were really good.

05 다음 대화의 순서를 바르게 배열하시오.

ⓐ Well, I think so, but I'm not really sure.
ⓑ What are you doing?
ⓒ Oh, these are blue whales.
ⓓ I'm reading a book. Look at this picture.
ⓔ I wonder if they are the largest animals in the world.

→ _____

06 다음 중 어법상 틀린 문장은?

① Ann is the smartest girl in my class.

② Mt. Baekdu is the highest mountain in Korea.

③ Jejudo is the one of my favorite places to go.

④ This is the most expensive phone in the shop.

⑤ Bob is one of the fastest runners in the world.

07 다음 중 밑줄 친 if의 쓰임이 나머지와 다른 하나는?

① I wonder <u>if</u> she is married or not.

② We can go swimming <u>if</u> the pool is open.

③ Mom will forgive you <u>if</u> you don't lie to her.

④ <u>If</u> you want to see him, you should tell him frankly.

⑤ I can give you a hand <u>if</u> it doesn't take too long.

서술형

08 다음 주어진 문장과 의미가 같도록 unless를 이용하여 다시 쓰시오.

> Don't call me if it isn't an emergency situation.
>
> → _____

[09~10] 다음 글을 읽고, 물음에 답하시오.

　Wide pants, a striped shirt, a baseball cap: walk down the street and you'll see what's ⓐ<u>in fashion</u>. Teens, like adults, tend to follow popular trends. That's fine if you're happy with the current style, but you can also create your own style if you're not. Think of Steve Jobs, and a figure of a man wearing a black shirt and blue jeans might pop into your head. Likewise, you can showcase your own charm and individuality with your own unique style, ⓑ_____ can become a part of your personal image: a signature style. Here are some tips from three teenage fashion leaders on how to experiment and find your own style.

09 윗글의 밑줄 친 ⓐin fashion과 바꾸어 쓸 수 있는 말을 본문에서 찾아 한 단어로 쓰시오.

→ _____

10 윗글의 빈칸 ⓑ에 들어갈 말로 가장 적절한 것은?

① who　　　　② that

③ which　　　④ for which

⑤ what

[11~12] 다음 글을 읽고, 물음에 답하시오.

　What is your favorite color? Do you often wear fashion items in that color? As for me, my favorite color is green, but I felt it did not go well with my skin tone, so I used to avoid wearing it. One day, I realized that green has many shades, so I experimented with various shades of green and eventually, I found _____ a deep green helps me look great. If you like a certain color, you can try various shades like I did, and find one _____ suits you.

11 윗글의 빈칸에 공통으로 들어갈 말로 가장 적절한 것은?

① that　　　　② which

③ what　　　　④ where

⑤ of which

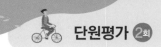

12 윗글의 'I'에 관한 내용과 일치하지 <u>않는</u> 것은?

① 자신이 제일 좋아하는 색이 피부색과 어울리지 않는다고 생각했다.

② 초록색 옷을 의도적으로 잘 입지 않았다.

③ 다양한 색조의 초록색 옷을 시도해 보았다.

④ 마침내 밝은 초록색이 자신에게 가장 어울린다는 것을 알았다.

⑤ 좋아하는 색이 있다면 다양한 색조의 옷을 입어볼 것을 권하고 있다.

[13~14] 다음 글을 읽고, 물음에 답하시오.

There are three simple ways to use the color wheel: combining analogous colors, choosing complementary colors, and mixing together analogous and complementary colors. Combining analogous colors is one of the easiest ways of matching colors that will give you an elegant look, for example, a yellow shirt on top of green pants. Choosing complementary colors, like wearing a green skirt with red shoes, creates a bold impression. Choosing a mixture of analogous and complementary colors together, called split complementary colors, can be tricky but results in a calmer look than a combination of complementary colors. Unless your signature style is to wear colors that clash, <u>using</u> the color wheel will help you choose colors that are natural and pleasing to the eye.

13 윗글의 제목으로 가장 알맞은 것은?

① How to Combine Analogous Colors

② Different Ways to Match Complementary Colors

③ The More Colors You Mix, the Better You Look

④ The Difficulties of Choosing Colors That Go Well Together

⑤ The Usefulness of the Color Wheel for Matching Colors

14 윗글의 밑줄 친 using과 쓰임이 같은 것은?

① He has been <u>using</u> my tablet PC all day long.

② <u>Using</u> his map, Steve is walking around the neighborhood.

③ Carol is <u>using</u> the dishwasher to save time and effort.

④ The woman <u>using</u> the copying machine is the new secretary.

⑤ <u>Using</u> this telescope will help you see the wonders of space.

[15~17] 다음 글을 읽고, 물음에 답하시오.

I spend a lot of time at school in my uniform, so I don't pay too much attention to what I wear. (ⓐ) But there is one thing I often wear outside of school: a black striped shirt. (ⓑ) It's very casual with a simple design. (ⓒ) I like to wear it under a denim shirt, a leather jacket, or a cardigan. (ⓓ) _____ is a lot of fun! (ⓔ) My point is: If you have a favorite fashion item, and it goes well with your other clothes, you can create a new outfit every single day.

15 윗글의 ⓐ~ⓔ 중, 주어진 문장이 들어가기에 가장 적절한 곳은?

Putting on clothes in layers like this keeps my style fresh even though I don't have a lot of clothes.

① ⓐ   ② ⓑ   ③ ⓒ

④ ⓓ   ⑤ ⓔ

16 윗글의 빈칸에 들어갈 말로 가장 적절한 것은?

① Experimenting with various colors

② Mixing and matching clothes

③ Trying out a totally different style

④ Purchasing new clothes every month

⑤ Taking advice on your clothing from others

17 윗글의 내용과 일치하지 <u>않는</u> 것은?

① 'I'는 또래에 비해 옷이 많은 편이다.

② 'I'는 학교에 교복을 입고 다닌다.

③ 'I'는 평소 검은색 줄무늬 티셔츠를 자주 입는다.

④ 'I'는 즐겨 입는 옷을 다른 옷들과 함께 입는다.

⑤ 옷 한 벌을 다른 옷들과 잘 맞춰 입으면 매일 다른 스타일을 연출할 수 있다.

[18~20] 다음 글을 읽고, 물음에 답하시오.

One of the simplest ways to develop your own style is to pay attention   (A)   accessories ⓐ like shoes, hats, glasses, or watches. I spend a lot of time choosing my eye glasses because they can be an important part of my look. When I choose frames, I ⓑ think of my face shape. ⓒ Since my face is ⓓ rather angular, I usually choose round frames. If your face is round, however, you may look better in angular or square frames. Here's <u>another important tip</u>. People tend to make purchasing decisions about frames in terms   (B)   material or color, but not many think about their eyebrows. Eyebrows can be so expressive, and covering them with your frames may hide the feelings you express, ⓔ eventually making you look strict.

18 윗글의 빈칸 (A), (B)에 들어갈 말로 가장 적절한 것은?

	(A)		(B)
①	for	⋯	of
②	for	⋯	with
③	to	⋯	with
④	to	⋯	of
⑤	with	⋯	of

19 윗글의 밑줄 친 ⓐ~ⓔ를 바꾸어 쓴 표현 중 알맞지 <u>않은</u> 것은?

① ⓐ like → such as

② ⓑ think of → consider

③ ⓒ Since → As

④ ⓓ rather → somewhat

⑤ ⓔ eventually → hardly

20 윗글의 밑줄 친 another important tip이 가리키는 것으로 알맞은 것은?

① considering eyebrows when choosing frames

② picking frames according to face shape

③ analyzing factors related with purchasing

④ choosing frames in terms of material or color

⑤ hiding one'e feelings with accessories

핵심 콕콕

Communicative Functions

1 의견 묻기

What do you think of〔about〕...?는 '너는 ~에 대해 어떻게 생각하니?'라는 뜻으로 상대방의 의견이나 생각을 물을 때 쓰는 표현이다.

What do you think of his plan to open a branch in Japan?

> 유사표현 How do you feel about...? / What's your view〔opinion〕on...?

2 궁금증 표현하기

I wonder... .는 '나는 ~가 궁금하다.'라는 뜻으로 궁금증을 표현할 때 쓰는 표현이다. 뒤에 의문사절이나 if절이 오는 경우가 많다.

I wonder if we're allowed to enter with our dog.

> 유사표현 I'm curious about.... / I'd be interested to know....

Language Structures

3 one of + the 최상급 형용사 + 복수명사

「one of + the 최상급 형용사 + 복수명사」는 '가장 ~한 것(사람)들 중 하나'의 의미로 단수 취급하여 뒤에는 단수동사가 와야 한다.

- Google is **one of the most famous companies** that many job applicants want to enter.
- **One of the important factors** to consider is a person's passion.

4 접속사 unless

접속사 unless는 '만약 ~하지 않는다면'이라는 뜻으로, 'If ~ not'과 바꾸어 쓸 수 있다.

- I prefer to go by bus **unless** the traffic is heavy.
  (= I prefer to go by bus **if** the traffic is **not** heavy.)

또한, 접속사 unless가 쓰인 조건 부사절에서는 주절이 미래시제여도 종속절은 현재시제로 써야 한다.

- It will be automatically renewed **unless you press** the 'cancel' button.

  → unless you will press (×)

Lesson

03

Contribute

Topic 환경 보호의 중요성과 실천 방안 / 친환경 디자인

Communicative Functions

- 알고 있는지 묻기

  Have you heard about "My Tree, Our Forest"?

  'My Tree, Our Forest'에 관해 들어봤니?

- 강조하기

  It's important that you care about the planet.

  당신이 지구에 관해 관심을 갖는 것은 중요하다.

Language Structures

- 완료분사구문

  Having been founded to tackle the problem, the platform allows extra food to be distributed to neighbors.

  그 문제를 해결하기 위해 설립된 플랫폼은 여분의 음식이 이웃에게 나눠질 수 있게 해 준다.

- 동사+목적어+to부정사

  The structure **allows** you **to drink** coffee without finding yourself holding a soaked mess.

  이 구조는 당신이 흠뻑 젖은 컵을 들지 않은 채로 커피를 마실 수 있게 해 준다.

Words & Expressions

✦ 다음을 읽고 자신이 기억해야 할 것에 ☑표시 하시오.

Words

☐ **promote** [prəmóut] 동 홍보하다

☐ **eco-friendly** [èkoufréndli] 형 친환경적인

☐ **unplug** [ʌnplʌg] 동 플러그를 뽑다

☐ **innovator** [ínəvèitər] 명 혁신자, 개혁자

☐ **Dutch** [dʌtʃ] 형 네덜란드의

☐ **pavement** [péivmənt] 명 인도, 보도

☐ **community** [kəmjú:nəti] 명 지역 사회, 공동체

☐ **transparent** [trænspέərənt] 형 투명한

☐ **reveal** [riví:l] 동 드러내 보이다

☐ **landfill** [lǽndfill] 명 쓰레기 매립지

☐ **global** [glóubəl] 형 전 세계의

☐ **annually** [ǽnjuəli] 부 매년, 해마다

☐ **waste** [weist] 동 낭비하다

☐ **found** [faund] 동 설립하다(-founded-founded)

☐ **tackle** [tǽkl] 동 (문제 등을) 다루다

☐ **distribute** [distríbju:t] 동 분배하다, 나누어 주다

☐ **disposable** [dispóuzəbl] 형 일회용의

☐ **massive** [mǽsiv] 형 대량의

☐ **drive** [draiv] 동 (~을 하도록) 몰다

☐ **novel** [návəl] 형 새로운, 참신한

☐ **edible** [édəbl] 형 먹을 수 있는

☐ **structure** [strʌ́ktʃər] 명 구조(물)

☐ **soaked** [soukt] 형 흠뻑 젖은

☐ **mess** [mes] 명 지저분한 것

☐ **photocopy** [fóutoukà:pi] 명 복사(물)

☐ **font** [fant] 명 (인쇄 등에 쓰이는) 서체

☐ **ruin** [rú:in] 동 망치다

☐ **readability** [rì:dəbíləti] 명 가독성, 읽기 쉬움

☐ **perspective** [pərspéktiv] 명 관점, 시각

☐ **entire** [intáiər] 형 전체의

☐ **adopt** [ədápt] 동 (방식을) 채택하다

☐ **activist** [ǽktəvist] 명 운동가, 활동가

Expressions

☐ **be all the rage** 엄청나게 유행하다

☐ **these days** 요즘

☐ **make sense** 이치에 맞다, 타당하다

☐ **in a way that** ~하는 방식으로

☐ **take on** (일 등을) 맡다, 책임지다

☐ **come up with** ~을 생각해내다

☐ **no longer** 더 이상 ~아닌

☐ **chances are** 아마 ~일 것이다

☐ **throw ~ away** ~을 버리다

☐ **be filled with** ~로 가득 차다(= be full of)

☐ **according to** ~에 따르면

☐ **dispose of** ~을 없애다, ~을 처분하다

☐ **of use** 쓸모 있는

☐ **think of ~ as...** ~을 …로 여기다

note

01 다음 영어는 우리말로, 우리말은 영어로 쓰시오.

(1) landfill _____
(2) massive _____
(3) soaked _____
(4) chances are _____
(5) be all the rage _____
(6) dispose of _____

(7) 투명한 _____
(8) 먹을 수 있는 _____
(9) 관점, 시각 _____
(10) 친환경적인 _____
(11) 가독성 _____
(12) 매년, 해마다 _____

02 다음 괄호 안에서 문맥상 알맞은 것을 고르시오.

(1) The main objective of the project is to (remote / promote) the use of solar energy.
(2) Many schools are now trying to (tackle / tickle) the problem of school violence.
(3) Some hurricane victims are complaining that the government failed to (contribute / distribute) relief goods immediately.
(4) The novelist has (taken on / put on) the challenge of writing from an animal's perspective.

· objective 목표
· remote 원격의, 먼
· tickle 간질이다
· violence 폭력
· contribute
  기부하다
· relief goods
  구호 물품
· put on (옷 등을) 착
  용하다; ~인 체하다

03 다음 빈칸에 들어갈 말로 가장 적절한 것을 고르시오.

(1) My low test scores _____ my chances of getting into a good school.
　① raised　　② adopted　　③ ruined
　④ secured　　⑤ reinforced
(2) I'm always looking for ways to replace _____ items with reusable ones in my home.
　① disposable　　② novel　　③ luxurious
　④ portable　　⑤ recyclable

· secure 확보하다
· reinforce 강화하다
· replace 대체하다
· reusable
  재사용할 수 있는
· portable
  들고 다닐 수 있는
· recyclable
  재활용할 수 있는

04 다음 영영풀이에 해당하는 단어를 〈보기〉에서 골라 쓰시오.

〈보기〉

| make sense | activist | innovator | be all the rage |

(1) _____ : be very popular at a particular time
(2) _____ : a person who campaigns for some kind of social change

· make sense
  이해하다
· particular 특정한

Communicative
Functions

1 알고 있는지 묻기: Have you heard about... ?

> A **Have you heard about** the public bike system?
>
> B Sure. It is a service that allows for shared use of bikes in our town.

Have you heard about... ?은 '너는 ~에 대해 들어본 적 있니?'라는 의미로, 어떤 사실이나 대상 등에 대하여 상대방이 알고 있는지 물을 때 쓰는 표현이다.

유사표현 ▶ Do you know (of)... ? / Are you aware (of)... ? / Did you hear about (of)... ?

- **Do you know of** any eggless cookie recipes?
  (너는 달걀을 넣지 않고 쿠키 만드는 법을 알고 있니?)
- **Are you aware of** pizza delivery drones?
  (너는 피자 배달 드론에 대해 알고 있니?)
- **Did you hear about** robot bees?
  (너는 로봇 꿀벌에 대해 들어봤니?)

2 강조하기: It's important that (to)... .

> A Is there anything I should remember before using this product?
>
> B **It's important that** you read the directions carefully.

It's important that (to)... .은 '~하는 게 중요하다.'라는 의미로 어떤 사안에 대하여 강조하고 싶을 때 쓰는 표현이다. that절의 동사 앞에 조동사 should가 보통 생략되므로 동사원형을 써야 한다.

유사표현 ▶ It's highly significant that (to)... . / I want to stress... . / We feel it's important that... .

- **It's highly significant to** visit your dentist every 6 months for a routine check-up.
  (6개월마다 정기적으로 치과 검진을 받는 것이 매우 중요하다.)
- **I want to stress** the importance of self-awareness.
  (나는 자아 인식의 중요성을 강조하고 싶다.)
- **We feel it's important that** we know our strengths and weaknesses.
  (우리의 장점과 약점을 아는 것이 중요하다고 느낀다.)

note

01 다음 우리말과 같도록 대화의 빈칸에 알맞은 말을 쓰시오.

> **A** _____ _____ _____ about glamping?
> (글램핑에 대해 들어본 적 있니?)
> **B** Yes. It's luxury camping where everything is organized for you, isn't it?

· luxury
고급의, 호화로운
· organize
조직하다, 갖추다

02 다음 대화가 자연스럽게 이어지도록 순서대로 배열하시오.

> (A) Hey, Minji! You have to finish everything on your plate today.
> (B) Why? Oh, I forgot! Today is Clean Plate Day, isn't it?
> (C) Exactly. I think it's important that every student should follow the rules.
> (D) Yes. It's our school's new campaign to leave nothing on your plate on Wednesdays. And its aim is to raise awareness about the environment.

→ _____

· aim 목표, 목적
· awareness 의식
· environment 환경

03 다음 대화의 밑줄 친 부분과 의미가 같도록 빈칸에 알맞은 말을 쓰시오.

> **A** <u>Have you heard about</u> plastic-eating bacteria?
> = Are _____ _____ of plastic-eating bacteria?
> **B** Yeah. They can fully break down PET plastics within six weeks.

· bacteria
박테리아, 세균
(bacterium의
복수형)
· break down
분해하다(=destroy,
decompose)

서술형

04 다음 우리말과 같도록 괄호 안의 단어들을 바르게 배열하시오.

(1) 모든 귀중품은 차에 두지 않는 것이 중요하다.
 → It's important that you _____ from your car.
 (valuables / of / remove / all / your)

(2) 너는 노래하는 개에 관해 들어본 적 있니?
 → Have you heard _____?
 (dog / about / singing / the)

· remove 제거하다
(= get rid of)
· valuable
(pl.) 귀중품

① **완료분사구문**

1 분사구문: 「접속사＋주어＋동사」로 이루어진 부사절을 현재분사나 과거분사가 이끄는 부사구로 간결하게 나타낸다.

2 완료분사구문: 주절의 시점보다 이전에 일어난 일을 나타낼 때 「having＋과거분사(p.p.)」의 형태로 나타낸다.

분사구문	완료분사구문
If it **is** seen from a spacecraft, Earth **looks** like a large onion. 〈종속절, 주절이 동일한 시제〉 → **(Being) Seen** from a spacecraft, Earth looks like a large onion. (우주선에서 보면, 지구는 큰 양파처럼 보인다.)	As I **lost** all my money, I **have** to cancel my trip. 〈돈을 잃어버린 것은 과거시제, 여행을 취소한 것은 현재시제〉 → **Having lost** all my money, I have to cancel my trip. (돈을 전부 잃어버렸기 때문에, 나는 여행을 취소해야 한다.)

3 수동형 완료분사구문: 주절의 주어와의 관계가 수동이면 「having been＋과거분사(p.p.)」 형태로 나타낸다.
  As it was built many years ago, the castle has lots of history.
  → **Having been built** many years ago, the castle has lots of history.
  (오래 전에 지어졌기 때문에, 그 성은 많은 역사를 지니고 있다.)

② **동사＋목적어＋to부정사**

5형식(S+V+O+O.C) 문장에서 동사에 따라 목적격 보어로 to부정사를 취하는 경우와 동사원형을 취하는 경우가 있다.

동사＋목적어＋to부정사	동사＋목적어＋동사원형
동사가 allow, permit, enable, want, expect, cause, convince, persuade, ask, order 등인 경우	동사가 사역동사(let, make, have), 지각동사(see, watch, hear, feel 등)인 경우
ex. He *allowed* me **to go** there alone. (그는 내가 혼자 그곳에 가도록 허락했다.) His help *enabled* me **to finish** the work. (그의 도움으로 나는 그 일을 끝낼 수 있었다.)	*ex.* Minji always *makes* me **laugh**. (민지는 항상 나를 웃게 한다.) I *watched* him **swim** across the river. (나는 그가 강을 가로질러 수영하고 있는 것을 지켜보았다.)

cf. 지각동사는 목적격 보어로 동사원형이나 현재분사를 취할 수 있다.
  I felt something **touch(touching)** my hair. (나는 뭔가가 내 머리를 건드리는 것을 느꼈다.)

cf. 목적어와 목적격 보어의 관계가 수동이면 과거분사(p.p.)를 쓴다.
  I heard *my name* **called** by someone. (나는 내 이름이 누군가에 의해 불리는 것을 들었다.)

note

01 다음 밑줄 친 부분이 어법상 옳으면 ○표를 하고, **틀리면** 바르게 고쳐 쓰시오.

(1) <u>Having finished</u> the work, I went to bed.

→ _____

(2) <u>Having deceived</u> by them, I could't trust them anymore.

→ _____

(3) <u>Having written</u> in haste, it has a lot of mistakes.

→ _____

· deceive 속이다
· in haste 성급하게

02 다음 괄호 안의 단어들을 바르게 배열하시오.

(1) His teaching (me / to improve / allowed / my English).

→ His teaching _____ .

(2) His mother eventually (him / the club / to join / convinced).

→ His mother eventually _____ .

(3) Biotechnology will enable (to get / nutritious foods / consumers / more).

→ Biotechnology will enable _____ .

· eventually 결국
· biotechnology
  생명 공학
· nutritious
  영양가 높은

03 다음 괄호 안에서 어법상 알맞은 것을 고르시오.

(1) Sarah persuaded me (apply / to apply) for the job.

(2) Within 7 days after (purchased / having purchased) any product, you are entitled to cancel the transaction.

(3) (Worked / Having worked) with gifted children, he could improve his teaching skills.

· persuade
  설득하다
· apply for
  ～에 지원하다
· be entitled to
  ～할 자격이 있다
· transaction 거래

서술형

04 다음 글의 밑줄 친 (A), (B)를 각각 어법에 맞게 고쳐 쓰시오.

In my eyes, this is a very meaningful topic to talk about. (A) <u>Studying English for so many years</u>, what makes me so sad is that I'm still not able to express myself clearly and fluently in English. Most of the time, our English teachers were speaking Chinese and never gave us a chance to practice our oral English. (B) <u>I want my teachers teach English in English.</u>

(A): _____

(B): _____

· meaningful
  의미 있는
· oral 말의, 구두의

Reading

✦ 본문을 읽고 알맞은 구문과 표현으로 빈칸을 채우고, 괄호 안에서 알맞은 것을 고르시오.

Small Actions, Big Impact

"Going green" seems to be all the rage these days. Stores and companies use phrases like this to ❶ _____ their businesses as eco-friendly. It ❷ _____ _____ to try to live in a way that does not harm the environment, but is it easy to go green? In your home, for example, do you always ❸ _____ your TV when you aren't watching it? Do stores in your neighborhood always keep their doors shut when the heaters or air conditioners are on? Probably not. Some innovators have ❹ _____ _____ the challenge of "going green," and have come up with some brilliant ideas to make "going green" easier and simpler.

Reuse: Oldies but goodies!

Everyone has things that are no longer of any use, and ❺ _____ _____ those things will eventually get thrown away. However, some of the things that get thrown out are still useful to other people. Goedzak is a Dutch way ❻ (of / for) allowing people to get second-hand things that might otherwise be thrown away. It is a special garbage bag that can be filled with used, but still usable items. Placing the bag outside on the pavement makes whatever is in it available to anyone in the community. Goedzak's bright color ❼ _____ _____ while the transparent side of the bag reveals its contents. People can help themselves to anything they like. What an idea! These transparent garbage containers have helped many Dutch people go greener by ❽ (reduce / reducing) the amount of trash going to landfills.

Share: Talk to the community

According to the Food and Agriculture Organization (FAO) of the United Nations, a third of global food production goes into trash bins ❾ _____. In Germany alone, around eleven million tons of food is wasted every year. Having been founded to tackle this problem on a local scale, the online platform, "foodsharing.de" allows extra food in your fridge or cupboard to ❿ _____ _____ to neighbors. The basic concept is simple: people

❶ 홍보하다

❷ 이치에 맞다, 타당하다

❸ 플러그를 뽑다

❹ (일 등을) 맡았다

❺ 아마 ~일 것이다

❻ 동격의 전치사

❼ 주의를 끌다

❽ 전치사 by 뒤의 알맞은 형태

❾ 매년, 해마다 (= once every year)

❿ 분배하다, 나누어 주다(수동태)

정답 ❶ promote ❷ makes sense ❸ unplug ❹ taken on ❺ chances are ❻ of ❼ attracts attention ❽ reducing ❾ annually ❿ be distributed sharing food. The only rule is not to pass anything on to others that you wouldn't eat yourself. This project may change the way people think about food: if food is not shared, it is wasted.

Waste Not: Drink and eat it!

Using disposable cups may be convenient, but it is ⑪ _____ _____ eco-friendly. They are a massive source of waste. Every year, people in the U.S. use over 100 billion disposable cups, and Koreans ⑫ _____ _____ over 15 billion cups each year. That's what drove a few novel designers to come up with ⑬ _____ coffee cups. A cookie forms the main structure, with a white chocolate layer on the inside and a thin layer of sugar paper on the outside. This structure allows you ⑭ _____ _____ coffee without finding yourself holding a soaked mess. You can think of it as a treat for coffee! You may have to consume extra sugar, but it will definitely create less waste.

Use Less: Holes mean a lot

What can you do to go green when you have 500 photocopies to make? Many green strategies ⑮ _____ _____ using less paper, like printing on both sides. Another green strategy is to use less ink, ⑯ (that / which) is what many people already do. But what if you could take it a step further? That's what Ecofont is. A designer thought that if he could create fonts that have tiny holes in them, he might be able to make more efficient use of the amount of ink used. In fact, Ecofont uses about a fifth less ink than traditional fonts without ruining readability. The brilliance of Ecofont is the different ⑰ _____ it takes on going green: the use of less ink by the font.

An eco-friendly way of life is not about changing the entire world ⑱ _____. It is about becoming aware of your own wasteful ways and then helping others become aware of theirs. After awareness comes the process of ⑲ _____ slightly different ways of doing some daily tasks. When you do these things, you are keeping your environmental bank account full. When you go one step further and help others ⑳ (do / doing) them too, you are an activist and big changes can happen.

⑪ 반드시 ~하는 것은 아니다

⑫ ~을 처분하다, 버리다

⑬ 먹을 수 있는

⑭ drink의 알맞은 형태

⑮ ~에 중점을 두다

⑯ 알맞은 관계대명사

⑰ 관점, 시각

⑱ 하루 아침에, 갑자기

⑲ (방식을) 채택하다

⑳ help의 알맞은 목적격 보어 형태

01 다음 글의 내용을 가장 잘 나타낸 것은?

"Going green" seems to be all the rage these days. Stores and companies use phrases like this to promote their businesses as eco-friendly. It makes sense to try to live in a way that does not harm the environment, but is it easy to go green? In your home, for example, do you always unplug your TV when you aren't watching it? Do stores in your neighborhood always keep their doors shut when the heaters or air conditioners are on? Probably not.

① Easier said than done.
② It takes two to tango.
③ Look before you leap.
④ Better late than never.
⑤ Slow and steady wins the race.

note
• be all the rage
  엄청나게 유행하다
• phrase 말, 어구
• neighborhood
  근처, 이웃
• air conditioner
  에어컨

02 다음 글에서 전체 흐름과 관계 없는 문장은?

Everyone has things that are no longer of any use, and chances are those things will eventually get thrown away. ① However, some of the things that get thrown out are still useful to other people. ② Goedzak is a Dutch way of allowing people to get second-hand things that might otherwise be thrown away. ③ It is a special garbage bag that can be filled with used, but still usable items. ④ Donating used items can be less labor-intensive than selling them and offers feel-good rewards, in addition to possible tax deductions. ⑤ Placing the bag outside on the pavement makes whatever is in it available to anyone in the community.

• chances are
  아마 ~일 것이다
• second-hand
  중고의
• be filled with
  ~로 채워지다
• labor-intensive
  노동집약적인
• deduction
  공제, 절감

서술형

03 다음 글의 밑줄 친 (A), (B)를 각각 어법에 맞게 알맞은 형태로 쓰시오.

According to the Food and Agriculture Organization (FAO) of the United Nations, a third of global food production (A) <u>go</u> into trash bins annually. In Germany alone, around eleven million tons of food is wasted every year. Having been founded to tackle this problem on a local scale, the online platform, "foodsharing.de" allows extra food in your fridge or cupboard (B) <u>to distribute</u> to neighbors. The basic concept is simple: people sharing food. The only rule is not to pass anything on to others that you wouldn't eat yourself.

• annually
  매년, 해마다
• found(-founded
  -founded)
  세우다, 설립하다
• tackle
  (문제를) 해결하다
• extra 여분의, 추가의
• fridge 냉장고
  (= refrigerator)

(A): _____   (B): _____

04 다음 글의 빈칸에 들어갈 가장 적절한 말을 본문에서 찾아 한 단어로 쓰시오.

• billion 10억
• layer 겹, 층
• definitely 분명히

> Using disposable cups may be convenient, but it is not necessarily eco-friendly. They are a massive source of waste. Every year, people in the U.S. use over 100 billion disposable cups, and Koreans dispose of over 15 billion cups each year. That's what drove a few novel designers to come up with edible coffee cups. A cookie forms the main structure, with a white chocolate layer on the inside and a thin layer of sugar paper on the outside. This structure allows you to drink coffee without finding yourself holding a soaked mess. You can think of it as a treat for coffee! You may have to consume extra sugar, but it will definitely create less _____ .

[05~06] 다음 글을 읽고, 물음에 답하시오.

• strategy 전략
• tiny 아주 작은
• hole 구멍
• readability 가독성
• ruin 망치다, 훼손하다
• brilliance 뛰어남

> What can you do to go green when you have 500 photocopies to make? Many green strategies focus on using less paper, like printing on both sides. (ⓐ) Another green strategy is to use less ink, which is what many people already do. (ⓑ) That's what Ecofont is. (ⓒ) A designer thought that if he could create fonts that have tiny holes in them, he might be able to make more efficient use of the amount of ink used. (ⓓ) In fact, Ecofont uses about (traditional fonts / readability / than / ruining / a fifth / without / less ink). (ⓔ) The brilliance of Ecofont is the different perspective it takes on going green: the use of less ink by the font.

05 윗글의 ⓐ~ⓔ 중, 주어진 문장이 들어가기에 가장 적절한 곳은?

> But what if you could take it a step further?

① ⓐ   ② ⓑ   ③ ⓒ   ④ ⓓ   ⑤ ⓔ

서술형

06 윗글의 문맥에 맞게 괄호 안의 단어들을 바르게 배열하시오.

→ _____

단원평가 1회

[01~02] 다음 빈칸에 들어갈 말로 가장 적절한 것을 고르시오.

01

> We must _____ the problem of bullying. Imagine your child being afraid to walk in the hallways at school every day.

① ignore   ② tackle   ③ embrace

④ waste   ⑤ distribute

02

> Some people _____ things that might be useful to other people in the garbage can.

① make sense   ② take on

③ throw away   ④ go well with

⑤ come up with

03 다음 중 짝지어진 대화가 어색한 것은?

① A Did you hear that Sally broke her leg?
   B No. How did that happen?

② A Could you please give me a paper cup?
   B Sorry, we don't use disposables here.

③ A Are you aware of pizza delivery drones?
   B Yeah. I'm pretty sure I saw them on TV.

④ A Have you heard about Earth Hour?
   B Yes. It's a worldwide campaign asking people to not use electricity for one hour.

⑤ A Green products seem to be all the rage these days.
   B Yeah. I want to stress the importance of color design.

04 다음 대화의 빈칸에 들어갈 말로 가장 적절한 것은?

> A What are you doing, Minho?
> B I'm playing a really fun mobile game.
> _____
> A No, I haven't. What is it?
> B It's a mobile game that allows players to take part in a tree planting project.

① How does this game work?

② Let's play this game together.

③ Why don't you try it on?

④ Have you heard about this game?

⑤ What do you think of this game?

05 다음 주어진 문장에 이어질 대화의 순서를 바르게 배열한 것은?

> Why is it so dark outside? It's only two in the afternoon.

> (A) Where does all the dust come from?
> (B) I agree. Anyway, I recommend putting on a dust mask if you go outside today.
> (C) It mostly comes from factories near the city. It's important that they follow the environmental laws.
> (D) Let me check my air pollution app. Ah, the dust level in the air is high today.

① (A) — (C) — (D) — (B)

② (B) — (A) — (D) — (C)

③ (C) — (A) — (D) — (B)

④ (D) — (A) — (C) — (B)

⑤ (D) — (C) — (A) — (B)

06 다음 중 어법상 틀린 문장은?

① Not knowing what to do next, I felt completely at a loss.

② Having seen the dolphin show, I thought about "animal rights" for the first time.

③ Even simple things are beautiful if seeing from a different perspective.

④ Having been told many times, he finally understood it.

⑤ Having discovered your website, I decided to apply for this position.

07 다음 두 문장의 의미가 서로 다른 것은?

① Because he hadn't heard the news, he had no idea what was going on.
= Not having heard the news, he had no idea what was going on.

② After I had seen the musical in Berlin, I bought this CD right away.
= Having seen the musical in Berlin, I bought this CD right away.

③ If you record the lecture, you'll be able to replay it at your own pace.
= Recording the lecture will allow you to replay it at your own pace.

④ When he looked out of the window, he saw a stranger.
= Looking out of the window, he saw a stranger.

⑤ As I was ill for a long time, I need more time to recover.
= Being ill for a long time, I need more time to recover.

08 다음 중 밑줄 친 부분이 어법상 틀린 것은?

① Mr. Burns has enabled me <u>do</u> whatever I was passionate about.

② She allowed me <u>to take</u> pictures of her beautiful home.

③ My parents expected me <u>to get</u> straight A's from the time I was in kindergarten.

④ I often saw my father <u>doing</u> the dishes.

⑤ The actions of the suspect caused the victims <u>to be frightened</u>.

[09~10] 다음 글을 읽고, 물음에 답하시오.

"Going green" seems to be all the rage these days. Stores and companies use phrases like this to promote their businesses as _____. It makes sense to try to live in a way that does not harm the environment, but is it easy to go green? In your home, for example, do you always unplug your TV when you aren't watching it? Do stores in your neighborhood always keep their doors shut when the heaters or air conditioners are on? Probably not. Some innovators have taken on the challenge of "going green," and have come up with some brilliant ideas to make "going green" easier and simpler.

09 윗글의 빈칸에 들어갈 말로 가장 적절한 것은?

① ethical
② practical
③ stylish
④ eco-friendly
⑤ progressive

10 다음 영영풀이가 가리키는 말을 윗글에서 찾아 3단어로 쓰시오.

→ _____ : to bring up; to produce, especially in dealing with a problem or challenge

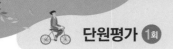

[11~12] 다음 글을 읽고, 물음에 답하시오.

Everyone has things that are no longer of any use, and chances are those things will eventually get thrown away. However, some of the things that get thrown out are still ⓐuseful to other people. Goedzak is a Dutch way of allowing people to get second-hand things that might otherwise be thrown away. It is a special garbage bag that can be filled with used, but still usable ⓑitems. Placing the bag outside on the pavement makes whatever is in it ⓒavailable to anyone in the community. Goedzak's bright color attracts attention while the transparent side of the bag ⓓconceals its contents. People can help themselves to anything they like. What an idea! These transparent garbage containers have helped many Dutch people go greener by ⓔreducing the amount of trash going to landfills.

11 윗글의 밑줄 친 ⓐ~ⓔ 중, 문맥상 낱말의 쓰임이 적절하지 <u>않은</u> 것은?

① ⓐ   ② ⓑ   ③ ⓒ

④ ⓓ   ⑤ ⓔ

12 윗글의 Goedzak에 관한 내용과 일치하지 <u>않는</u> 것은?

① 중고이지만 쓸 만한 물건들로 채워진 쓰레기 봉투이다.

② 밝은 색상의 투명한 봉투를 사용한다.

③ 지역 주민 누구나 서로의 봉투를 교환할 수 있다.

④ 쓰레기 매립장으로 갈 쓰레기의 양을 줄여 준다.

⑤ 네덜란드 사람들이 환경 친화적인 삶을 사는 데 도움이 된다.

[13~14] 다음 글을 읽고, 물음에 답하시오.

In Germany alone, around eleven million tons of food is wasted every year. ⓐ<u>Having been founded to tackle this problem on a local scale</u>, the online platform, "foodsharing.de" allows extra food in your fridge or cupboard to be distributed to neighbors. The basic concept is simple: people sharing food. The only rule is not to pass anything on to others that you wouldn't eat yourself. This project may change the way people think about food: _____ⓑ_____.

서술형

13 윗글의 밑줄 친 ⓐ를 As로 시작하는 절로 고쳐 쓰시오.

→ _____

14 윗글의 빈칸 ⓑ에 들어갈 말로 가장 적절한 것은?

① you are definitely what you eat

② butter wouldn't melt in his mouth

③ man does not live by bread alone

④ if food is not shared, it is wasted

⑤ do to others as you would be done by

[15~16] 다음 글을 읽고, 물음에 답하시오.

Another green strategy is to use less ink, ⓐ<u>that</u> is what many people already do. But what if you could take it a step further? That's what Ecofont is. A designer thought that if he could create fonts that have tiny holes in them, he might be able to make more efficient use of the amount of ink ⓑ<u>using</u>. In fact, Ecofont uses about a fifth less ink than traditional fonts without ruining _____ⓒ_____. The brilliance of Ecofont is the different perspective it takes on going green: the use of less ink by the font.

15 윗글의 밑줄 친 ⓐ, ⓑ를 각각 어법에 맞게 고쳐 쓰시오.

ⓐ: _____ ⓑ: _____

16 윗글의 빈칸 ⓒ에 들어갈 말로 가장 적절한 것은?

① readership ② precision
③ reputation ④ flexibility
⑤ readability

[17~18] 다음 글을 읽고, 물음에 답하시오.

An eco-friendly way of life is not about changing the entire world overnight. It is about becoming aware of your own wasteful ways and then helping others become aware of theirs. After awareness comes the process of adopting slightly different ways of doing some daily tasks. When you do these things, you are keeping your environmental bank account full. When you go one step further and help others do them too, you are an activist and big changes can happen.

17 윗글의 필자의 주장으로 가장 적절한 것은?

① It's better late than never.
② Too many cooks spoil the broth.
③ Small actions make a big difference.
④ Practice does not always make perfect.
⑤ A bird in the hand is worth two in the bush.

서술형

18 윗글의 문맥상 밑줄 친 you are keeping your environmental bank account full의 의미를 30자 내외의 우리말로 쓰시오.

→ _____

_____

[19~20] 다음 글을 읽고, 물음에 답하시오.

Using disposable cups may be convenient, but it is not necessarily eco-friendly. They are a massive source of waste. (ⓐ) Every year, people in the U.S. use over 100 billion disposable cups, and Koreans dispose of over 15 billion cups each year. (ⓑ) That's what drove a few novel designers to come up with edible coffee cups. (ⓒ) A cookie forms the main structure, with a white chocolate layer on the inside and a thin layer of sugar paper on the outside. (ⓓ) You can think of it as a treat for coffee! (ⓔ) You may have to consume extra sugar, but it will definitely create less waste.

19 윗글의 ⓐ~ⓔ 중, 주어진 문장이 들어가기에 가장 적절한 곳은?

This structure allows you to drink coffee without finding yourself holding a soaked mess.

① ⓐ ② ⓑ ③ ⓒ ④ ⓓ ⑤ ⓔ

20 윗글의 제목으로 가장 적절한 것은?

① Recycle More, Waste Less
② Waste Not: Drink and Eat It!
③ When Chocolate Meets Cookie
④ Perfect Treats for Coffee Lovers
⑤ The Rise of Disposable Coffee Cups

단원평가 2회

01 다음 단어의 형용사형이 <u>잘못</u> 짝지어진 것은?

① nation — national
② culture — cultural
③ sense — sensal
④ globe — global
⑤ environment — environmental

02 다음 빈칸에 들어갈 말로 가장 적절한 것은?

> Every election must be conducted in a fair, open and _____ manner.

① soaked ② edible
③ tricky ④ transparent
⑤ analogous

03 다음 대화의 밑줄 친 부분과 바꾸어 쓸 수 있는 것은?

> A Yesterday, I bought a wearable charger.
> B A wearable charger? What's that?
> A It's a portable battery that charges when you move.
> B Oh, that's brilliant!
> A It is, but <u>it's important that</u> you move around enough to generate energy.

① it's nice that
② it's likely that
③ it's possible that
④ it's not allowed that
⑤ it's highly significant that

04 다음 중 짝지어진 대화가 <u>어색한</u> 것은?

① A Have you heard about AlphaGo?
   B Yes. It's an AI computer program to play the board game Go.
② A Jinsu, what's for lunch today?
   B I've never heard of Clean Plate Day.
③ A Many people use disposable cups and plates on their picnics.
   B I wish they knew the importance of caring about the environment.
④ A Don't forget to unplug your TV when you aren't watching it.
   B I won't. I know it's highly significant to consider our planet in our daily life.
⑤ A I have a toothache that won't go away.
   B You'd better see a dentist at once. It's important to have a dental checkup every 6 months.

05 다음 밑줄 친 부분 중, 어법상 <u>틀린</u> 것은?

① When <u>trying</u> to hear something, elephants open their ears wide.
② This course has enabled me <u>to gain</u> presentation skills and confidence.
③ I had a horrible toothache, so I had my tooth <u>pulled</u>.
④ <u>Having imprisoned</u> for 28 years for resisting apartheid, Nelson Mandela was finally released in 1990.
⑤ <u>Having heard</u> the news about the disaster, Ted asked his father to go to the donation center.

06 다음 중 어법상 옳은 문장은?

① He persuaded me go home, but I refused.

② What caused him change his mind?

③ I'll help you carrying these boxes upstairs.

④ The manager asked guests not make too much noise in the restaurant.

⑤ My mom had me clean out a red box in my room.

07 다음 두 문장의 의미가 서로 <u>다른</u> 것은?

① Having lost her wallet, she couldn't buy the book.

= As she had lost her wallet, she couldn't buy the book.

② Having finished his project, he went on a trip to Italy.

= After he had finished his project, he went on a trip to Italy.

③ Having visited Canada several times, I still don't know much about the country.

= Although I have visited Canada several times, I still don't know much about the country.

④ Having been there once before, I had no difficulty in finding her house.

= Because I had been there once before, I had no difficulty in finding her house.

⑤ Having returned to London, he made his debut as a film actor.

= Before he had returned to London, he made his debut as a film actor.

08 다음 글을 쓴 목적으로 가장 적절한 것은?

Can you believe that some crabs have to live inside a toothpaste cap? A picture of a hermit crab in a toothpaste cap is breaking hearts across the Internet. It appears that the crab made a home for itself out of some garbage that was left by tourists in Cuba. It's a sad reality. Imagine you have to live inside a garbage can. It's important to realize that the hermit crab might be sending us a warning message: If we don't do something to protect the planet, all creatures will have to live in and among trash everywhere.

① to alert people that they should urgently take action to save our planet

② to encourage students to participate in volunteering

③ to ask authorities to remove garbage from local beach

④ to warn tourists of dangerous water creatures

⑤ to emphasize the necessity of ecotourism

[09~10] 다음 글을 읽고, 물음에 답하시오.

"Going green" ⓐ<u>seems</u> to be all the rage these days. (①) Stores and companies use phrases like this ⓑ<u>to promote</u> their businesses as eco-friendly. (②) In your home, for example, do you always unplug your TV when you aren't watching it? (③) Do stores in your neighborhood always ⓒ<u>keep their doors shutting</u> when the heaters or air conditioners are on? (④) Probably not. (⑤) Some innovators ⓓ<u>have taken on</u> the challenge of "going green," and have come up with some brilliant ideas to ⓔ<u>make "going green" easier</u> and simpler.

09 윗글의 ①~⑤ 중, 주어진 문장이 들어가기에 가장 적절한 곳은?

> It makes sense to try to live in a way that does not harm the environment, but is it easy to go green?

①   ②   ③   ④   ⑤

10 윗글의 밑줄 친 ⓐ~ⓔ 중, 어법상 틀린 것은?

① ⓐ   ② ⓑ   ③ ⓒ
④ ⓓ   ⑤ ⓔ

[11~12] 다음 글을 읽고, 물음에 답하시오.

Everyone has things that are no longer of any use, and chances are those things will eventually get thrown away.

(A) People can help themselves to anything they like. What an idea! These transparent garbage containers have helped many Dutch people go greener by reducing the amount of trash going to landfills.

(B) However, some of the things that get thrown out are still useful to other people. Goedzak is a Dutch way of allowing people to get second-hand things that might otherwise be thrown away.

(C) It is a special garbage bag that can be filled with used, but still usable items. Placing the bag outside on the pavement (whatever / makes / available / in it / anyone / is / to) in the community. Goedzak's bright color attracts attention while the transparent side of the bag reveals its contents.

11 윗글의 주어진 글 다음에 이어질 글의 순서로 가장 적절한 것은?

① (A) – (C) – (B)   ② (B) – (A) – (C)
③ (B) – (C) – (A)   ④ (C) – (A) – (B)
⑤ (C) – (B) – (A)

서술형

12 윗글 (C)의 괄호 안에 주어진 단어들을 바르게 배열하시오.

→ _____

[13~14] 다음 글을 읽고, 물음에 답하시오.

According to the Food and Agriculture Organization (FAO) of the United Nations, a third of global food production goes into trash bins annually. In Germany alone, around eleven million tons of food is wasted every year. Having been founded to tackle this problem on a local scale, the online platform, "foodsharing. de" allows extra food in your fridge or cupboard to be distributed to neighbors. The basic concept is simple: people sharing food. The only rule is not to pass anything on to others that you wouldn't eat yourself. This project may change the way people think about food: if food is not shared, it is wasted.

13 윗글의 제목으로 가장 적절한 것은?

① Global Food Production at Risk
② Time to Throw away Your Old Habits
③ Dealing with Extra Food in Your Fridge
④ Food Sharing: Talk to the Community
⑤ Local Conflicts Over the Food Crisis

서술형

14 윗글의 밑줄 친 this problem이 가리키는 바를 우리말 30자 내외로 쓰시오.

→ _____

[15~16] 다음 글을 읽고, 물음에 답하시오.

An eco-friendly way of life is not about changing the entire world overnight. It is about becoming aware of your own wasteful ways and then helping others become aware of ⓐtheirs. After awareness comes the process of adopting slightly different ways of doing some daily tasks. When you do these things, you are keeping your environmental bank account full. When you go one step further and help others do them too, you are _____ⓑ_____ and big changes can happen.

15 윗글의 밑줄 친 ⓐtheirs가 가리키는 것을 본문에서 찾아 3단어로 쓰시오.

→ _____

16 윗글의 빈칸 ⓑ에 들어갈 말로 가장 적절한 것은?

① an activist　　② a magician
③ an inventor　　④ a businessman
⑤ a banker

[17~18] 다음 글을 읽고, 물음에 답하시오.

Using disposable cups may be convenient, but it is not necessarily eco-friendly. They are a ①massive source of waste. Every year, people in the U.S. use over 100 billion disposable cups, and Koreans dispose of over 15 billion cups each year. That's what drove a few ②novel designers to come up with edible coffee cups. A cookie forms the main ③structure, with a white chocolate layer on the inside and a thin layer of sugar paper on the outside. This structure allows you to drink coffee without finding yourself holding a ④soaked mess. You can think of it as a treat for coffee! You may have to consume extra sugar, but it will definitely create ⑤more waste.

17 윗글의 밑줄 친 ①~⑤ 중, 문맥상 낱말의 쓰임이 적절하지 <u>않은</u> 것은?

①　　②　　③　　④　　⑤

> 서술형

18 윗글에서 'edible coffee cup'의 단점으로 언급된 것을 본문에서 찾아 7단어의 문장으로 쓰시오.

→ _____

[19~20] 다음 글을 읽고, 물음에 답하시오.

What can you do to go green when you have 500 photocopies to make? Many green strategies focus on using less paper, like printing on both sides. Another green strategy is to use less ink, which is what many people already do. But what if you could take it a step further? That's what Ecofont is. A designer thought that if he could create fonts that have tiny holes in them, he might be able to make more efficient use of the amount of ink used. In fact, Ecofont uses about a fifth less ink than traditional fonts without ruining readability. The brilliance of Ecofont is the different perspective it takes on going green: _____.

19 윗글의 빈칸에 들어갈 말로 가장 적절한 것은?

① reuse rather than use less
② the use of less ink by the font
③ being efficient is just being lazy
④ the simpler the better for big ideas
⑤ novelty is not always the best policy

20 윗글의 제목이 다음과 같을 때, 빈칸에 들어갈 알맞은 말을 본문에서 찾아 한 단어로 쓰시오.

→ Use Less: _____ Mean a Lot

핵심 콕콕

Communicative Functions

1 알고 있는지 묻기: Have you heard about...?

Have you heard about...?은 '너는 ~에 대해 들어본 적 있니?'라는 의미로, 어떤 사실이나 대상 등에 관하여 상대방이 알고 있는지 물을 때 쓰는 표현이다.

Have you heard about their concert tour in Seoul?

> 유사표현 ▶ Do you know (of)...? / Are you aware (of)...? / Did you hear about[of]...?

2 강조하기: It's important that(to)....

It's important that....은 '~하는 게 중요하다.'라는 의미로, 어떤 사안에 대하여 강조하고 싶을 때 사용하는 표현 이다.

It's important that you visit the tower at night for stunning view.

> 유사표현 ▶ It's highly significant that(to).... / I want to stress.... / We feel it's important that....

Language Structures

3 완료분사구문

주절의 시점보다 이전에 일어난 일을 나타낼 때 「having+과거분사(p.p.)」 형태의 분사구문을 사용하는데, 이를 완료 분사구문이라고 한다. 주절의 주어와의 관계가 능동이면 「having+과거분사(p.p.)」로, 수동이면 「having+been+ 과거분사(p.p.)」로 나타낸다.

- **Having lost** all my money, I had to cancel my trip. 〈능동〉
  = As I had lost all my money, I had to cancel my trip.
- **Having been told** many times, he finally understood it. 〈수동〉
  = As he had been told many times, he finally understood it.

4 동사+목적어+to부정사

5형식(S+V+O+O.C) 문장에서 목적격 보어의 형태는 동사에 따라 달라진다.
① to부정사를 취하는 동사: allow, permit, enable, want, expect, cause, convince, ask, persuade 등
② 동사원형을 취하는 동사: 사역동사(let, make, have), 지각동사(feel, see, watch, hear 등)

- He *allowed* me **to go** there alone.
- His help *enabled* me **to finish** the work.
- I *felt* something **touch** my hair.

Lesson

04

Explore

Communicative Functions

- 희망 · 기대 표현하기

  I'm looking forward to my first visit to Tokyo.

  나는 도쿄에 처음 방문하는 것이 기대돼.

- 요청하기

  Could I ask you to recommend a good place to visit tonight?

  오늘 밤 방문하기에 좋은 장소를 추천해 주실 수 있나요?

Language Structures

- 관계부사

  Many people lined up in front of a small store **where** green apple gelato was served.

  많은 사람이 풋사과 젤라토를 파는 작은 가게 앞에 줄을 섰다.

- suggest＋that＋주어＋(should)＋동사원형

  Suji **suggested** that I *explore* the city on my own for a few hours.

  수지는 그 도시를 나 혼자 몇 시간 동안 탐험하는 것을 제안했다.

Words & Expressions

✤ 다음을 읽고 자신이 기억해야 할 것에 ☑표시 하시오.

Words

- thrilled [θrild] 형 아주 흥분한, 신이 난
- conservatory [kənsə́ːrvətɔ̀ːri] 명 예술 학교
- abroad [əbrɔ́ːd] 부 해외로
- force [fɔːrs] 동 ~하게 만들다, 강요하다(= compel)
- sightseeing [sáitsìːiŋ] 명 관광
- ancient [éinʃənt] 형 옛날의, 고대의
- definitely [défənitli] 부 분명히, 틀림없이
- famous [féiməs] 형 유명한(= well-known)
- fountain [fáuntən] 명 분수
- ensure [inʃúər] 동 반드시 ~하게 하다
- Pope [poup] 명 교황
- border [bɔ́ːrdər] 명 국경, 경계
- sculpture [skʌ́lptʃər] 명 조각품
- masterpiece [mǽstəpìːs] 명 걸작, 명작
- ceiling [síːliŋ] 명 천장
- linger [líŋgər] 동 남다, 계속되다
- convince [kənvíns] 동 설득하다(= persuade)

- seaside [síːsàid] 형 바닷가의, 해변의
- explore [iksplɔ́ːr] 동 탐험하다
- alley [ǽli] 명 좁은 길, 골목
- wander [wándər] 동 돌아다니다(= roam)
- canal [kənǽl] 명 운하, 수로
- prime [praim] 형 주요한, 주된(= main)
- pigeon [pídʒən] 명 비둘기
- steal [stiːl] 동 훔치다(-stole-stolen)
- gondola [gándələ] 명 곤돌라
- snake [sneik] 동 구불구불 가다 명 뱀
- fare [fɛər] 명 요금(= price)
- afford [əfɔ́ːrd] 동 ~할 여유가 있다
- comment [káment] 동 의견을 내다, 논평하다
- exchange [ikstʃéindʒ] 동 교환하다
- construction [kənstrʌ́kʃən] 명 건설(↔ destruction)
- lifetime [láiftàim] 명 일생, 평생(= one's entire life)

Expressions

- in earnest 본격적으로
- miss out on ~을 놓치다
- be known as ~으로 알려져 있다
- out of this world 너무도 훌륭한

- a couple of 두서너 개의
- as well 또한, 역시(= in addition to)
- find out 발견하다, 알게 되다(= discover, figure out)
- so far 지금까지, 이 시점까지(= until now, up to this time)

Words & Expressions Test

정답 p.22

01 다음 영어는 우리말로, 우리말은 영어로 쓰시오.

(1) conservatory _____ (7) 국경, 경계 _____

(2) comment _____ (8) 분수 _____

(3) convince _____ (9) 분명히, 틀림없이 _____

(4) linger _____ (10) 구불구불 가다 _____

(5) masterpiece _____ (11) 조각품 _____

(6) out of this world _____ (12) 비둘기 _____

02 다음 괄호 안에서 문맥상 알맞은 것을 고르시오.

(1) The (instruction / construction) of the new airport has just begun.

(2) The expedition plans to (explore / implore) the south of the Amazon.

(3) An (aisle / alley) is a narrow street between or behind buildings.

(4) Jonathan has worked (abroad / aboard) for the past few years.

- instruction
  설명, 지시
- implore
  애원(간청)하다
- aisle 통로, 복도
- aboard
  (배·기차·비행기 등에)
  탑승한, 승선한

03 다음 빈칸에 들어갈 말로 가장 적절한 것을 고르시오.

(1) The _____ Olympic Games were played in Greece from the 8th century BC to the 4th century AD.

① definite ② ancient ③ suitable

④ occasional ⑤ regular

(2) A healthy diet is important for children _____.

① so far ② at all ③ as well

④ in person ⑤ at most

- definite
  확실한, 확고한
- occasional
  가끔의
- at all 전혀
- at most 기껏해야

04 다음 영영풀이에 해당하는 단어를 〈보기〉에서 골라 쓰시오.

〈보기〉

wonder   wander   architecture   sculpture

(1) _____ : to walk around a place in a casual way

(2) _____ : a work of art that is produced by carving or shaping stone, wood, or clay

- architecture
  건축학(술)

Communicative Functions

① 희망 · 기대 표현하기: I'm looking forward to....

> **A**   Are you excited about the trip tomorrow?
>
> **B**   Of course. **I'm really looking forward to** going fishing on the river.

I'm looking forward to....는 '나는 ~이 기대돼.'라는 뜻으로 앞으로 일어날 일에 관한 기대를 표현할 때 쓰는 표현이다. 이때 to는 전치사이므로 to 다음에는 명사 또는 동명사가 온다.

> **유사표현** ▶ I hope to.... / I can't wait to.... / I really want to.... / I'm dying to....

- **I'm looking forward to** *this summer* vacation.
  (나는 이번 여름 방학이 기대돼.)
- **I'm looking forward to** *meeting* my uncle.
  (나는 삼촌을 만나는 것이 기대돼.)

cf. I hope to....는 '나는 ~하기를 원한다', I can't wait to....는 '나는 ~가 몹시 기다려져.'라는 뜻으로 모두 기대를 표현하며, 뒤에는 동사원형이 와야 한다.
     I hope to watch a baseball game at the stadium.
     (나는 경기장에서 야구 경기를 보길 원한다.)
     I can't wait to go to the amusement park tomorrow.
     (나는 내일 놀이공원에 가는 것이 몹시 기다려져.)

② 요청하기: Could I ask you to...?

> **A**   **Could I ask you to** recommend a good way to look around the lakeside parks?
>
> **B**   Why don't you take the bicycle tour?

Could I ask you to...?는 '~해 주실 수 있나요?'라는 뜻으로 상대방에게 공손하게 부탁이나 요청을 할 때 쓰는 표현이다. 이에 Of course. (= Sure.) / I'm afraid I can't. 등으로 대답할 수 있다.

> **유사표현** ▶ Could you..., please? / Would you mind...? / Will you give me a hand with...?

- **Could you** recommend a good Chinese restaurant near here, **please**?
  (이 근처에 괜찮은 중식당을 추천해 주실 수 있나요?)
- **Would you mind** cleaning the living room?
  (거실을 좀 청소해 주시겠어요?)

cf. 동사 mind(~하는 것을 꺼리다) 뒤에는 목적어로 동명사가 온다. mind가 부정의 의미를 나타내므로 대답할 때 허락은 No, I wouldn't. 거절은 Yes, I would.로 한다.
     Would you mind *helping* me carry this box? (제가 이 상자를 옮기는 것을 도와주시겠어요?)
     Yes, I would. (아니오, 못 하겠어요.) / No, I wouldn't. (네, 도와줄게요.)

note

01 다음 우리말과 같도록 빈칸에 알맞은 말을 쓰시오.

> **A** How about going to *Today's Music Show*?
>
> **B** Sounds great. I _____ _____ _____ _____
>
> going there. (나는 그곳에 가는 것이 정말 기대돼.)

· How about ~?
  ~은 어때?

02 다음 대화의 ①~⑤ 중, 주어진 문장이 들어가기에 가장 적절한 곳은?

> Could I ask you to help me find some information on the Internet?

> **A** What did you do during the weekend?
>
> **B** (①) I volunteered all weekend at an animal shelter.
>
> **A** It sounds like you were really busy.
>
> **B** (②) Yes, I was. I didn't have any time to work on my science project.
>
> **A** (③) Is there any way I can help you?
>
> **B** (④) They are so difficult.
>
> **A** (⑤) No problem.

· volunteer
  자원봉사하다
· animal shelter
  동물 보호소

03 다음 대화가 자연스럽게 이어지도록 순서대로 배열하시오.

> (A) No problem. Anything else?
>
> (B) You seem to be very busy. Is there anything I can help you with?
>
> (C) Not at the moment. Thanks for your help.
>
> (D) Let me see.... Could I ask you to vacuum the floor for me?

→ _____

· at the moment
  지금은
· vacuum
  (진공청소기로) 청소하다

▌서술형

04 다음 대화의 괄호 안의 단어들을 바르게 배열하시오.

> **A** Are you ready for our trip to Hallasan in Jejudo?
>
> **B** Sure. I'm really (the top of / forward / to / getting to / looking / the mountain).
>
> **A** Me, too. Oh, don't forget to bring hiking boots and hiking poles.
>
> **B** OK, I won't. Thanks.

→ _____

· hiking boots
  등산화
· hiking poles
  등산 막대기

Language Structures

1 관계부사

1. 관계부사: 두 문장을 연결하는 「접속사＋부사」의 역할을 하며, 「전치사＋관계대명사」로 바꾸어 쓸 수 있다.

> · Do you remember the time? The fireworks started at that time.
>
> → Do you remember the time **when** (= *at which*) the fireworks started?
>   _{선행사   관계부사}
>
> (너는 불꽃놀이가 시작한 시간을 기억하니?)

2. 관계부사의 종류

선행사	관계부사	의미
장소(the place / house / classroom...)	where	～한 장소 / 집 / 교실
시간(the time / day / moment...)	when	～한 시간 / 날 / 순간
이유(the reason)	why	～한 이유
방법(the way)	how	～한 방법

cf. 선행사와 관계부사 둘 중 하나를 생략하여 쓸 수 있다. 단, how의 경우 선행사 the way와 함께 쓸 수 없으며 둘 중 반드시 하나를 생략해야 한다.

I still don't understand **the reason** why she left me.
I still don't understand **(the reason) why** she left me.
→ I still don't understand **the reason (why)** she left me. (나는 그녀가 나를 떠난 이유를 여전히 이해할 수 없다.)
Let me show you **the way how** this machine works. (×)
→ Let me show you **(the way) how** this machine works.
→ Let me show you **the way (how)** this machine works. (이 기계가 어떻게 작동하는지 내가 너한테 보여 줄게.)

---

2 suggest＋that＋주어＋(should)＋동사원형

주장, 요구, 명령, 제안을 나타내는 동사(insist, demand, order, suggest, recommend, require, advise)와 함께 사용된 that절의 동사는 「(should)＋동사원형」의 형태로 나타낸다.

> James **insisted** that he **(should) attend** the meeting.
>
> (James는 그가 그 모임에 참석해야 한다고 주장했다.)

cf. that절이 부정의 의미를 나타낼 때는 should 뒤에 not을 쓴다.
They **demanded** that the school store **(should) not sell** instant food.
(그들은 학교 매점이 인스턴트 식품을 팔지 말 것을 요구했다.)

cf. that절의 내용이 당위성을 나타내지 않고 사실 자체를 나타낼 때 혹은 suggest가 '시사하다'의 의미일 때는 that절에 should를 쓰지 않으므로 동사의 시제에 유의해야 한다.
Nothing **suggests** that she **(should) be** about to leave. (×)
→ Nothing **suggests** that she **is** about to leave. (○) (그녀가 곧 떠날 것이라는 것을 시사하는 것은 아무것도 없다.)

01 다음 괄호 안에서 어법상 알맞은 것을 고르시오.

(1) Do you remember the day (where / when) you entered this school?

(2) This is the classroom (how / where) we study.

(3) That's the reason (when / why) I can't understand you.

(4) I'd like to live in a country (when / where) I can use English every day.

(5) Can you tell me (why / how) you usually spend your free time?

· free time
여가 시간

02 다음 빈칸에 들어갈 말로 가장 적절한 것은?

> She suggested that we _____ go out to eat at a French restaurant.

① will　　② could　　③ would　　④ should　　⑤ might

· suggest 제안하다

서술형

03 다음 문장에서 어법상 <u>틀린</u> 부분을 찾아 바르게 고쳐 쓰시오.

(1) Let me show you the way how I made this boat.

_____ → _____

(2) This is the restaurant which we have lunch on Sundays.

_____ → _____

(3) She insisted that we going there by taxi.

_____ → _____

(4) The police officer demanded that the woman stops her car.

_____ → _____

· insist 주장하다
· demand 요구하다

서술형

04 다음 괄호 안에 주어진 단어들을 바르게 배열하여 문장을 완성하시오.

(1) Do you remember _____?
　　　　　(we / had dinner / the night / at Sonya's restaurant / when)

(2) I want to _____.
　　　　(it / where / live / in a country / snows / a lot)

(3) Tom suggested that _____.
　　　　　(his father / smoking / quit / should)

· quit 끊다, 그만두다

Reading

✦ 본문을 읽고 알맞은 구문과 표현으로 빈칸을 채우고, 괄호 안에서 알맞은 것을 고르시오.

Adventure in Italy

I was ❶_____ when my cousin, Suji, invited me to Italy, a country in southern Europe that looks like a boot. She had a few days off from studying music in a conservatory, so we could spend a week together in Rome and Venice. I had never been abroad ❷(by / for) myself, and I was a bit worried, but after the long flight for twelve hours, I was pleased to ❸_____ _____ by my cousin at Leonardo da Vinci International Airport in Rome. Since Italy is seven hours behind Seoul, I was quite exhausted and sleepy when I got there. However, I forced myself to stay awake to begin my trip ❹_____ _____.

Rome was like a giant museum to me. We began our sightseeing at the Colosseum. Nowadays, we can only see a part of what was once the greatest structure in the ancient world. It amazed me to think that people could build such a structure without modern construction equipment. The Colosseum has eighty arches through which about fifty thousand people could go in and out ❺(in / for) fifteen minutes! As I reached the top of the stairs inside, I looked down and I could almost hear the cheer of the crowd.

Suji and I walked along a path leading away from the Colosseum and heard the sound of ❻_____ water. We knew instantly that we were near the famous Trevi Fountain. Legend says that a single coin thrown into the fountain will ensure a return to Rome, a second coin will bring true love, and a third coin marriage! I threw one over my shoulder, ❼(wishing / wished) a return to Italy someday. I found it interesting that even on the other side of the world, people still wish for simple things like happiness, love, and marriage.

Who in Rome could miss out on a chance to visit Vatican City, the place ❽(why / where) the Pope lives? It is known as the smallest state in the world. In fact, it takes only thirty minutes to walk from one border to the other! I was overwhelmed, however, by the collection of sculptures and paintings in the Vatican Museums. *The Creation of Adam*, one of Michelangelo's masterpieces, on the ceiling of the Sistine Chapel, still ❾_____ _____ _____ _____. Although I knew photographs are not allowed, the masterpiece

❶ 아주 흥분한, 신이 난

❷ 알맞은 전치사
(= alone)
❸ greet의 알맞은 형태

❹ 본격적으로

❺ 알맞은 전치사
(~이내에)

❻ fall의 알맞은 형태

❼ 알맞은 분사구문
(동시동작)

❽ 알맞은 관계부사

❾ ~의 마음속에 남아
있다

정답 ❶ thrilled ❷ by ❸ be greeted ❹ in earnest ❺ in ❻ falling ❼ wishing ❽ where ❾ lingers in my mind was so impressive that I almost took one. ⑩_____ _____ _____, we walked out to see many people lined up in front of a small store ⑪_____ green apple gelato was served. Suji convinced me to wait in line for over twenty minutes saying that it would be worth it. She was right: the gelato was out of this world.

After a couple of more days in Rome, we ⑫_____ _____ Venice. The seaside city was a lot more romantic than Rome, but a lot more humid as well. Suji said she had to visit a friend, so she suggested that I ⑬(explore /explored) the city ⑭_____ _____ _____ for a few hours. We could meet up at the train station later in the afternoon.

I decided to go to the Rialto Bridge first, so I started walking. Within moments, the winding alleys made my map almost useless. After some wandering, I was ⑮_____ _____ _____ _____ a group of tourists my age from Britain. They were headed to the Rialto Bridge too! The bridge itself was as elegant ⑯_____ people say it is, but I was more impressed by the beautiful view of the canal from the steps of the bridge. I said goodbye to my British friends and walked to St. Mark's Square, one of the prime attractions of Venice. I had never seen so many pigeons in my life. They were so used to ⑰_____ around people that they would wait until people weren't paying attention and then steal their crackers! But what truly made me stop and stare in wonder ⑱(was / were) the beautiful buildings surrounding all three sides of the square. Along the buildings were shops selling beautiful glass pieces, gloves, and much more. After looking around for a while, I bought small glasses for my parents.

My trip to Venice would not be complete without a gondola ride along the Grand Canal, ⑲(that / which) snakes through the city in a large S shape. I was disappointed to find out the fare to ride the Grand Canal by myself was so expensive that I could not afford it. The moment I was turning back, I saw my British tourist friends walking toward the ticket office. We shared the fare and we commented on the unique differences of the buildings along the canal. We had a nice chat, took some great pictures, and exchanged email addresses before we got off the gondola.

My trip to Italy was definitely an experience of a lifetime. I hope my next trip can be to England to visit my British friends. People say that the world is a book, and that those ⑳(who / which) do not travel read only one of the pages in it. So far, I have read two pages. I hope I have opportunities to read many more pages.

⑩ 분사구문
(= After we looked around)
⑪ 알맞은 관계부사

⑫ ~로 향했다

⑬ explore의 알맞은 형태
⑭ 나 혼자서(= alone)

⑮ 순서대로 배열
(meet / enough / to / lucky)
⑯ ~만큼 …한 (동등 비교)

⑰ be의 알맞은 형태

⑱ 동사의 수 일치

⑲ 알맞은 관계대명사

⑳ 알맞은 관계대명사

정답 ⑩ After looking around ⑪ where ⑫ headed to ⑬ explore ⑭ on my own ⑮ lucky enough to meet ⑯ as ⑰ being ⑱ were ⑲ which ⑳ who

Explore   075

01 다음 글의 흐름으로 보아, 주어진 문장이 들어가기에 가장 적절한 곳은?

> Since Italy is seven hours behind Seoul, I was quite exhausted and sleepy when I got there.

(①) I was thrilled when my cousin, Suji, invited me to Italy, a country in southern Europe that looks like a boot. (②) She had a few days off from studying music in a conservatory, so we could spend a week together in Rome and Venice. (③) I had never been abroad by myself, and I was a bit worried, but after the long flight for twelve hours, I was pleased to be greeted by my cousin at Leonardo da Vinci International Airport in Rome. (④) However, I forced myself to stay awake to begin my trip in earnest. (⑤)

note
· exhausted
  지친, 기진맥진한
· by oneself
  혼자서, 홀로
· stay awake
  자지 않고 깨어 있다

02 다음 글에서 콜로세움의 구조를 가장 잘 나타낸 문장을 찾아 밑줄을 그으시오.

Rome was like a giant museum to me. We began our sightseeing at the Colosseum. Nowadays, we can only see a part of what was once the greatest structure in the ancient world. It amazed me to think that people could build such a structure without modern construction equipment. The Colosseum has eighty arches through which about fifty thousand people could go in and out in fifteen minutes! As I reached the top of the stairs inside, I looked down and I could almost hear the cheer of the crowd.

· structure
  구조(물), 건축물
· modern 현대의
  (↔ ancient 고대의)
· equipment 장비

03 다음 글의 밑줄 친 ⓐ~ⓔ 중, 어법상 틀린 것은?

Suji and I walked along a path ⓐ<u>leading away</u> from the Colosseum and heard the sound of falling water. We knew instantly that we were near the famous Trevi Fountain. Legend says that a single coin ⓑ<u>throwing into</u> the fountain will ensure a return to Rome, a second coin will bring true love, and ⓒ<u>a third coin marriage</u>! I threw one over my shoulder, ⓓ<u>wishing</u> a return to Italy someday. I ⓔ<u>found it interesting</u> that even on the other side of the world, people still wish for simple things like happiness, love, and marriage.

· path 길
· legend 전설
· coin 동전

① ⓐ   ② ⓑ   ③ ⓒ   ④ ⓓ   ⑤ ⓔ

04 다음 글의 내용과 일치하지 <u>않는</u> 것은?

note
· be known as
  ~으로 알려져 있다
· overwhelm
  압도하다
· collection 소장품

> Who in Rome could miss out on a chance to visit Vatican City, the place where the Pope lives? It is known as the smallest state in the world. In fact, it takes only thirty minutes to walk from one border to the other! I was overwhelmed, however, by the collection of sculptures and paintings in the Vatican Museums. *The Creation of Adam*, one of Michelangelo's masterpieces, on the ceiling of the Sistine Chapel, still lingers in my mind. Although I knew photographs are not allowed, the masterpiece was so impressive that I almost took one.

① No other state in the world is smaller than Vatican City.

② It takes 30 minutes to walk from one border of Vatican City to the other.

③ It was overwhelming to see the collections of artwork in the Vatican museums.

④ *The Creation of Adam* is on the ceiling of the Sistine Chapel.

⑤ I took a picture of Michelangelo's work because it was very impressive.

[05~06] 다음 글을 읽고, 물음에 답하시오.

· attraction
  명소, 명물
· interpret
  해석하다, 이해하다
· by mistake 실수로

> I decided to go to the Rialto Bridge first, so I started walking. Within moments, ⓐ the winding alleys made my map almost useless. After some wandering, ⓑ 나는 운 좋게 영국에서 온 내 또래의 단체 관광객을 만날 수 있었다. They were headed to the Rialto Bridge too! The bridge itself was as elegant as people say it is, but I was more impressed by the beautiful view of the canal from the steps of the bridge. I said goodbye to my British friends and walked to St. Mark's Square, one of the prime attractions of Venice. I had never seen so many pigeons in my life.

05 윗글의 밑줄 친 ⓐ가 의미하는 것은?

① The map was too difficult to interpret.

② I was carrying around a wrong map by mistake.

③ The alleys were so complicated that the map barely helped.

④ The road drawn on the map was different from the actual one.

⑤ The map was written in Italian, which I couldn't understand at all.

서술형

06 윗글의 밑줄 친 우리말 ⓑ와 같도록 주어진 단어들을 바르게 배열하시오.

→ _____

(lucky / enough / my age / I / was / a group of / to meet / from Britain / tourists)

01 다음 빈칸에 들어갈 알맞은 것은?

> If you _____ someone of something, you make him or her believe that it is true or that it exists.

① steal   ② convince
③ wander   ④ comment
⑤ exchange

02 다음 중 단어의 영영풀이가 <u>어색한</u> 것은?

① border: a dividing line between two countries or regions
② conservatory: a college for the study of classical music or other arts
③ ceiling: the horizontal surface that forms the top part of a room
④ fare: an event where there are displays of goods, amusements, games, and competitions
⑤ fountain: a structure in a pool or lake from which a long narrow stream of water is forced up into the air by a pump

서술형

03 다음 두 문장의 의미가 같도록 빈칸에 알맞은 말을 쓰시오.

> I can't wait to go to the amusement park.
> = I'm_____ going to the amusement park.

04 다음 대화의 밑줄 친 부분과 바꾸어 쓸 수 <u>없는</u> 것은?

> A Why don't we go to the Taste of Korea festival tomorrow? There's a lot of good food there.
> B Sounds fun. <u>I'm looking forward to going there.</u>

① I hope to go there.
② I can't wait to go there.
③ I'm dying to go there.
④ I really want to go there.
⑤ I'm afraid I can't go there.

05 다음 중 의미하는 바가 나머지와 <u>다른</u> 하나는?

① Let me help you.
② May I give you a hand?
③ Is there any way I can help you?
④ Could I ask you to do me a favor?
⑤ Is there anything I can do for you?

06 다음 빈칸에 알맞은 말을 〈보기〉에서 골라 쓰시오.

> ─〈보기〉─
> when   where   why   how

(1) This is _____ I solved the problem.
(2) The hotel _____ we stayed wasn't very clean.
(3) I don't know the reason _____ he lied to me.
(4) Do you remember the day _____ we first met?

07 다음 중 밑줄 친 when의 쓰임이 〈보기〉와 같은 것은?

〈보기〉
I'll never forget the day when I hit the bull's eye in archery class.

① Call me when you're finished.
② I loved math when I was at school.
③ Sunday is the only day when I can take a day off.
④ When was the happiest moment in your life?
⑤ He was about to go to sleep when the phone rang.

중요
08 다음 빈칸에 들어갈 말로 가장 적절한 것은?

I suggested that she _____ a walk every day.

① take   ② took
③ be taken   ④ being taken
⑤ takes

09 윗글에 나타난 'I'의 심정으로 적절하지 않은 것은?

① excited
② concerned
③ delighted
④ embarrassed
⑤ tired

10 윗글의 내용과 일치하지 않는 것은?

① The shape of Italy is similar to that of a boot.
② Italy is located in the southern part of Europe.
③ 'I' had been to foreign countries alone several times.
④ It took about 12 hours to get to Rome.
⑤ There is a seven-hour time difference between Seoul and Rome.

[09~10] 다음 글을 읽고, 물음에 답하시오.

I was thrilled when my cousin, Suji, invited me to Italy, a country in southern Europe that looks like a boot. She had a few days off from studying music in a conservatory, so we could spend a week together in Rome and Venice. I had never been abroad by myself, and I was a bit worried, but after the long flight for twelve hours, I was pleased to be greeted by my cousin at Leonardo da Vinci International Airport in Rome. Since Italy is seven hours behind Seoul, I was quite exhausted and sleepy when I got there. However, I forced myself to stay awake to begin my trip in earnest.

[11~12] 다음 글을 읽고, 물음에 답하시오.

Rome was like a giant museum to me. We began our sightseeing at the Colosseum. Nowadays, we can only see a part of ⓐ 한때 고대의 가장 위대한 건축물이었던 것. It amazed me to think that people could build such a structure without modern construction equipment. The Colosseum has eighty arches through which about fifty thousand people could go in and out in fifteen minutes! ⓑ As I reached the top of the stairs inside, I looked down and I could almost hear the cheer of the crowd.

11 윗글의 밑줄 친 우리말 ⓐ와 같도록 주어진 단어들을 바르게 배열하시오.

→ _____

(in the ancient / the greatest / was / structure / once / world / what)

12 윗글의 밑줄 친 ⓑAs와 쓰임이 같은 것은?

① They were all dressed as witches.
② He didn't earn as much as I did.
③ They did as their teacher had asked.
④ As you didn't answer, I left a message.
⑤ As I was reading a comic book, he was vacuuming the floor.

[13~14] 다음 글을 읽고, 물음에 답하시오.

Suji and I walked along a path leading away from the Colosseum and heard the sound of falling water. We knew instantly that we were near the famous Trevi Fountain. Legend says that a single coin thrown into the fountain will ensure a return to Rome, a second coin will bring true love, and a third coin marriage! I threw one over my shoulder, wishing a return to Italy someday. I found it interesting that even on the other side of the world, people still wish for simple things like happiness, love, and marriage.

13 윗글의 밑줄 친 it과 쓰임이 같은 것은?

① Create a new folder and put this file in it.
② How long does it take to get there?
③ It's impossible to finish the project in two days.
④ Amy found it hard to communicate in French.
⑤ It was a great judge that I really wanted to be.

14 윗글을 읽고 답할 수 없는 질문은?

① In what city is Trevi Fountain?
② How many coins did Suji throw into the fountain?
③ Where did Suji and I go before Trevi Fountain?
④ Why did I throw only one coin into the fountain?
⑤ What do people wish for when throwing coins?

[15~16] 다음 글을 읽고, 물음에 답하시오.

Who in Rome could miss out on a chance to visit Vatican City, the place ___ⓐ___ the Pope lives? It is known as the smallest state in the world. In fact, it takes only thirty minutes to walk from one border to the other! I was overwhelmed, however, by the collection of sculptures and paintings in the Vatican Museums. *The Creation of Adam*, one of Michelangelo's masterpieces, on the ceiling of the Sistine Chapel, still lingers in my mind. Although I knew photographs are not allowed, the masterpiece was so impressive that I almost took one. After looking around, we walked out to see many people lined up in front of a small store ___ⓑ___ green apple gelato was served. Suji convinced me to wait in line for over twenty minutes saying that it would be worth it. She was right: the gelato was ⓒ out of this world.

15 윗글의 빈칸 ⓐ, ⓑ에 공통으로 들어갈 말을 쓰시오.

→ _____

16 윗글의 밑줄 친 ©out of this world가 의미하는 것은?

① so great

② sold out

③ terrible

④ not for sale

⑤ out of ingredients

18 윗글의 밑줄 친 ⓐ, ⓑ They가 가리키는 것을 본문에서 찾아 영어로 쓰시오.

ⓐ: _____

ⓑ: _____

[17~18] 다음 글을 읽고, 물음에 답하시오.

I decided to go to the Rialto Bridge first, so I started walking. Within moments, the winding alleys made my map almost useless. After some wandering, I was lucky enough to meet a group of tourists my age from Britain.

(A) I had never seen so many pigeons in my life.

(B) The bridge itself was as elegant as people say it is, but I was more impressed by the beautiful view of the canal from the steps of the bridge.

(C) I said goodbye to my British friends and walked to St. Mark's Square, one of the prime attractions of Venice.

(D) ⓐThey were headed to the Rialto Bridge too!

ⓑThey were so used to being around people that they would wait until people weren't paying attention and then steal their crackers!

[19~20] 다음 글을 읽고, 물음에 답하시오.

My trip to Italy was definitely an experience of a lifetime. I hope my next trip can be to England to visit my British friends. People say that the world is a book, and that those who do not travel read only one of the pages in it. ⓐSo far, I have read two pages. I hope I have opportunities ⓑto read many more pages.

19 윗글의 밑줄 친 ⓐ가 의미하는 바를 20자 이내의 우리말로 쓰시오.

→ _____

17 윗글의 흐름에 맞도록 (A)~(D)의 순서를 바르게 배열한 것은?

① (A) – (C) – (B) – (D)

② (B) – (C) – (A) – (D)

③ (C) – (D) – (A) – (B)

④ (D) – (A) – (C) – (B)

⑤ (D) – (B) – (C) – (A)

20 윗글의 밑줄 친 ⓑ가 의미하는 것은?

① to learn more about Italy

② to read many more books

③ to travel to many more places

④ to make as many friends as I can

⑤ to write about my travel experiences

단원평가 2회

01 다음 중 짝지어진 두 단어의 관계가 나머지 넷과 <u>다른</u> 것은?

① sightsee — sightseeing
② fame — famous
③ explore — exploration
④ collect — collection
⑤ construct — construction

02 다음 빈칸에 공통으로 들어갈 말로 가장 적절한 것은?

- Her _____ concern is world peace.
- That man is the _____ suspect in the case.

① prime
② definite
③ thrilled
④ famous
⑤ suitable

03 다음 빈칸에 들어갈 말이 바르게 짝지어진 것은?

- We're really looking forward _____ seeing a again.
- He built a house in Florida a couple _____ years ago.
- The reconstruction work will begin _____ earnest on Monday.

① to — of — in
② to — for — with
③ to — in — of
④ on — with — for
⑤ on — of — to

04 다음 중 짝지어진 대화가 <u>어색한</u> 것은?

① A Could I ask you to take a picture for me?
  B No problem.
② A Do you need a hand?
  B Yes. Can I ask you to take that book down for me?
③ A Is there anything I can help you with?
  B Yes, please. Could you help me find my cell phone?
④ A Can you put price tags on the clothes over there?
  B Sure. Anything else?
⑤ A Can you give me a hand with this?
  B Not at the moment. Thanks.

05 다음 대화가 자연스럽게 이어지도록 순서대로 배열하시오.

(A) Yes, I do. I love watching baseball.
(B) That sounds great. I'm really looking forward to it.
(C) Do you like baseball?
(D) I have two tickets for the final game of the Korean Series. Why don't you come with me this weekend?

→ _____

06 다음 빈칸에 들어갈 말로 알맞지 <u>않은</u> 것은?

Eric didn't want to buy this book, but I _____ that he should buy it.

① rejected
② insisted
③ proposed
④ suggested
⑤ recommended

07 다음 우리말을 영어로 옮길 때 어법상 틀린 것은?

> 이곳이 우리가 머물렀던 호텔이다.

① This is the hotel we stayed in.
② This is the hotel where we stayed.
③ This is the hotel which we stayed in.
④ This is the hotel in which we stayed.
⑤ This is the hotel where we stayed in.

08 다음 빈칸에 들어갈 말이 바르게 짝지어진 것은?

> • The house _____ I grew up was
> very small for my big family.
> • Dinner time, _____ all of us tried
> to eat together, ended in chaos.

① which — when
② which — why
③ where — when
④ where — why
⑤ when — where

[09~10] 다음 글을 읽고, 물음에 답하시오.

I was ⓐ thrilling when my cousin, Suji, invited me to Italy, a country in southern Europe that ⓑ looks like a boot. She had a few days off from studying music in a conservatory, so we could spend a week together in Rome and Venice. I ⓒ have never been abroad by myself, and I was a bit worried, but after the long flight for twelve hours, I was pleased ⓓ to greet by my cousin at Leonardo da Vinci International Airport in Rome. Since Italy is seven hours behind Seoul, I was quite exhausted and sleepy when I got there. However, I ⓔ forced me to stay awake to begin my trip in earnest.

09 윗글의 밑줄 친 ⓐ~ⓔ 중, 어법상 옳은 것은?

① ⓐ　　② ⓑ　　③ ⓒ　　④ ⓓ　　⑤ ⓔ

10 윗글의 내용과 일치하도록 주어진 질문에 답으로 알맞은 것은?

> If you took a flight from Seoul at eleven in the morning, what time would it be in Rome when you arrived?

① 2:00 a.m.
② 3:00 a.m.
③ 4:00 p.m.
④ 7:00 p.m.
⑤ 11:00 p.m.

[11~13] 다음 글을 읽고, 물음에 답하시오.

Suji and I walked along a path leading away from the Colosseum and heard the sound of falling water. We knew instantly that we were near the famous Trevi Fountain. Legend says that a single coin thrown into the fountain will ensure a return to Rome, a second coin will bring true love, and a third coin marriage! I threw one over my shoulder, wishing a return to Italy someday. I found it interesting that even on the other side of the world, people still wish for simple things like happiness, love, and marriage.

11 윗글의 밑줄 친 wishing과 쓰임이 같은 것은?

① Did you see the girl wearing a red hat?
② Turning to the left, he turned on the blinker.
③ He was wandering around the park.
④ It has been pouring since yesterday.
⑤ Studying abroad by himself will be a great challenge to Jack.

서술형

12 윗글에서 'I'가 흥미롭다고 느낀 점을 우리말 30자 내외로 쓰시오.

→ _____

13 윗글의 내용과 일치하지 <u>않는</u> 것은?

① Colosseum과 Trevi 분수는 로마에 있다.
② 수많은 동전이 매일 분수대로 던져진다.
③ 두 번째 동전은 진정한 사랑을 가져온다.
④ 세 번째 동전은 결혼을 이루어 준다.
⑤ '나'는 언젠가 이탈리아에 돌아오기를 바라면서 동전을 한 개만 던졌다.

14 윗글의 밑줄 친 ⓐ~ⓔ 중, 어법상 <u>틀린</u> 것은?

① ⓐ   ② ⓑ   ③ ⓒ   ④ ⓓ   ⑤ ⓔ

서술형

15 윗글의 괄호 안에 주어진 단어들을 바르게 배열하시오.

→ _____

[14~15] 다음 글을 읽고, 물음에 답하시오.

Who in Rome could miss out on a chance to visit Vatican City, the place where the Pope lives? It is known as the smallest state in the world. In fact, it takes only thirty minutes to walk from one border to the other! I was overwhelmed, however, by the collection of sculptures and paintings in the Vatican Museums. *The Creation of Adam*, one of Michelangelo's masterpieces, on the ceiling of the Sistine Chapel, still ⓐ<u>lingers</u> in my mind. Although I knew photographs are ⓑ<u>not allowed</u>, the masterpiece was so impressive that I almost took one. After ⓒ<u>looking around</u>, we walked out to see many people lined up (was served / where / in front of / green apple gelato / a small store). Suji convinced me ⓓ<u>waiting</u> in line for over twenty minutes ⓔ<u>saying</u> that it would be worth it. She was right: the gelato was out of this world.

[16~17] 다음 글을 읽고, 물음에 답하시오.

After a couple of more days in Rome, we headed to Venice. The seaside city was _____ more romantic than Rome, but _____ more humid as well. Suji said she had to visit a friend, so she suggested that I explore the city on my own for a few hours. We could meet up at the train station later in the afternoon.

16 윗글의 빈칸에 공통으로 들어갈 수 <u>없는</u> 것은?

① far   ② still
③ very   ④ much
⑤ a lot

17 윗글의 내용과 일치하는 것은?

① Before going to Venice, Suji and I visited Rome.

② Suji and I walked around Venice all day together.

③ The humidity level in Venice was as high as that in Rome.

④ I think Rome is more romantic than Venice.

⑤ Suji and I are supposed to meet up at the airport later.

18 다음 글의 내용과 일치하지 <u>않는</u> 것은?

My trip to Venice would not be complete without a gondola ride along the Grand Canal, which snakes through the city in a large S shape. I was disappointed to find out the fare to ride the Grand Canal by myself was so expensive that I could not afford it. The moment I was turning back, I saw my British tourist friends walking toward the ticket office. We shared the fare and we commented on the unique differences of the buildings along the canal. We had a nice chat, took some great pictures, and exchanged email addresses before we got off the gondola.

① I was disappointed by the unaffordably high price for the gondola ride.

② I spent a pleasant time enjoying unique buildings along the canal.

③ I was lucky because my British friends paid the fare to ride the Gondola for me.

④ I exchanged opinions about the buildings with my British friends.

⑤ We had a good time by having a chat, taking pictures and exchanging e-mail addresses.

[19~20] 다음 글을 읽고, 물음에 답하시오.

I decided to go to the Rialto Bridge first, so I started walking. ⓐ<u>Within moments, the winding alleys made my map almost useless.</u> After some wandering, I was lucky enough to meet a group of tourists my age from Britain. ⓑ<u>They were headed to the Rialto Bridge too!</u> The bridge itself was as elegant as people say it is, but I was more impressed by the beautiful view of the canal from the steps of the bridge. (①) I said goodbye to my British friends and walked to St. Mark's Square, one of the prime attractions of Venice. (②) I had never seen so many pigeons in my life. (③) But what truly made me stop and stare in wonder were the beautiful buildings surrounding all three sides of the square. (④) Along the buildings were shops selling beautiful glass pieces, gloves, and much more. (⑤) After looking around for a while, I bought small glasses for my parents.

19 윗글의 밑줄 친 ⓐ와 ⓑ에서 느꼈을 'I'의 심정으로 바르게 짝지어진 것은?

	ⓐ		ⓑ
①	upset	…	irritated
②	embarrassed	…	relieved
③	disappointed	…	ashamed
④	joyful	…	amused
⑤	confused	…	depressed

20 윗글의 ①~⑤ 중, 주어진 문장이 들어가기에 가장 적절한 곳은?

They were so used to being around people that they would wait until people weren't paying attention and then steal their crackers!

①   ②   ③   ④   ⑤

Communicative Functions

1 희망 · 기대 표현하기

I'm looking forward to....는 '**나는 ~이 기대돼.**'라는 뜻으로 앞으로 일어날 일에 대한 기대를 나타낸다. look forward to 다음에는 명사 또는 동명사가 온다.

I'm looking forward to seeing her next time.

> 유사표현 ▶ I hope to.... / I can't wait to.... / I really want to.... / I'm dying to....

2 요청하기

Could I ask you to... ?는 '**~해 주실 수 있나요?**'라는 뜻으로 상대방에게 부탁이나 요청하는 표현이다. 이에 대해 Of course. (= Sure.) / I'm afraid I can't. 등으로 답한다.

Could I ask you to come here?

> 유사표현 ▶ Could you..., please? / Would you mind(Do you mind)... ? /
> Will you give me a hand with... ?

Language Structures

3 관계부사

관계부사는 「접속사＋부사」의 역할을 하며 「전치사＋관계대명사」로 바꾸어 쓸 수 있다. 관계부사는 선행사에 따라 where, when, why, how를 쓰며, 선행사와 관계부사 둘 중 하나를 생략할 수도 있다. 단, how의 경우, 선행사 the way와 함께 쓰이지 않고 둘 중 하나만 쓴다.

- I went to the shop. You bought the vase there.
  → I went to the shop **where** you bought the vase.

4 suggest＋that＋주어＋(should)＋동사원형

주장, 요구, 명령, 제안을 나타내는 동사(insist, demand, order, suggest, recommend, require, advise)와 함께 사용된 that절에서는 동사를 「(should)＋동사원형」의 형태로 나타낸다.

- Our teacher **suggested that everyone (should) be** nicer to the new student.

Lesson

05

Collaborate

Topic 공동체, 협력, 봉사 / 칠레 광부 이야기

Communicative Functions

- 불허하기

    You're not allowed to play loud music after 10 at night.
    밤 10시 이후에는 음악을 크게 틀면 안 된다.

- 제안 · 권유하기

    Why don't you bring some items to donate?
    기부하고 싶은 물건들을 가져오는 게 어때?

Language Structures

- 부정어 nor 도치

    The miners did not give up in the dark, **nor did their families** surrender to despair.
    광부들은 어둠 속에서도 포기하지 않았고, 그들의 가족들도 절망에 굴복하지 않았다.

- 과거완료 수동태

    They **had been trapped** for so long that their first priority was to get medical attention.
    그들은 너무 오랫동안 갇혀 있어서 그들의 최고 급선무는 치료를 받는 일이었다.

Words & Expressions

✦ 다음을 읽고 자신이 기억해야 할 것에 ☑표시 하시오.

Words

☐ **miner** [máinər] 명 광부

☐ **bury** [béri] 동 묻다, 뒤덮다

☐ **rescue** [réskju:] 동 구조하다(= save) 명 구조

☐ **triumph** [tráiəmf] 명 대성공, 업적, 승리

☐ **faith** [feiθ] 명 신념, 믿음(= trust, belief)

☐ **lock** [lak] 동 ~을 가두다(= confine)

☐ **surrender** [səréndər] 동 굴복하다(= yield, give in)

☐ **despair** [dispέər] 명 절망(↔ hope 희망)

☐ **vibration** [vaibréiʃən] 명 진동

☐ **immediately** [imí:diətli] 부 즉시(= instantly)

☐ **explosion** [iksplóuʒən] 명 폭발

☐ **initial** [iníʃəl] 형 초기의, 처음의

☐ **collapse** [kəlǽps] 명 붕괴 동 붕괴하다

☐ **exploratory** [iksplɔ́:rətɔ̀:ri] 형 탐사의

☐ **spark** [spa:rk] 동 ~의 발단이 되다, 촉발시키다

☐ **celebration** [sèləbréiʃən] 명 기념행사, 축하

☐ **operational** [àpəréiʃənl] 형 사용할 수 있는, 가동할 준비가 갖춰진

☐ **shelter** [ʃéltər] 명 피난처

☐ **bother** [báðər] 동 괴롭히다

☐ **severely** [sivíərli] 부 혹독하게

☐ **humidity** [hju:mídəti] 명 습도, 습기

☐ **unite** [ju:náit] 동 결합하다, 단결하다

☐ **organize** [ɔ́:rgənàiz] 동 조직하다

☐ **vote** [vout] 명 투표(권)

☐ **religious** [rilídʒəs] 형 종교의

☐ **morale** [mərǽl] 명 사기, 의욕

☐ **relief** [rilí:f] 명 안도, 안심

☐ **enthusiastically** [inθù:ziǽstikəli] 부 열광적으로

☐ **priority** [praiɔ́:rəti] 명 우선 사항

☐ **democratic** [dèməkrǽtik] 형 민주적인, 민주주의의

☐ **anthem** [ǽnθəm] 명 축가, 송가

☐ **heroics** [həróuiks] 명 용단, 영웅적 행위(행동)

☐ **humanity** [hju:mǽnəti] 명 인간애, 인간성

☐ **involve** [inválv] 동 관련시키다

Expressions

☐ **dig for** ~을 찾아 땅을 파다

☐ **fill up with** ~으로 가득 차다(= be full of)

☐ **as the days passed** 날이 지날수록

☐ **live on** ~을 먹고 살다

☐ **every other day** 이틀에 한 번, 하루걸러

☐ **by the time** ~할 때까지

☐ **break down** 부서지다, 와해되다

☐ **help ~ with...** ~을 …에 대해 돕다

☐ **one by one** 한 사람씩, 차례차례

☐ **be the last one to** 마지막으로 ~하다

01 다음 영어는 우리말로, 우리말은 영어로 쓰시오.

(1) miner _____

(2) humidity _____

(3) vibration _____

(4) initial _____

(5) spark _____

(6) break down _____

(7) 인간애 _____

(8) 폭발 _____

(9) 기념행사, 축하 _____

(10) 피난처 _____

(11) 사기, 의욕 _____

(12) 축가, 송가 _____

02 다음 괄호 안에서 문맥상 알맞은 것을 고르시오.

(1) Education must be a top (priority / property) for all children.

(2) The warrior's motto is "I would rather die than (suspend / surrender) to injustice."

(3) How many vehicles were (evolved / involved) in the crash?

(4) They have to (live on / move on) the money they earn from growing tomatoes.

- property
재산, 소유물
- suspend
중단(중지)하다
- evolve
발달하다, 진화하다
- move on
~로 넘어가다, 이동하다

03 다음 빈칸에 들어갈 말로 가장 적절한 것을 고르시오.

(1) They hired a professional to help _____ their wedding.

① dissolve   ② confirm   ③ organize

④ offset   ⑤ dismiss

(2) The country has endured civil war and economic _____.

① collapse   ② booms   ③ forecast

④ prosperity   ⑤ renovation

- disslove 해결하다
- offset 상쇄시키다
- dismiss 해산하다
- boom 호황
- prosperity 번영
- renovation
혁신, 쇄신

04 다음 영영풀이에 해당하는 단어를 〈보기〉에서 고르시오.

〈보기〉

| despair | faith | relief | resentment |

(1) _____ : to lose all hope or confidence

(2) _____ : a feeling of comfort when something frightening, worrying, or painful has ended or has not happened

- resentment
분노, 분개
- frightening
무서운, 놀라운

Communicative Functions

① 불허하기: You're not allowed to... .

> **A** **You're not allowed to** play loud music after 10 at night.
>
> **B** Oh, I'm sorry. I didn't intend to play it so loudly.

You're not allowed to... .: '~해서는 안 된다.'라는 의미로, 어떤 행동을 하고 있거나 하려고 하는 상대방에게 '금지'의 뜻을 전할 때 쓰는 표현이다. 주로 공동체 생활 규칙이나 규범 등에 대해 알려 줄 때 사용한다.

유사표현 You must not... . / No, you can't... . / You're not permitted to... .

- **You must not** use your cellphone during the class.
  (수업 중에는 휴대 전화를 사용할 수 없다.)

- **No, you can't** take photos in the art galleries.
  (아니요, 미술관 안에서는 사진 촬영을 할 수 없습니다.)

- **You're not permitted to** bring food or drinks in the library.
  (도서관에는 음식이나 음료수를 가져올 수 없다.)

② 제안·권유하기: Why don't you... ?

> **A** I'd like to volunteer at the nursing home, but I don't know what to do.
>
> **B** You are a great artist. **Why don't you** teach them how to draw pictures?

Why don't you... ?: '~하는 게 어때?'라는 의미로, 상대방에게 어떤 일을 함께 할 것을 제안하거나 권유할 때 쓰는 표현이다. '왜 ~하지 않니?'라는 의미가 아님에 유의한다.

유사표현 Why not... ? / You'd better... . / Wouldn't it be great if you... ?

- **Why not** teach children how to draw pictures?
  (아이들에게 그림 그리는 법을 가르쳐주는 게 어때?)

- **You'd better** tell the truth, or you'll be in big trouble.
  (진실을 말하는 게 좋아, 그렇지 않으면, 문제가 더 커질 거야.)

- **Wouldn't it be great if you** visited our website to donate something?
  (우리 웹사이트를 방문해 기부를 좀 해 주시면 어떨까요?)

· 정답 p.29

note

01 다음 우리말과 같도록 빈칸에 알맞은 말을 쓰시오.

> **A** May I use my electronic dictionary during the test?
> **B** _____ _____ _____ to use it.
> (그것을 사용해서는 안 됩니다.)

· electronic dictionary
전자 사전

02 다음 대화의 밑줄 친 부분과 의미가 같도록 빈칸에 알맞은 말을 쓰시오.

> **A** I can't solve this question because it's too difficult for me.
> **B** Let me help. <u>Why don't you</u> bring your chair up to my desk?
> = _____ _____ bring your chair up to my desk?

· solve 풀다

03 다음 주어진 문장에 이어질 대화의 내용을 순서대로 배열하시오.

> Hey, what are you doing with that box?

> (A) That's great! I want to do that, too.
> (B) Helping Hearts? What is that?
> (C) It's an organization that collects donations of used items and sells them to raise money for charity.
> (D) I'm packing my old clothes to take them to Helping Hearts.

→ _____

· organization
조직, 단체
· donation 기부
· charity 자선 (단체)

서술형

04 다음 우리말과 같도록 괄호 안의 단어들을 바르게 배열하시오.

(1) 당신은 투표용지에 어떠한 다른 표시도 해서는 안 됩니다.
→ You're not _____ on your ballot.
(any other / to / write / allowed / mark)

(2) 네가 결심하기 전에 선생님께 말씀 드리는 게 어때?
→ _____ before you make up your mind?
(you / your teacher / talk / don't / to / why)

· ballot 투표용지
· mark 표시, 마크
· make up one's mind 결심하다

Language Structures

① 부정어 nor 도치

'~ 역시 아니다'라는 뜻의 부정어 nor를 문장 앞으로 이동시키면 그 뒤의 주어와 동사는 도치된다. 이 경우 「nor+동사 +주어」의 어순이 되며 '~도 또한 아니다'라는 의미를 나타낸다.

> 도치: nor+동사+주어
> Minsu was not at the meeting, **nor did he** show up at work yesterday.
> = and he did not show up
>
> (민수는 모임에 없었고, 어제 직장에서도 보이지 않았다.)

cf. 부정어 도치 구문: 부정어(little, hardly, never, seldom 등)가 문장 앞에 오는 경우 그 뒤의 주어와 동사는 도치된다.

Little did I dream that she would fail the exam.
(나는 꿈에도 그녀가 시험에 떨어지리라고 생각하지 않았다.)
Never have I seen such a good film.
(나는 그렇게 좋은 영화를 본 적이 없었다.)

② 과거완료 수동태

과거보다 한 시제 먼저 일어난 일을 과거완료(had+p.p.)로 표현하는데, 이때 주어의 행위가 능동이 아닌 수동일 경우에는 과거완료 수동태(had been+p.p.)로 나타낸다.

- When the police *arrived*, the man **had run** away. 〈과거완료〉
  과거시제　　　　　　　　과거완료(도착한 것보다 이전에 달아남)

- He *realized* that the email **had not been sent** to his sister. 〈과거완료 수동태〉
  과거시제　　　　　　　　　과거완료 수동태(깨달은 것보다 이전에 보내지 않았고, 메일은 보내지는 것이므로 수동의 의미)
  (그는 메일이 여동생에게 보내지지 않았다는 사실을 깨달았다.)

과거완료	과거완료 수동태
• 형태: had+과거분사(p.p.)	• 형태: had been+과거분사(p.p.)
ex. She went to Spain despite the fact that a doctor **had told** her to rest. (그녀는 의사가 쉬라고 말했음에도 불구하고 스페인에 갔다.) After he **had returned** to his county, he started his own business. (그는 고국으로 돌아온 이후, 자신의 사업을 시작했다.)	*ex.* Dessert **had been served** before he finished his meal. (그가 식사를 끝내기도 전에 후식이 제공되었다.) The miners **had been trapped** for so long that they had to get medical attention first. (그 광부들은 너무 오랫동안 갇혀 있었기 때문에 먼저 치료를 받아야만 했다.)

note

01 다음 밑줄 친 부분이 어법상 옳으면 ○표를 하고, 틀리면 바르게 고쳐 쓰시오.

(1) She doesn't like football, <u>nor Jeff does</u>.

→ _____

(2) We do not want to do the work, <u>nor are we able to</u>.

→ _____

(3) Forgiving is not forgetting, <u>nor isn't it excusing</u>.

→ _____

- forgive 용서하다
- forget 잊다
- excuse 변명하다

02 다음 괄호 안에 주어진 단어들을 바르게 배열하여 문장을 완성하시오.

(1) All the lights (switched / before / off / been / had) he went to bed.

→ _____

(2) I received a text message (that / been / the product / shipped / had).

→ _____

- switch off
  스위치를 끄다
- ship 보내다; 배송하다

03 다음 괄호 안에서 알맞은 것을 고르시오.

(1) The baseball game (had been called off / had called off) because of the snowstorm.

(2) He neither acknowledged his brothers, (nor did he know / nor he knew) his own children.

- call off 취소하다
  (= cancel)
- acknowledge
  인지하다, 알다

서술형

04 다음 글의 밑줄 친 (A), (B) 중 어법상 틀린 것을 바르게 고쳐 쓰시오.

Sutton Foster, an American actress, is well known for her work on the Broadway stage, for which she (A) <u>has been received</u> two Tony Awards for Best Performance by a Leading Actress in a Musical. When she was a senior in high school student, she acted in the musical *Will Rogers Follies*. She didn't want to give up her acting career, (B) <u>nor didn't she want to give up school</u>. Therefore, she took correspondence classes to complete her studies and graduate with her classmates, and she finally made it.

→ _____

- be well known for
  ~로 잘 알려져 있다
- senior (고등학교의)
  최고 학년의
- give up 포기하다
- correspondence
  통신, 서신

Reading

✚ 본문을 읽고 알맞은 구문과 표현으로 빈칸을 채우고, 괄호 안에서 알맞은 것을 고르시오.

The Amazing Story of the 33: Alone in the Dark

On October 13, 2010, thirty three Chilean miners who had been buried inside the San José mine for 69 days were finally rescued. It was a ❶ _____ of engineering and a victory of faith. The miners locked in below did not give up in the dark, ❷ (nor their families did / nor did their families) above ground surrender to despair.

On August 5, 2010, at around lunch break, miners ❸ _____ _____ copper and gold started to feel vibrations in the earth. Almost immediately after the vibrations began, they heard a sudden huge explosion, and the whole mine filled up with dust and rock. A massive piece of the nearby mountain had broken off, ❹ (burying / buried) almost all the layers of the mine.

For seventeen days after the ❺ _____ collapse, there was no word on their fate. As the days passed, Chileans grew increasingly uncertain that any of the miners had survived. A small exploratory hole was drilled on August 22, and the camera captured a message that said, "We are still alive." It was the first sign of hope. Soon, a video camera was sent down 700 meters deep and captured the first images of the miners, all clearly in good health. The discovery sparked joyful celebrations nationwide, and rescue efforts gave a light of hope that the miners could be saved.

The miners were lucky to have an air tunnel that allowed enough fresh air ❻ (reaching / to reach) them. They also had broken trucks ❼ _____ _____ they could charge the batteries of their head lamps. In addition, they were able to drink water from storage tanks nearby. Until the tunnel to deliver food and medicine was ❽ _____, food was the most critical issue in the shelter. They only had enough food for two days. For eighteen days, each person had to live on two spoonfuls of tuna, a mouthful of milk, bits of crackers, and a bite of canned fruit ❾ _____ _____ _____. Another factor which

❶ 승리 (= victory)

❷ 부정어 nor 구문

❸ ~을 찾아 땅을 파다

❹ 분사구문

❺ 처음의, 최초의

❻ 알맞은 동사의 형태

❼ 전치사＋관계대명사

❽ 사용할 수 있는, 가동할 준비가 갖춰진

❾ 이틀에 한 번, 하루 걸러

정답 ❶ triumph ❷ nor did their families ❸ digging for ❹ burying ❺ initial ❻ to reach ❼ from which ❽ operational ❾ every other day bothered the miners severely was the high heat and humidity of the shelter. Each miner had lost an average of 8 kilograms ⑩_____ _____ _____ they were rescued.

⑩ ~할 때까지

The miners united ⑪(as / with) a group soon after the collapse. They organized themselves into a society where each person had one vote. They all knew that if their social structure ⑫_____ _____, their problems would become more serious and did what they could do best. For example, José Henríquez, a religious man, tried to keep ⑬_____ up, and Yonni Barrios, who had had some medical training, helped other miners with their health problems.

⑪ 알맞은 전치사

⑫ 와해되다, 무너지다

⑬ 사기, 의욕

On October 9, a rescue hole was finally drilled through to the miners in their shelter. It created a tunnel large enough to lift them ⑭_____ _____ _____. For this purpose, a specially designed capsule was built. More than 1,400 news reporters from all over the world, together with the family members of the miners, gathered to watch the rescue process.

⑭ 한 사람씩, 차례차례

On October 12, the first rescue worker was sent downward to the miners, ⑮(who / whom) greeted him with nervous relief. Soon, the first trapped miner was raised to the surface. One by one, the miners were brought up in the capsule to see the sunlight. ⑯_____ _____ the capsule, each miner was enthusiastically greeted, but they could not see their families right away. They ⑰(had trapped / had been trapped) for so long that their first priority was to get medical attention.

⑮ 알맞은 관계대명사

⑯ (캡슐에서) 나오자 마자
⑰ 알맞은 동사의 형태

Luis Urzúa, who had taken a major role as a democratic leader while underground, was the last one to come up to the surface on October 13. "The 69 days during which we tried so hard were not useless. We wanted to live for our families, and that was the greatest thing," Urzúa said to the Chilean people after his rescue. Then, the rescuers and ⑱_____ _____ began singing the Chilean ⑲_____ _____ with the thousands of joyous people who came to support the operation, celebrating the heroics and the ⑳_____ of all those involved.

⑱ 구조된 사람들

⑲ 국가(國歌)

⑳ 인류애, 인간애

정답 ⑩ by the time ⑪ as ⑫ broke down ⑬ morale ⑭ one by one ⑮ who ⑯ Upon leaving ⑰ had been trapped ⑱ the rescued ⑲ national anthem ⑳ humanity

01 다음 글의 밑줄 친 (A), (B)를 각각 어법에 맞게 고쳐 쓰시오.

On October 13, 2010, thirty three Chilean miners who (A) <u>had buried</u> inside the San José mine for 69 days were finally rescued. It was a triumph of engineering and a victory of faith. The miners locked in below did not give up in the dark, nor did their families above ground (B) <u>surrendered</u> to despair.

(A): _____   (B) : _____

note
· engineering 공학 기술
· faith 신념, 믿음
· surrender 굴복하다

02 다음 글의 분위기 변화로 가장 적절한 것은?

For seventeen days after the initial collapse, there was no word on their fate. As the days passed, Chileans grew increasingly uncertain that any of the miners had survived. A small exploratory hole was drilled on August 22, and the camera captured a message that said, "We are still alive." It was the first sign of hope. Soon, a video camera was sent down 700 meters deep and captured the first images of the miners, all clearly in good health. The discovery sparked joyful celebrations nationwide, and rescue efforts gave a light of hope that the miners could be saved.

① hopeful → tragic
② frightening → calming
③ lively → gloomy
④ despairing → hopeful
⑤ monotonous → urgent

· fate 운명
· capture 포착하다, 붙잡다
· nationwide 전국적인
· gloomy 우울한
· monotonous 단조로운, 지루한

03 다음 글의 제목으로 가장 적절한 것은?

The miners united as a group soon after the collapse. They organized themselves into a society where each person had one vote. They all knew that if their social structure broke down, their problems would become more serious and did what they could do best. For example, José Henríquez, a religious man, tried to keep morale up, and Yonni Barrios, who had had some medical training, helped other miners with their health problems.

① Various Types of Social Structures
② The Controversial Values of Unity
③ Collapsed Mine, Collapsed Society
④ Labor Division Leads to High Efficiency
⑤ Building a Democratic Society in the Dark

· unite 단결(결합)하다
· organize 조직하다
· social structure 사회 구조
· morale 사기, 의욕
· controversial 논란이 많은

04 다음 글의 빈칸에 들어갈 가장 적절한 말을 본문에서 찾아 한 단어로 쓰시오.

note
- charge 충전하다
- storage 저장, 보관
- critical 중대한
- tuna 참치
- mouthful
  (음식) 한 입, 한 모금

The miners were lucky to have an air tunnel that allowed enough fresh air to reach them. They also had broken trucks from which they could charge the batteries of their head lamps. In addition, they were able to drink water from storage tanks nearby. Until the tunnel to deliver food and medicine was operational, _____ was the most critical issue in the shelter. They only had enough food for two days. For eighteen days, each person had to live on two spoonfuls of tuna, a mouthful of milk, bits of crackers, and a bite of canned fruit every other day.

[05~06] 다음 글을 읽고, 물음에 답하시오.

- downward
  아래쪽으로
- greet 환영하다
- trap 가두다
- surface 지(표)면
- underground
  지하

On October 12, the first rescue worker was sent downward to the miners, who greeted him with nervous relief. Soon, the first trapped miner was raised to the surface. One by one, the miners were brought up in the capsule to see the sunlight. Upon leaving the capsule, each miner was enthusiastically greeted, but they could not see their families right away. They had been trapped for so long that their first priority was to get medical attention.

Luis Urzúa, who had taken a major role as a democratic leader while underground, was the last one to come up to the surface on October 13. "The 69 days during which we tried so hard were not useless. We wanted to live for our families, and that was the greatest thing," Urzúa said to the Chilean people after his rescue. Then, the rescuers and the rescued began singing the Chilean national anthem with the thousands of joyous people who came to support the operation, celebrating the heroics and the humanity of all those involved.

05 윗글의 내용과 일치하지 <u>않는</u> 것은?

① 10월 12일에 첫 번째 구조 대원이 광부들에게 내려갔다.
② 광부들은 캡슐을 이용해 올려졌다.
③ 10월 13일에 광부들 중 처음으로 Luis Urzúa가 구조되었다.
④ 광부들은 69일만에 구조되었다.
⑤ 사람들은 모두의 영웅적 행위와 인류애를 자축하였다.

▶서술형

06 윗글의 광부들이 밑줄 친 부분과 같이 한 이유를 우리말로 쓰시오.

→ _____

단원평가 1회

01 다음 중 밑줄 친 부분과 바꾸어 쓸 수 있는 것은?

> Is this elevator in service?

① religious   ② critical
③ initial   ④ exploratory
⑤ operational

02 다음 빈칸에 공통으로 들어갈 말로 가장 적절한 것은?

> • It can be said that the musical selling out on Broadway was a _____.
> • After winning the gold medal, she returned to her homeland in _____.

① shelter   ② triumph
③ priority   ④ morale
⑤ despair

03 다음 중 짝지어진 대화가 어색한 것은?

① A I have got a sore throat.
   B That's too bad. You'd better see a doctor.
② A Can I park here?
   B No, you can't. It's for the disabled.
③ A I need a career mentor. What shall I do?
   B Why don't you look for information on the school website?
④ A Hey, you're not allowed to eat anything in the library.
   B Oh, I'm sorry. I didn't know that.
⑤ A Wouldn't it be great if you could just remove this dirt?
   B I don't think so. I'd rather clean it up.

[04~05] 다음 대화의 빈칸에 들어갈 말로 가장 적절한 것을 고르시오.

04
> A Hello, can I speak to Frank? This is Patrick Baker, the dormitory manager.
> B Yes, this is Frank speaking.
> A You're not allowed to play loud music after 10 at night in the dormitory. I've received a few complaints tonight.
> B Oh, I'm sorry. I didn't mean to play it so loudly.
> A Remember that _____.
> B OK. I'll keep that in mind.

① we all share a living space
② you are responsible for the damage
③ you must not listen to music in class
④ the dormitory rules need to be revised
⑤ you shouldn't call me at night

05
> A I'm packing some stuff to donate to charity.
> B Which charity are you donating to?
> A Happier Seoul! They collect donations of used books and clothes to help needy children.
> B What a good cause! I want to do that, too.
> A Then, _____
> B Great. Can you wait for me? I'll be back with some books.

① why not make your own charity campaign?
② what kind of items are you donating?
③ you need to sign up for the charity event.
④ why don't you bring some items as well?
⑤ just call me when you want to know more about the charity event.

06 다음 중 어법상 틀린 문장은?

① Neither you nor I am to blame.

② I'm not married, nor do I want to be.

③ Angela didn't show up yesterday, nor didn't she answer my calls.

④ He neither called nor wrote letters to me.

⑤ We could neither change nor improve it.

07 다음 밑줄 친 부분 중, 어법상 틀린 것은?

① Lunch <u>had been prepared</u> before any guests were hungry.

② She <u>had been shopping</u> for almost an hour when she got an important phone call.

③ I <u>had not been asked</u> to go to the party when he asked me.

④ When Jane died, she <u>had been in prison</u> for eight and a half years.

⑤ The man claimed that he <u>had unfairly fired</u> because of his age.

[08~09] 다음 글을 읽고, 물음에 답하시오.

On October 13, 2010, thirty three Chilean miners who ①<u>had been buried</u> inside the San José mine for 69 days were finally rescued. It was a triumph of engineering and a victory of faith. The miners locked in below did not give up in the dark, ②<u>nor did their families</u> above ground surrender to despair.

On August 5, 2010, at around lunch break, miners ③<u>dug</u> for copper and gold started to feel vibrations in the earth. Almost immediately after the vibrations began, they heard a sudden huge explosion, and the whole mine ④<u>filled up with</u> dust and rock. A massive piece of the nearby mountain had broken off, ⑤<u>burying</u> almost all the layers of the mine.

08 윗글의 밑줄 친 ①~⑤ 중, 어법상 틀린 것은?

①　　　②　　　③　　　④　　　⑤

09 다음 영영풀이에 해당하는 단어를 본문에서 찾아 한 단어로 쓰시오.

_____ : to yield to power, control, or fate

[10~11] 다음 글을 읽고, 물음에 답하시오.

For seventeen days after the initial collapse, there was no word on their fate. (①) As the days passed, Chileans grew increasingly uncertain that any of the miners had survived. (②) A small exploratory hole was drilled on August 22, and the camera captured a message that said, "We are still alive." (③) Soon, a video camera was sent down 700 meters deep and captured the first images of the miners, all clearly in good health. (④) The discovery sparked joyful celebrations nationwide, and rescue efforts gave a light of hope that the miners _____. (⑤)

10 윗글의 ①~⑤ 중, 주어진 문장이 들어가기에 가장 적절한 곳은?

It was the first sign of hope.

①　　　②　　　③　　　④　　　⑤

11 윗글의 빈칸에 들어갈 말로 가장 적절한 것은?

① should be lost

② could be saved

③ would be captured

④ would be collapsed

⑤ could be surrendered

12 다음 글을 쓴 목적으로 가장 적절한 것은?

> On April 25, a terrible earthquake struck west of Kathmandu, the capital of Nepal and its neighboring cities, where over 8,000 people were killed and thousands more were injured. Young children are suffering the most in the area. *Save the Children* is working to provide humanitarian aid to the child victims. They desperately need food, drinking water, clothing, medicine, and educational materials. Why don't you visit our website and find out how you can help?

① 네팔 이재민 돕기에 동참할 것을 호소하려고
② 지진 구호 봉사활동 일정을 안내하려고
③ 국제기구를 통한 기부의 문제점을 비판하려고
④ 고아가 된 네팔 아이들 입양을 권유하려고
⑤ 공익 광고를 통한 모금의 장점을 설명하려고

[13~14] 다음 글을 읽고, 물음에 답하시오.

> The miners were ⓐ lucky to have an air tunnel that allowed enough fresh air to reach them. They also had broken trucks from which they could charge the batteries of their head lamps. In addition, they were able to drink water from ⓑ storage tanks nearby. Until the tunnel to deliver food and medicine was operational, food was the most ⓒ critical issue in the shelter. They only had enough food for two days. Another factor which ⓓ benefited the miners severely was the high heat and humidity of the shelter. Each miner had ⓔ lost an average of 8 kilograms by the time they were rescued.

13 윗글의 밑줄 친 ⓐ~ⓔ 중, 문맥상 낱말의 쓰임이 적절하지 <u>않은</u> 것은?

① ⓐ ② ⓑ ③ ⓒ
④ ⓓ ⑤ ⓔ

서술형

14 윗글의 광부들이 죽지 않고 살아남는 데 결정적인 도움을 준 3가지(식량 제외)를 본문에서 찾아 쓰시오.

→ _____

[15~16] 다음 글을 읽고, 물음에 답하시오.

> The miners united as a group soon after the collapse. They organized themselves into a society ⓐ which each person had one vote. They all knew that if their social structure broke down, their problems would become more serious and did what they could do best. _____ⓑ_____, José Henríquez, a religious man, tried to keep morale up, and Yonni Barrios, who had had some medical training, helped other miners with their health problems.
>
> On October 9, a rescue hole was finally drilled through to the miners in their shelter. It created a tunnel large enough to lift them one by one. For this purpose, a specially designed capsule was built. More than 1,400 news reporters from all over the world, together with the family members of the miners, ⓒ gathering to watch the rescue process.

15 윗글의 밑줄 친 ⓐ, ⓒ를 각각 어법에 맞게 고쳐 쓰시오.

ⓐ: _____

ⓒ: _____

16 윗글의 빈칸 ⓑ에 들어갈 말로 가장 적절한 것은?

① However　　② Instead

③ Furthermore　　④ Similarly

⑤ For example

[17~19] 다음 글을 읽고, 물음에 답하시오.

On October 12, the first rescue worker was sent downward to the miners, who _____ ⓐ _____. Soon, the first trapped miner was raised to the surface. One by one, the miners were brought up in the capsule to see the sunlight. Upon (A) leave / leaving the capsule, each miner was enthusiastically greeted, but they could not see their families right away. They had been trapped for so long that their first priority was (B) get / to get medical attention.

Luis Urzúa, who (C) took / had taken a major role as a democratic leader while underground, was the last one to come up to the surface on October 13. "The 69 days ⓑ (during / not / so hard / useless / which / were / we / tried). We wanted to live for our families, and that was the greatest thing," Urzúa said to the Chilean people after his rescue.

17 윗글의 (A), (B), (C)의 각 네모 안에서 어법에 맞는 표현으로 가장 적절한 것은?

	(A)	(B)	(C)
①	leave	… get	… took
②	leave	… to get	… took
③	leaving	… to get	… took
④	leaving	… to get	… had taken
⑤	leaving	… get	… had taken

18 윗글의 빈칸 ⓐ에 들어갈 말로 가장 적절한 것은?

① united against him

② had run out of the capsule

③ greeted him with nervous relief

④ were celebrating the victory of faith

⑤ had been trapped for more than a year

서술형

19 윗글의 괄호 ⓑ 안에 주어진 단어들을 바르게 배열하시오.

→ _____

20 다음 글의 빈칸에 들어갈 말로 가장 적절한 것은?

I never dreamed I would be giving an acceptance speech for Role Model of the Year. In fact, I might not even be standing here today if it hadn't been for _____. Let me explain what happened that day. I was waiting for the subway as usual. Suddenly I saw an elderly woman trip and fall onto the rails. I heard the approach signal, so I knew the train was coming in. I looked to see if anyone could help, but it was obvious I was the only person around. A school girl ran toward me, and said to me, "Why don't you do something?" That's when I jumped down and helped the woman to safety just before the train arrived. I'm just glad nobody got hurt.

① the approach signal

② the words of a little girl

③ an elderly woman's help

④ the punctuality of the train

⑤ safety measures taken by the police

단원평가 2회

01 다음 빈칸에 공통으로 들어갈 말로 가장 적절한 것은?

> • Remember to _____ all your doors and windows before leaving on a vacation.
> • I was _____(e)d out of my car, so I had to call the insurance company.

① bother   ② spark   ③ unite
④ lock   ⑤ surrender

02 다음 중 단어의 영영풀이가 <u>어색한</u> 것은?

① faith: strong belief or trust
② humidity: moisture in the air
③ bury: to cause someone to feel troubled, worried
④ despair: the feeling of no longer having any hope
⑤ priority: something that is more important than other things

03 다음 대화의 빈칸에 들어갈 말로 가장 적절한 것은?

> **A** What are you doing, Jenny?
> **B** I'm working on my social studies report. I found some articles about my topic, so I was going to save the files on this computer.
> **A** _____ I've got a USB drive you can use if you need it.
> **B** Oh, I almost forgot. Thank you.

① You're not allowed to do that.
② Good for you. Can I copy them?
③ You've come to the perfect place.
④ You should have been more careful.
⑤ I wish you success in your endeavors!

04 다음 중 짝지어진 대화가 <u>어색한</u> 것은?

① **A** Hey, you're not allowed to run around in the classroom.
   B I'm sorry. I'll stop.
② **A** I don't know how to use this. Will you help me?
   B Mine is broken. Why don't you send it back to the manufacturer?
③ **A** Why don't you sit down for a cup of coffee with me?
   B Sure. I can't stay for too long, though.
④ **A** You're not supposed to talk with your mouth full.
   B Okay, Mom. I'll be sure not to do it anymore.
⑤ **A** Our picnic plans have been ruined by the rain. Why don't we go see a movie?
   B Sounds great. Which movie are you interested in?

05 다음 밑줄 친 부분 중, 어법상 <u>틀린</u> 것은?

① I have not been to Venice, <u>nor have my friends.</u>
② I don't want to talk to him, <u>nor do I</u> want to see him.
③ Most data analysts are not programmers, <u>nor they don't</u> want to be.
④ He didn't know penicillin was harmless to humans, <u>nor did he realize</u> how to produce it.
⑤ No one knew the answer, <u>nor did they</u> make a guess.

06 다음 중 어법상 **틀린** 문장은?

① The bridge had been destroyed before the civil war began.

② By the time the police arrived, the thieves had already run away.

③ The country had been ruled by the king until the empire fell.

④ The vegetables didn't taste very good. They must have been overcooked.

⑤ I haven't received the letter yet. It might have sent to the wrong address.

07 다음은 Role Model of the Year 수상 연설이다. 주어진 글 다음에 이어질 글의 순서로 가장 적절한 것은?

I never dreamed I would be giving an acceptance speech for Role Model of the Year. In fact, I might not even be standing here today if it hadn't been for the words of a little girl.

(A) That's when I jumped down and helped the woman to safety just before the train arrived. I'm just glad nobody got hurt.

(B) Let me explain what happened that day. I was waiting for the subway as usual. Suddenly I saw an elderly woman trip and fall onto the rails. I heard the approach signal, so I knew the train was coming in.

(C) I looked to see if anyone could help, but it was obvious I was the only person around. A school girl ran toward me, and said to me, "Why don't you do something?"

① (A) — (C) — (B) ② (B) — (A) — (C)
③ (B) — (C) — (A) ④ (C) — (A) — (B)
⑤ (C) — (B) — (A)

[08 ~ 10] 다음 글을 읽고, 물음에 답하시오.

On October 13, 2010, thirty three Chilean miners who had been buried ① inside the San José mine for 69 days were finally rescued. It was a triumph of ② engineering and a victory of faith. The miners locked in below did not give up in the dark, _____ⓐ_____ did their families above ground surrender to despair.

On August 5, 2010, at around lunch break, miners ③ digging for copper and gold started to feel vibrations in the earth. Almost immediately after the vibrations began, they heard a ④ sudden huge explosion, and the whole mine filled up _____ⓑ_____ dust and rock. A massive piece of the ⑤ distant mountain had broken off, burying almost all the layers of the mine.

08 윗글의 빈칸 ⓐ, ⓑ에 들어갈 말로 바르게 짝지어진 것은?

① nor — to   ② nor — with
③ or — to   ④ or — with
⑤ neither — with

09 윗글의 밑줄 친 ①~⑤ 중, 문맥상 낱말의 쓰임이 적절하지 **않은** 것은?

①   ②   ③   ④   ⑤

10 윗글의 내용과 일치하지 **않는** 것은?

① 10월 13일에 33명의 칠레 광부들이 구조되었다.

② 광부들은 69일 동안 광산 안에 매몰되어 있었다.

③ 광부들은 지하에 갇혀서도 절망하지 않았다.

④ 광부들은 8월 5일 아침부터 진동을 느꼈다.

⑤ 폭발과 함께 광산의 모든 채굴 갱도가 무너졌다.

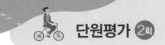

[11~12] 다음 글을 읽고, 물음에 답하시오.

For seventeen days after the initial collapse, there was no word on their fate. As the days passed, Chileans grew increasingly uncertain that any of the miners had survived. A small exploratory hole was drilled on August 22, and the camera captured a message that said, "We are still alive." It was the first sign of hope. Soon, a video camera was sent down 700 meters deep and captured the first images of the miners, all clearly in good health. The discovery sparked joyful celebrations nationwide, and rescue efforts gave a light of hope that the miners could be saved.

11 윗글의 밑줄 친 As와 쓰임이 같은 것은?

① Do in Rome as the Romans do.

② Beggar as he was, he was happy.

③ He became wiser as he grew older.

④ He is late again, as is often the case.

⑤ As she was ill, she could not go to school.

12 윗글의 내용과 일치하지 <u>않는</u> 것은?

① 붕괴 사고 후 17일 동안 광부 생존 가능성 등에 대해 아무 소식도 없었다.

② 8월 22일에 조그만 탐색용 구멍을 뚫었다.

③ 탐색용 카메라가 첫 희망의 메시지를 포착했다.

④ 광부들은 지하 700미터 아래에 갇혔다.

⑤ 비디오카메라로 건강이 악화된 광부들을 촬영하는 데 성공했다.

[13~15] 다음 글을 읽고, 물음에 답하시오.

The miners were lucky ⓐ<u>to have</u> an air tunnel that allowed enough fresh air to reach them. They also had broken trucks ⓑ<u>from which</u> they could charge the batteries of their head lamps. _____, they were able to drink water from storage tanks nearby. Until the tunnel to deliver food and medicine was operational, food was ⓒ<u>the most</u> critical issue in the shelter. They only had enough food for two days. For eighteen days, each person had to live on two spoonfuls of tuna, a mouthful of milk, bits of crackers, and a bite of canned fruit ⓓ<u>every other days</u>. Another factor which bothered the miners severely was the high heat and humidity of the shelter. Each miner ⓔ<u>had lost</u> an average of 8 kilograms by the time they were rescued.

13 윗글의 제목으로 가장 적절한 것은?

① The Limits of the Human Body

② Their Desperate Efforts to Survive

③ Unity Sometimes Leads to Destruction

④ Head Lamps: The Only Hope for the Miners

⑤ Can We Build a Democratic Society in the Dark?

서술형

14 윗글의 밑줄 친 ⓐ~ⓔ 중, 어법상 <u>틀린</u> 것을 찾아 바르게 고쳐 쓰시오.

→ _____

15 윗글의 빈칸에 들어갈 말로 가장 적절한 것은?

① But   ② In fact

③ In addition   ④ For example

⑤ As a result

[16~18] 다음 글을 읽고, 물음에 답하시오.

On October 12, the ⓐ<u>first</u> rescue worker was sent downward to the miners, who greeted him with nervous relief. Soon, the first trapped miner was raised to the surface. One by one, the miners were brought up in the capsule to see the sunlight. Upon ⓑ<u>leaving</u> the capsule, each miner was enthusiastically greeted, but they could not see their families right away. They <u>had trapped</u> for so long that their first priority was to get medical attention.

Luis Urzúa, who had taken a ⓒ<u>minor</u> role as a democratic leader while underground, was the last one to come up to the surface on October 13. "The 69 days during which we tried so hard were not useless. We wanted to ⓓ<u>live</u> for our families, and that was the greatest thing," Urzúa said to the Chilean people after his rescue. Then, the rescuers and the rescued began singing the Chilean national anthem with the thousands of ⓔ<u>joyous</u> people who came to support the operation, celebrating the heroics and the humanity of all those involved.

16 윗글의 마지막에 나타난 글의 분위기로 가장 적절한 것은?

① sad and gloomy
② calm and peaceful
③ moving and dramatic
④ solemn and mysterious
⑤ tragic and monotonous

17 윗글의 밑줄 친 ⓐ~ⓔ 중, 문맥상 낱말의 쓰임이 적절하지 <u>않은</u> 것은?

① ⓐ　　② ⓑ　　③ ⓒ
④ ⓓ　　⑤ ⓔ

18 윗글의 밑줄 친 had trapped를 어법에 맞게 고쳐 쓰시오.

→ _____

[19~20] 다음 글을 읽고, 물음에 답하시오.

The miners united as a group soon after the collapse. They organized ⓐ<u>themselves</u> into a society where each person had one vote. They all knew that if their social structure broke down, their problems would become more serious and ⓑ<u>had done</u> what they could do best. For example, José Henríquez, a religious man, tried to keep morale up, and Yonni Barrios, who ⓒ<u>had had</u> some medical training, helped other miners with their health problems.

On October 9, a rescue hole was finally drilled through to the miners in their shelter. It created a tunnel large enough ⓓ<u>to lift</u> them one by one. For this purpose, a specially designed capsule ⓔ<u>was built</u>. More than 1,400 news reporters from all over the world, together with the family members of the miners, gathered to watch the _____ process.

19 윗글의 밑줄 친 ⓐ~ⓔ 중, 어법상 <u>틀린</u> 것은?

① ⓐ　　② ⓑ　　③ ⓒ
④ ⓓ　　⑤ ⓔ

20 윗글의 빈칸에 들어갈 적절한 말을 본문에서 찾아 한 단어로 쓰시오.

→ _____

핵심 콕콕

Communicative Functions

1 불허하기: You're not allowed to....

> **You're not allowed to....** : '~해서는 안 된다.'라는 의미로, 어떤 행동을 하고 있거나 하려고 하는 상대방에게 '금지'의 뜻을 전할 때 쓰는 표현이다.
>
> **You're not allowed to** take photos here.
>
> 유사표현 ▶ You must not.... / No, you can't.... / You're not permitted to....

2 제안 · 권유하기: Why don't you...?

> **Why don't you...?**: '~하는 게 어때?'라는 의미로, 망설이거나 의사결정을 못하고 있는 상대방에게 어떤 일을 함께 할 것을 제안하거나 권유할 때 쓰는 표현이다.
>
> **Why don't you** donate your talent?
>
> 유사표현 ▶ Why not...? / You'd better.... / Wouldn't it be great if you...?

Language Structures

3 부정어 nor 도치

> '~ 역시 아니다'라는 뜻의 부정어 nor를 문장 앞으로 옮기면 그 뒤에 오는 주어와 동사는 도치된다. (nor＋동사＋주어)
>
> • The miners did not give up in the dark, **nor did their families surrender** to despair.
>
> • Minsu was not at the meeting, **nor did he show up** at work yesterday.

4 과거완료 수동태

> 과거보다 한 시제 먼저 일어난 일을 과거완료(had＋p.p.)로 표현하는데, 이때 주어의 행위가 능동이 아닌 수동일 경우에는 과거완료 수동태(had been＋p.p.)로 나타낸다.
>
> • He realized that the email **had not been sent** to his sister.
>
> • Dessert **had been served** before he finished his meal.
>
> • The miners **had been trapped** for so long that they had to get medical attention first.

Lesson

06

Decide

Communicative Functions

- 만족이나 불만족에 대해 묻기

  How do you like the headphones?

  헤드폰은 마음에 드세요?

- 확실성 정도 묻기

  Are you sure it fits correctly?

  그것이 정확하게 맞다고 확신하세요?

Language Structures

- without 가정법

  Without decisions to make, being a consumer **would be** easier but less interesting.

  내려야 할 결정이 없다면 소비자가 되는 것은 더 쉽겠지만 덜 재미있을 것이다.

- seem + 완료부정사

  Product placement **seems to have been designed** to give suggestions to consumers.

  상품 배치는 고객에게 제안을 하도록 고안되어 온 것처럼 보인다.

Words & Expressions

✦ 다음을 읽고 자신이 기억해야 할 것에 ☑표시 하시오.

Words

☐ **decision** [disíʒən] ⑱ 결정, 판단

☐ **consumer** [kənsúːmər] ⑲ 소비자

☐ **commercial** [kəmə́ːrʃəl] ⑲ 광고(= advertisement)

☐ **shout** [ʃaut] ⑧ 외치다, 소리치다(= cry)

☐ **pop-up** [pʌpup] ⑱ 튀어나오는

☐ **resource** [ríːsɔːrs] ⑲ 자원; 자금, 재산

☐ **affect** [əfékt] ⑧ ~에 영향을 미치다

☐ **retail** [ríːteil] ⑲ 소매

☐ **inventory** [ínvəntɔ̀ːri] ⑲ 재고(품)(= stock)

☐ **purchase** [pə́ːrtʃəs] ⑲ 구매 ⑧ 구입하다

☐ **regular** [régjulər] ⑱ 보통의, 평상시의(= usual, normal)

☐ **motivate** [móutəvèit] ⑧ 동기를 부여하다

☐ **prove** [pruːv] ⑧ 입증하다, 증명하다

☐ **appealing** [əpíːliŋ] ⑱ 매력적인(= attractive); 호소하는

☐ **clerk** [kləːrk] ⑲ 점원(= salesperson)

☐ **suggestion** [səgdʒéstʃən] ⑲ 제안(= proposal)

☐ **up-selling** [ʌpséliŋ] ⑲ 연쇄 판매, 업셀링

☐ **inexpensive** [ìnikspénsiv] ⑱ 비싸지 않은

☐ **strategically** [strətíːdʒikəli] ⑨ 전략적으로

☐ **random** [rǽndəm] ⑱ 무작위의

☐ **subtle** [sʌ́tl] ⑱ 교묘한, 미묘한

☐ **load** [loud] ⑧ 싣다

☐ **autopilot** [ɔ́ːtoupàilət] ⑲ 자동 조정 장치

☐ **deliberate** [dilíbərèit] ⑧ 신중히 생각하다

☐ **simply** [símpli] ⑨ 그냥, 간단히

☐ **assume** [əsúːm] ⑧ 추정하다(= presume)

☐ **taste** [teist] ⑲ 취향

☐ **overwhelmed** [òuvərhwélmd] ⑱ 압도된

☐ **guide** [gaid] ⑧ 안내하다, 이끌다(= lead)

☐ **automatically** [ɔ̀ːtəmǽtikəli]
⑨ 의식하지 않고(= unconsciously), 자동으로

☐ **arrangement** [əréindʒmənt] ⑲ 배열, 배치
(= placement)

Expressions

☐ **make room for** ~을 위해 자리를 만들다

☐ **bottom line** 핵심, 요점; 수익, 최종 결산 결과

☐ **designer jeans** 유명 디자이너 상표의 청바지

☐ **associate ~ with...** ~을 …에 연관 짓다

☐ **be up to** ~에 달려 있다

☐ **in addition to** ~에 더하여

☐ **be designed to** ~하도록 고안되다

☐ **go with** ~와 어울리다

☐ **instead of** ~ 대신에

☐ **price tag** 가격표

☐ **all along** 쭉, 언제나

☐ **be aware of** ~을 알아차리다

01 다음 영어는 우리말로, 우리말은 영어로 쓰시오.

(1) pop-up _____   (7) 결정, 판단 _____
(2) commercial _____   (8) 소매 _____
(3) be up to _____   (9) ~ 대신에 _____
(4) in addition to _____   (10) 제안 _____
(5) strategically _____   (11) 무작위의 _____
(6) overwhelmed _____   (12) 동기를 부여하다 _____

02 다음 괄호 안에서 문맥상 알맞은 것을 고르시오.

(1) The (regular / irregular) price is $45, but it is on sale for $30.
(2) Our store has the largest (intervention / inventory) in the mattress business.
(3) The evidence will (prove / improve) that he is guilty.
(4) She works as a (clerk / customer) at a local pet store.

· irregular 불규칙적인
· intervention 중재
· mattress 매트리스
· evidence 증거
· improve 개선되다
· guilty 유죄의

03 다음 빈칸에 들어갈 말로 가장 적절한 것을 고르시오.

(1) She seemed to _____ the question before finally answering.
  ① minimize   ② deliberate   ③ accelerate
  ④ believe   ⑤ contribute
(2) Would you please move over and _____ this little girl?
  ① get away with   ② pull over   ③ make room for
  ④ date back to   ⑤ come across

· minimize
  최소화하다, 축소하다
· accelerate
  가속화하다(되다)
· move over
  자리를 양보하다; 자리를 좁히다
· get away with
  피하다, 모면하다
· come across
  ~을 우연히 발견하다

04 다음 영영풀이에 해당하는 단어를 (보기)에서 고르시오.

보기
| purchase | arrangement | assume | guide |

(1) _____ : to think that something is true or probably true
(2) _____ : an act of buying something

· probably 아마도

Communicative Functions

① 만족이나 불만족에 대해 묻기: How do you like...?

> **A** **How do you like** the headphones?
>
> **B** The sound is really nice and clear.

How do you like...?는 '~은 어때? / ~이 마음에 드니?'라는 뜻으로 상대방에게 질문의 대상에 관해 만족이나 불만족을 물을 때 쓰는 표현이다. 전치사 like 뒤에는 (동)명사를 써야 한다.

> 유사표현 ▶ Are you satisfied with...? / Is this what you liked?

- **Are you satisfied with** your job as a musician?
  (음악가로서 너의 직업에 만족하니?)

- **Is this bag what you liked?**
  (이 가방이 네가 좋아하는 것이니?)

cf. How did you like it?: 과거 동사 did를 사용하여 과거에 먹어 본 음식이나 사용한 물건에 관해 만족도를 물을 때 쓰는 표현이다. Would you recommend it?과 같은 추천을 묻는 표현과 함께 쓸 수 있다.

② 확실성 정도 묻기: Are you sure...?

> **A** **Are you sure** our cookie booth will draw people's attention?
>
> **B** Of course! I'm sure that we'll sell tons of cookies.

Are you sure...?는 '~을 확신하니?'라는 뜻으로 어떤 문제나 상황에 관해 상대방에게 확실성 정도를 물을 때 쓰는 표현이다.

> 유사표현 ▶ Are you certain...? / How sure are you that...?

- **Are you certain** you left your purse on the desk?
  (너는 지갑을 책상 위에 둔 것을 확신하니?)

- **How sure are you that** you can pass the exam?
  (너는 그 시험을 통과할 것이라고 얼마나 확신하니?)

cf. 확신을 묻는 표현에 대답으로 Yes, I'm sure it does. / Of course. / I'm certain I will. 등을 사용한다. 확신을 강조하기 위해 absolutely를 sure나 certain 앞에 쓸 수 있다.
I'm *absolutely* **certain** I will finish this project by July.
(나는 이 프로젝트를 7월까지 끝낼 것이라고 틀림없이 확신한다.)

01 다음 대화의 밑줄 친 부분과 의미가 같도록 빈칸에 알맞은 말을 쓰시오.

> **A** I think we should place our old CDs and DVDs at the front of the table.
>
> **B** <u>Are you sure</u> that'll draw attention to them?
>
> = _____ _____ _____ that'll draw attention to them?

· draw attention
관심을 끌다

02 다음 대화의 빈칸에 알맞은 말을 쓰시오.

> **A** _____ _____ _____ _____ your laptop computer? (너는 휴대용 컴퓨터가 마음에 드니?)
>
> **B** It is portable, but it doesn't have enough space for files, games and other data.

· laptop computer
휴대용 컴퓨터
· portable 휴대용의

03 다음 대화가 자연스럽게 이어지도록 순서대로 배열하시오.

> (A) Yes, I have. Why?
>
> (B) It is smooth and not too oily. I strongly recommend it.
>
> (C) Hey, have you used the green tea hand cream from ABC Skin Care?
>
> (D) How did you like it? I'm thinking of buying some.

→ _____

· smooth 부드러운
· oily 기름기가 많은
· strongly 강하게
· green tea 녹차

서술형

04 다음 발표 내용이 자연스럽도록 괄호 안에 주어진 단어들을 바르게 배열하시오.

> Hello, class. (sure / you're / effectively / are / you / your money / using)? Let me tell you what I do: When I buy things like a concert ticket, I always make a group purchase with friends. This way, I can get a group discount. I hope this tip will be helpful to you.

→ _____ ?

· effectively
효과적으로
· group purchase
공동 구매
· group discount
단체 할인
· helpful 도움이 되는

Language Structures

① without 가정법

'~이 없(었)다면'의 의미로 but for로 바꾸어 쓸 수 있고, 주절의 시제에 따라 가정법의 시제가 과거나 과거완료로 결정된다.

without + 가정법 과거 (~이 없다면): = but for = if it were not for	**Without** your advice, I **would fail** the test. 가정법 과거　　　　　　조동사의 과거형+동사원형 = **But for** your advice, I **would fail** the test. = **If it were not for** your advice, I **would fail** the test. (너의 충고가 없다면, 나는 그 시험에 떨어질 것이다.)
without + 가정법 과거완료 (~이 없었다면): = but for = if it had not been for	**Without** water, no one **could have survived**. 가정법 과거완료　　　　　조동사의 과거형+have+p.p. = **But for** water, no one **could have survived**. = **If it had not been for** water, no one **could have survived**. (물이 없었다면, 아무도 살아남지 못했을 것이다.)

cf. If 가정법에서 동사가 were 또는 「had+p.p.」인 경우 if를 생략하고 주어, 동사를 도치시켜 표현하기도 한다.
　　Were it not for your advice, I **would fail** the test. (= If it were not for your advice, ~)
　　Had it not been for water, no one **could have survived**. (= If it had not been for water, ~)

---

② seem + 완료부정사

「seem+to have+p.p.」 형태로 '~했던(였던) 것처럼 보이다'라는 의미이다. 본동사보다 이전에 일어난 일을 나타내며, 「It seems that+주어+동사 ~」 구문으로 바꾸어 쓸 수 있다.

> Toby **seems to have been** the best player. (Toby는 최고의 선수였던 것처럼 보인다.)
> = **It seems that** Toby **was** the best player.
> 　　　　　　　　　　　↑ seems(현재시제)보다 이전의 일 → was(과거시제)
> Toby **seemed to have been** the best player. (Toby는 최고의 선수였던 것처럼 보였다.)
> = **It seemed that** Toby **had been** the best player.
> 　　　　　　　　　　　↑ seemed(과거시제)보다 이전의 일 → had been(과거완료)

cf. seem+to부정사: '~인 것처럼 보이다'의 뜻으로, 본동사와 동일 시점에 일어난 일을 나타낸다.
　　He **seems to be** interested in that book. (그는 저 책에 흥미가 있는 것처럼 보인다.)
　　= **It seems that** he **is** interested in that book.
　　She **seemed to enjoy** the movie. (그녀는 그 영화를 즐기는 것처럼 보였다.)
　　= It **seemed that** she **enjoyed** the movie.

note

01 다음 두 문장의 의미가 같도록 빈칸에 알맞은 말을 쓰시오.

(1) Without the guide, we might have got lost in the forest.

→ If it _____ the guide, we might have got lost in the forest.

(2) But for the alarm, we would not wake up on time.

→ If it _____ the alarm, we would not wake up on time.

· forest 숲, 삼림
· alarm 알람, 자명종
· wake up 일어나다

02 다음 괄호 안에 주어진 단어들을 바르게 배열하시오.

(1) _____ recently renovated.

(building / have / to / this / seems / been)

(2) _____ the dance party.

(that / it / many people / enjoyed / seems)

· recently 최근에
· renovate 수리하다

03 다음 밑줄 친 부분이 어법상 옳으면 ○표를 하고, 틀리면 바르게 고쳐 쓰시오.

(1) Without the accident, he might have won the race.

→ If it were not for the accident, he might have won the race.

(   )

(2) But for your encouragement, I would have given up the plan.

→ Had it not been for your encouragement, I would have given up the plan.

(   )

(3) Nobody seemed to have understood anything in Hebrew.

→ It seemed that nobody understood anything in Hebrew.

(   )

· accident 사고
· encouragement
  격려
· give up 포기하다
· Hebrew 히브리어

서술형

04 다음 우리말과 같도록 주어진 단어들을 사용하여 빈칸에 알맞은 말을 쓰시오.

(1) 물과 공기가 없다면, 우리는 살 수 없을 것이다. (if / be / for / water and air)

→ _____, we could not live.

(2) 그는 꽤 오랫동안 아팠던 것처럼 보인다. (seem / be / to / ill)

→ He _____ for quite a long time.

(3) 그녀의 인생은 너무 아름다운 것처럼 보인다. (her life / seem / to / be)

→ _____ so wonderful.

· for quite a long
  time 꽤 오랫동안

Reading

➕ 본문을 읽고 알맞은 구문과 표현으로 빈칸을 채우고, 괄호 안에서 알맞은 것을 고르시오.

A Jungle of Choice

Decisions, decisions, decisions... . Being a consumer ❶(is / are) tough these days. At the same time, ❷_____ decisions to make, being a consumer would be easier but much less interesting. Stores ❸_____ _____ _____ attractive products. Advertisements cover cars and buildings, TV commercials shout slogans, and pop-up promotions on the Internet can be annoying. Since we can't have everything we want, we have to make the resources that we have go as far as possible. Imagine that you go to a shopping mall to buy a pair of jeans. Let's take a look at some of the things that may affect your decisions while you are there.

"Hey, these jeans are on sale!"

Have you ever wondered why retail stores put items on sale? Sales reduce ❹_____ size, making room ❺(of / for) the store to buy more stuff to sell, and they attract customers. If the jeans were originally $100 but are now on sale for $80, the lower price would lead more customers to consider buying the jeans and spending another $20 on a T-shirt, too. The ❻_____ _____ is that sales attract customers that might not have made purchases at the regular price, and they ❼_____ customers to spend because their money can now buy more.

"Become the person you've always wanted to be."

Jeans are jeans, right? Well, no! There are ordinary jeans and there are designer jeans. As the TV ads prove, beautiful people wear Brand X, ❽_____ _____? And you feel you'll be more beautiful if you wear it, too. This is the power of association. When advertisers associate appealing images ❾(for / with) certain products, consumers may buy the products to associate themselves with those images. You're still the same you, but you feel better about yourself because you are wearing Brand X's new jeans. Is this worth paying 25%, 50%, or even 100% more? Well, that's ❿_____ _____ each individual to decide on his or her own.

❶ be동사의 알맞은 형태

❷ ~이 없다면
(= if it were not for)

❸ ~로 가득하다
(= be filled with)

❹ 재고(품)
❺ 알맞은 전치사

❻ 핵심, 요점

❼ 동기를 부여하다

❽ 알맞은 부가의문문

❾ 알맞은 전치사

❿ ~에 달려 있다

정답 ❶ is ❷ without ❸ are full of ❹ inventory ❺ for ❻ bottom line ❼ motivate ❽ don't they ❾ with ❿ up to

"How do you like these sneakers to go with those jeans?"

Have you ever been offered to buy something that you had not planned on
⑪_____? A sales clerk may make suggestions to you about what else to
buy ⑫_____ _____ _____ your originally planned purchase.
This is called up-selling and it's designed to be not only helpful for you, but also
for the store's bottom line. Have you also noticed that shoes, hats, and socks
are displayed together next to one another? They are mostly inexpensive items
strategically placed there. Since you've already decided to buy a pair of jeans,
⑬_____ _____ buy a pair of sneakers too? No one can tell you
that you shouldn't buy something ⑭(that / what) really suits you, but remember
that the arrangement of items in a store is not random. Product placement
⑮_____ _____ have been designed to give subtle suggestions to
consumers while they shop.

⑪ buy의 알맞은 형태
⑫ ~에 더하여

⑬ ~은 왜 안 되겠어?
⑭ 알맞은 관계대명사

⑮ ~처럼 보이다

What Most People Do

Why are you influenced by these marketing strategies? What's going on in your
head? Well, when your brain is loaded with too many decisions to make, it may go
on "autopilot." Instead of ⑯_____, you choose the easy way and make your
decisions automatically. For example, many people may simply ⑰_____
that buying an item on sale will save them money, or that something with a higher
price tag is better in quality. Furthermore, if a cashier recommends something, you
may feel as if you "needed" it ⑱_____ _____.

⑯ 신중히 생각하다
⑰ 추정하다

⑱ 쭉, 언제나

Notice What's Out There!

If there are so many choices and marketing strategies out there, how can you
become a smart consumer? There isn't a "right" answer for everyone because we
have different tastes and different values, but the first step is to ⑲_____
_____ _____ your "autopilot" mode. To prevent this, ask yourself
these questions before you make any purchase: Do I really need the product or
do I simply want it? Would my money be better spent on something else? In the
jungle of information, you may feel overwhelmed. Don't worry, though; being a
smart consumer is not something that comes naturally. ⑳_____ you start
noticing what's out there, your experience and wisdom will guide you to smart
consuming.

⑲ ~을 알아차리다

⑳ 일단 ~하면

정답 ⑪ buying ⑫ in addition to ⑬ why not ⑭ that ⑮ seems to ⑯ deliberating ⑰ assume ⑱ all along
⑲ be aware of ⑳ Once

01 다음 글의 괄호 안에 주어진 단어들을 바르게 배열하시오.

> Decisions, decisions, decisions…. Being a consumer is tough these days. At the same time, (make / without / to / decisions), being a consumer would be easier but much less interesting.

→ _____

• tough 힘든, 어려운
• at the same time 동시에

02 다음 글의 빈칸에 들어갈 말로 가장 적절한 것은?

> Have you ever wondered why _____? Sales reduce inventory size, making room for the store to buy more stuff to sell, and they attract customers. If the jeans were originally $100 but are now on sale for $80, the lower price would lead more customers to consider buying the jeans and spending another $20 on a T-shirt, too.

① jeans are never on sale

② T-shirts are less expensive than jeans

③ retail stores put items on sale

④ sales motivate customers to spend

⑤ advertisements cover cars and buildings

• reduce 줄이다
• stuff 물건 (= goods)
• attract 끌어들이다
• customer 소비자
• originally 원래

03 주어진 글 다음에 이어질 글의 순서로 가장 적절한 것은?

> Have you ever been offered to buy something that you had not planned on buying? A sales clerk may make suggestions to you about what else to buy in addition to your originally planned purchase.

(A) Have you also noticed that shoes, hats, and socks are displayed together next to one another?

(B) This is called up-selling and it's designed to be not only helpful for you, but also for the store's bottom line.

(C) They are mostly inexpensive items strategically placed there. Since you've already decided to buy a pair of jeans, why not buy a pair of sneakers too?

① (A) — (C) — (B) ② (B) — (A) — (C) ③ (B) — (C) — (A)

④ (C) — (A) — (B) ⑤ (C) — (B) — (A)

• offer 제안하다
• purchase 구매
• display 진열하다
• not only A but also B A뿐만 아니라 B도 (= B as well as A)
• inexpensive 저렴한

04 다음 글에서 전체 흐름과 관계 <u>없는</u> 문장은?

If there are so many choices and marketing strategies out there, how can you become a smart consumer? ① There isn't a "right" answer for everyone because we have different tastes and different values, but the first step is to be aware of your "autopilot" mode. ② It is important to change from "autopilot" mode to "experienced" mode. ③ To prevent this, ask yourself these questions before you make any purchase: Do I really need the product or do I simply want it? ④ Would my money be better spent on something else? ⑤ In the jungle of information, you may feel overwhelmed.

note
• choice 선택(권)
• strategy 전략
• values 가치관
• prevent 방지하다
• overwhelmed 압도된

[05~06] 다음 글을 읽고, 물음에 답하시오.

Why are you ⓐ <u>influenced</u> by these marketing strategies? What's going on in your head? Well, when your brain is loaded with too many decisions ⓑ <u>to make</u>, it may go on "autopilot." Instead of deliberating, you choose the easy way and ⓒ <u>to make</u> your decisions automatically. For example, many people may simply assume that buying an item on sale will save them money, or ⓓ <u>that</u> something with a higher price tag is better in quality. Furthermore, if a cashier recommends something, you may feel ⓔ <u>as if</u> you "needed" it all along.

• influence 영향을 미치다
• quality 품질
• cashier 계산원
• all along 언제나

05 윗글의 밑줄 친 ⓐ~ⓔ 중, 어법상 틀린 것은?

① ⓐ   ② ⓑ   ③ ⓒ   ④ ⓓ   ⑤ ⓔ

서술형

06 윗글에서 뇌가 '자동 조종 장치' 모드가 되면 사람들이 어떻게 하는지 30자 내외의 우리말로 쓰시오.

→ _____

단원평가 1회

01 다음 밑줄 친 부분에 해당하는 단어는?

> As soon as the performance was over, the audience applauded <u>without conscious thought and intention</u>.

① automatically　② excitedly
③ deliberately　④ strategically
⑤ finally

02 다음 중 단어의 영영풀이가 <u>어색한</u> 것은?

① taste: a personal liking
② arrangement: the way something is organized
③ subtle: difficult to understand or distinguish
④ assume: to think about or discuss issues and decisions carefully
⑤ up-selling: the act of trying to persuade a customer who is already buying something to buy more

03 다음 대화의 빈칸에 들어갈 말로 가장 적절한 것은?

> **A** Mom, look at this. These pre-packaged meals are on sale.
> **B** That's a great deal. I've had one of these before.
> **A** _____
> **B** It was really delicious. I split it with your aunt.

① What did you do?
② How did you like it?
③ Is that what you said before?
④ Are you satisfied with your mom's food?
⑤ How do you like the new restaurant?

04 다음 대화가 자연스럽게 이어지도록 순서대로 배열하시오.

> (A) Are you sure it filters out really small dust?
> (B) I know, that's why I purchased a Dust King face mask.
> (C) Wearing a mask is important on dusty days.
> (D) Yes, it says so on the package.

→ _____

05 다음 중 짝지어진 대화가 <u>어색한</u> 것은?

① **A** Are you satisfied with the shoes you bought last week?
　B Yes, they are very comfortable. I really recommend them.
② **A** How do you like your new digital camera?
　B It is more useful than I expected.
③ **A** Are you certain this will attract tourists?
　B Absolutely, I'm sure it will.
④ **A** How are you sure that he will arrive soon?
　B Yes, I'm sure he will be there.
⑤ **A** Is this what you liked?
　B Yes, it is.

서술형

06 다음 두 문장의 의미가 같도록 밑줄 친 부분을 주어진 단어로 시작하도록 고쳐 쓰시오.

> <u>Without water</u>, there would be no life on Earth.
> → If _____,
> there would be no life on Earth.

07 다음 빈칸에 공통으로 들어갈 말로 가장 적절한 것은?

> • It seemed that they _____ waited for you all morning.
> • He seems to have _____ a good time.

① have ② had
③ did ④ were
⑤ was

09 윗글의 (A), (B), (C)의 각 네모 안에서 어법에 맞는 표현으로 가장 적절한 것은?

(A)	(B)	(C)
① annoyed ···	go ···	that
② annoyed ···	to go ···	what
③ annoying ···	to go ···	what
④ annoying ···	go ···	what
⑤ annoying ···	go ···	that

[08~09] 다음 글을 읽고, 물음에 답하시오.

> Stores are full of attractive products. Advertisements cover cars and buildings, TV commercials shout slogans, and pop-up promotions on the Internet can be (A) annoyed / annoying . Since we can't have everything we want, we have to make the resources that we have (B) go / to go as far as possible. Imagine that you go to a shopping mall to buy a pair of jeans. Let's take a look at some of the things (C) that / what may affect your decisions while you are there.

08 윗글의 바로 뒤에 올 수 있는 내용으로 가장 적절한 것은?

① where consumers can buy a pair of jeans
② when the best time to purchase jeans is
③ how shopping malls advertise their products
④ how customers are treated at clothing stores
⑤ what affects consumers' decisions while shopping

[10~12] 다음 글을 읽고, 물음에 답하시오.

> Have you ever wondered why retail stores put items on sale? Sales reduce inventory size, making room for the store to buy more stuff to sell, and they attract customers. If the jeans were originally $100 but are now on sale for $80, the lower price would lead more customers to consider buying the jeans and spending another $20 on a T-shirt, too. The bottom line is that sales attract customers that might not have made purchases at the _____, and they motivate customers to spend because their money can now buy more.

10 윗글의 제목으로 가장 적절한 것은?

① "Hey, these jeans are on sale!"
② "How can you be a smart consumer?"
③ "Here comes the best jeans in the world!"
④ "Do you think these sneakers go with these jeans?"
⑤ "Be the person you've always wanted to be."

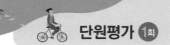

11 윗글의 빈칸에 들어갈 말로 가장 적절한 것은?

① average fee

② regular price

③ singular item

④ expensive store

⑤ discounted charge

12 윗글의 내용과 일치하는 것은?

① Retail stores always put items on sale.

② Sales bring unexpected disadvantages.

③ Most consumers wants to buy items at original prices.

④ Lower prices lead consumers to purchase less.

⑤ Sales attract customers to spend money.

13 윗글의 ⓐ~ⓔ 중, 주어진 문장이 들어가기에 가장 적절한 곳은?

> This is the power of association.

① ⓐ   ② ⓑ   ③ ⓒ

④ ⓓ   ⑤ ⓔ

14 윗글의 빈칸에 공통으로 들어갈 말로 가장 적절한 것은?

① in   ② of

③ to   ④ with

⑤ for

[13~15] 다음 글을 읽고, 물음에 답하시오.

> Jeans are jeans, right? Well, no! There are ordinary jeans and there are designer jeans. As the TV ads prove, beautiful people wear Brand X, don't they? (ⓐ) And you feel you'll be more beautiful if you wear it, too. (ⓑ) When advertisers associate appealing images _____ certain products, consumers may buy the products to associate themselves _____ those images. (ⓒ) You're still the same you, but you feel better about yourself because you are wearing Brand X's new jeans. (ⓓ) Is this worth paying 25%, 50%, or even 100% more? (ⓔ) Well, that's up to each individual to decide on his or her own.

15 윗글의 내용과 일치하지 <u>않는</u> 것은?

① 청바지에는 평범한 청바지가 있고 디자이너 청바지가 있다.

② 사람들은 광고에서 나온 청바지를 입으면 광고에 나온 사람처럼 아름다워질 것이라고 느낀다.

③ 광고업자들은 매력적인 이미지를 특정한 제품과 연관시킨다.

④ 소비자들은 자신과 광고 이미지를 연관시키기 위해 제품을 구입할지도 모른다.

⑤ 디자이너 청바지에 더 많은 돈을 지불할 가치가 있는 것은 당연하다.

[16~17] 다음 글을 읽고, 물음에 답하시오.

Have you ever been offered to buy something that you had not planned on buying? A sales clerk may make suggestions to you about what else to buy in ⓐaddition to your originally planned purchase. This is called up-selling and it's designed to be _____. Have you also noticed that shoes, hats, and socks are ⓑdisplayed together next to one another? They are mostly ⓒinexpensive items strategically placed there. Since you've ⓓalready decided to buy a pair of jeans, why not buy a pair of sneakers too? No one can tell you that you shouldn't buy something that really suits you, but remember that the arrangement of items in a store is ⓔrandom. Product placement seems to have been designed to give subtle suggestions to consumers while they shop.

16 윗글의 밑줄 친 ⓐ~ⓔ 중, 문맥상 낱말의 쓰임이 적절하지 <u>않은</u> 것은?

① ⓐ ② ⓑ ③ ⓒ
④ ⓓ ⑤ ⓔ

▶서술형

17 윗글의 빈칸에 다음 우리말과 같도록 주어진 단어들을 바르게 배열하시오.

당신뿐 아니라 상점의 수익에도 도움이 되도록

→ _____

(not only / for / helpful / bottom line / but also / you / for / the store's)

[18~20] 다음 글을 읽고, 물음에 답하시오.

If there are so many choices and marketing strategies out there, how can you become a smart consumer? There isn't a "right" answer for everyone because we have different tastes and different values, but the first step is to be aware ____ⓐ____ your "autopilot" mode. To prevent ⓑthis, ask yourself these questions before you make any purchase: Do I really need the product or do I simply want it? Would my money be better spent on something else? In the jungle of information, you may feel overwhelmed. Don't worry, though; being a smart consumer is not something that comes naturally. Once you start noticing what's out there, your experience and wisdom will guide you ____ⓒ____ smart consuming.

18 윗글의 주제로 가장 적절한 것은?

① how to become a smart consumer
② why "autopilot" mode is dangerous
③ what to purchase at the market
④ how to use marketing strategies
⑤ what to get in the jungle of information

19 윗글의 빈칸 ⓐ, ⓒ에 들어갈 말로 바르게 짝지어진 것은?

① on — of   ② to — of
③ for — on   ④ of — for
⑤ of — to

▶서술형

20 윗글의 밑줄 친 ⓑ this에 해당되는 내용을 본문에서 찾아 두 단어로 쓰시오.

→ _____

01 다음 중 밑줄 친 단어의 쓰임이 어색한 것은?

① I heard someone shouting, "Fire!"
② He bought my daughter a pop-up book.
③ You can order new products simply by calling or going online.
④ The workers loaded the truck with packages.
⑤ Mr. Smith assumed us around the city.

02 다음 영영풀이에 해당하는 알맞은 단어를 주어진 철자로 시작하여 쓰시오.

p_____ : to show the truth or correctness of something by using evidence, logic, etc.

서술형

03 다음 대화의 괄호 안에 주어진 단어들을 바르게 배열하시오.

A What would be the best promotion slogan for the apple snack?
B How about "Get the taste of Daegu's pride"?
A (you / are / the essence of / captures / apple snack / sure / it / the)?
B Yes, I'm sure it does.

→ _____

04 다음 대화의 빈칸에 들어갈 말로 가장 적절한 것은?

A Hey, did you buy a new backpack?
B Yes, I bought it last weekend.
A _____
B Yes, it is light and comfortable.

① Are you satisfied with it?
② Are you disappointed?
③ What brought you here?
④ How much did you want to buy it?
⑤ How about buying a backpack?

05 다음 주어진 문장에 이어질 대화를 순서대로 바르게 배열한 것은?

May I try on these sunglasses?

(A) They fit nicely and I look pretty good on me. I'll take them.
(B) I'm sure that you made the right choice.
(C) Sure, you can see how you look in the mirror. How do you like them?

① (A) — (B) — (C)
② (A) — (C) — (B)
③ (B) — (C) — (A)
④ (C) — (A) — (B)
⑤ (C) — (B) — (A)

서술형

06 다음 두 문장의 의미가 같도록 빈칸에 알맞은 말을 쓰시오.

They seemed to have known each other for a long time.
→ It _____
each other for a long time.

07 다음 주어진 문장과 의미가 같은 것은?

> Without the support of my family, I would be in real trouble.

① My family is so supportive that I am in real trouble.
② My family didn't support me, so I was in real trouble.
③ I am not in real trouble thanks to the support of my family.
④ I was in real trouble because of the support of my family.
⑤ In spite of the support of my family, I am in real trouble.

[08~09] 다음 글을 읽고, 물음에 답하시오.

> Have you ever wondered why retail stores put items on sale? Sales reduce inventory size, making room for the store to buy more stuff to sell, and they attract customers. If the jeans were originally $100 but are now on sale for $80, the lower price would lead more customers to consider buying the jeans and spending another $20 on a T-shirt, too. The bottom line is that sales attract customers that might not have made purchases at the regular price, and they motivate customers to spend because their money can now buy more.

08 윗글의 밑줄 친 bottom line과 바꾸어 쓸 수 있는 것은?

① key point ② final price
③ problem ④ cause
⑤ floor

09 윗글을 읽고 알 수 없는 것은?

① 할인 판매를 하는 목적
② 할인 판매가 상점에 미치는 영향
③ 할인이 잘 되는 청바지의 종류
④ 상점의 재고 정리 방법
⑤ 할인과 소비자 지출의 관계

[10~11] 다음 글을 읽고, 물음에 답하시오.

> Jeans are jeans, right? Well, no! There are ordinary jeans and there are designer jeans. As the TV ads (A) prove / disprove , beautiful people wear Brand X, don't they? And you feel you'll be (B) less / more beautiful if you wear it, too. This is the power of association. When advertisers associate appealing images with certain products, consumers may buy the products to associate themselves with those images. You're still the same you, but you feel (C) better / worse about yourself because you are wearing Brand X's new jeans. Is this worth paying 25%, 50%, or even 100% more? Well, that's up to each individual to decide on his or her own.

10 윗글의 (A), (B), (C)의 각 네모 안에서 문맥에 맞는 낱말로 가장 적절한 것은?

	(A)	(B)	(C)
①	prove	less	better
②	prove	more	better
③	prove	more	worse
④	disprove	more	better
⑤	disprove	less	worse

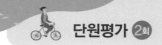
11 윗글의 내용과 일치하도록 빈칸에 알맞은 말을 본문에서 찾아 쓰시오.

> Advertisers _____ appealing images with certain products to make _____ buy their products.

[12~14] 다음 글을 읽고, 물음에 답하시오.

Have you ever been offered to buy something that you had not planned on buying? A sales clerk may make suggestions to you about what else to buy in addition to your originally planned purchase. This is called up-selling and it's designed to be not only helpful for you, but also for the store's bottom line. Have you also noticed that shoes, hats, and socks are displayed together next to one another? They are mostly inexpensive items strategically placed there. ⓐSince you've already decided to buy a pair of jeans, why not buy a pair of sneakers too? No one can tell you that you shouldn't buy something that really suits you, but remember that the arrangement of items in a store is not random. Product placement _____ⓑ_____ to give subtle suggestions to consumers while they shop.

12 윗글의 밑줄 친 ⓐSince와 쓰임이 같은 것은?

① It's been twenty years since I've seen her.
② I've been learning English since I was eight years old.
③ Since the Earth rotates, we are always moving sideways slightly.
④ Since the letter arrived, she has been worried.
⑤ Ever since he was at school, he's wanted to write.

13 윗글의 빈칸 ⓑ에 들어갈 말로 가장 적절한 것은?

① seems to be designed
② seems to have designed
③ seems to have been designed
④ seemed to be designed
⑤ seemed to have been designed

14 윗글을 읽고 답할 수 없는 질문은?

① What is up-selling?
② What is the purpose of up-selling?
③ For whom is up-selling helpful?
④ Why are expensive items placed together?
⑤ How is product placement designed?

[15~17] 다음 글을 읽고, 물음에 답하시오.

If there are so many choices and marketing strategies out there, how can you become a smart consumer?

(A) Don't worry, though; being a smart consumer ⓐis not something that comes naturally. Once you start ⓑnoticing what's out there, your experience and wisdom will guide you to smart consuming.

(B) To prevent this, ask yourself these questions before you make any purchase: Do I really need the product or do I simply want ⓒit? Would my money be better spent on something else? In the jungle of information, you may feel ⓓoverwhelming.

(C) There isn't a "right" answer for everyone because we have different tastes and different values, but the first step is ⓔto be aware of your "autopilot" mode.

15 윗글의 주어진 글 다음에 이어질 글의 순서로 가장 적절한 것은?

① (A) − (B) − (C)
② (A) − (C) − (B)
③ (B) − (C) − (A)
④ (C) − (A) − (B)
⑤ (C) − (B) − (A)

16 윗글의 밑줄 친 ⓐ∼ⓔ 중, 어법상 틀린 것은?

① ⓐ   ② ⓑ   ③ ⓒ
④ ⓓ   ⑤ ⓔ

17 윗글의 내용과 일치하지 <u>않는</u> 것은?

① 똑똑한 소비자가 되는 것은 저절로 오는 것이 아니다.
② 모두가 서로 다른 취향과 가치관을 가지고 있으므로 '자동 조종 장치'를 인식하기 어렵다.
③ 어떤 것을 구입하기 전에 그것이 정말 필요한 것인지 스스로에게 질문해야 한다.
④ 정보의 정글에서 압도된 느낌을 받을 수 있다.
⑤ 자신의 경험과 지혜가 똑똑한 소비로 안내할 것이다.

[18 ~ 20] 다음 글을 읽고, 물음에 답하시오.

Why are you influenced by these marketing strategies? What's going on in your head? Well, when your brain is loaded with too many decisions to make, it may go on "autopilot." Instead of deliberating, you choose the easy way and make your decisions automatically. _____(A)_____, many people may simply assume that buying an item on sale will save them money, or that something with a higher price tag is better in quality. _____(B)_____, if a cashier recommends something, you may feel as if you "needed" it all along.

18 윗글의 빈칸 (A)와 (B)에 들어갈 말로 가장 적절한 것은?

	(A)		(B)
①	However	⋯	Moreover
②	For example	⋯	Furthermore
③	Likewise	⋯	Nevertheless
④	In contrast	⋯	In fact
⑤	In short	⋯	For instance

19 주어진 글에서 설명하는 내용을 윗글에서 찾아 한 단어로 쓰시오.

> Instead of deliberating, people choose the easy way and make their decisions automatically.

→ _____

20 윗글의 바로 <u>앞에</u> 올 수 있는 내용으로 가장 적절한 것은?

① challenging tasks that retail stores face
② interesting facts that influence advertisers
③ psychological issues that shoppers struggle with
④ various marketing strategies that affect customers
⑤ different age groups that can change marketing strategies

Communicative Functions

1 만족이나 불만족에 대해 묻기: How do you like... ?

How do you like... ?는 '~은 어때? / ~이 마음에 드니?'라는 뜻으로 만족이나 불만족을 묻는 표현으로 전치사 like 뒤에 (동)명사가 옴에 유의한다.

How do you like your new boots?

유사표현 ▶ Are you satisfied with... ? / Is this what you liked?

2 확실성 정도 묻기: Are you sure... ?

Are you sure... ?는 '~을 확신하니?'라는 뜻으로 상대방에게 확실성 정도를 묻는 표현이다.

Are you sure you want to delete this file?

유사표현 ▶ Are you certain... ? / How sure are you that... ?

Language Structures

3 without 가정법

without 가정법은 '~이 없(었)다면'의 의미로 but for로 바꾸어 쓸 수 있고, 가정법과 마찬가지로 주절의 시제에 따라 가정법의 시제가 과거나 과거완료로 결정된다.

① 가정법 과거: **Without(But for)** your advice, I **would fail** the test.
   = **If it were not for** your advice, I **would fail** the test.

② 가정법 과거완료: **Without(But for)** water, no one **could have survived**.
    = **If it had not been for** water, no one **could have survived**.

4 seem + 완료부정사

「seem+to have+p.p.」의 형태로, '~했던(였던) 것처럼 보이다'라는 뜻이다. 본동사보다 이전에 일어난 일을 나타내며, 「It seems that+주어+동사 ~」 구문으로 바꾸어 쓸 수 있다.

Toby **seems to have been** the best player.
= **It seems that** Toby **was** the best player.
Toby **seemed to have been** the best player.
= **It seemed that** Toby **had been** the best player.

07

Observe

Topic 과학 기술의 현재와 미래 / 생체 모방 기술

Communicative Functions

- 설명 요청하기

  Could you explain how that helps?

  그게 어떻게 도움이 되는지 설명해 줄 수 있나요?

- 가능성 정도 표현하기

  It's likely that you'll be able to find NFC in more things in the future.

  미래에는 NFC를 더욱더 많은 곳에서 발견할 수 있을 것 같다.

Language Structures

- 동명사의 의미상의 주어

  Do you remember **your mom taking** you to a doctor's office?

  여러분의 어머니께서 여러분을 병원에 데려가셨던 것을 기억하는가?

- 명사를 뒤에서 수식하는 분사(구)

  A design **developed** naturally in the deep sea may soon be seen in deep space.

  심해에서 자연적으로 개발된 디자인이 곧 먼 우주에서 목격될지도 모른다.

Words & Expressions

✦ 다음을 읽고 자신이 기억해야 할 것에 ☑표시 하시오.

Words

☐ **medicine** [médəsin] ⑲ 약, 약물

☐ **roll** [roul] ⑲ 말다, 감다

☐ **shot** [ʃat] ⑲ 주사

☐ **lowly** [lóuli] ⑱ 낮은, 하찮은

☐ **mosquito** [məskí:tou] ⑲ 모기

☐ **bite** [bait] ⑧ 물다(-bit-bitten)

☐ **painless** [péinlis] ⑱ 통증 없는, 고통이 없는
　　(↔ painful 아픈, 고통을 주는)

☐ **procedure** [prəsí:dʒər] ⑲ 과정, 절차(= process)

☐ **biomimetics** [baiomimétiks] ⑲ 생체 모방 기술

☐ **complicated** [kámpləkèitid] ⑱ 복잡한(= complex)

☐ **termite** [tə́:rmait] ⑲ 흰개미

☐ **incredible** [inkrédəbl] ⑱ 굉장한, 훌륭한; 믿기 힘든

☐ **mound** [maund] ⑲ 흙더미, 언덕

☐ **inspire** [inspáiər] ⑧ 영감을 주다

☐ **passive** [pǽsiv] ⑱ 수동적인, 외적 작용에 의한

☐ **winglet** [wíŋlit] ⑲ 작은 날개

☐ **tip** [tip] ⑲ (뾰족한 것의) 끝

☐ **upwards** [úpwardz] ⑨ 위쪽으로

☐ **neat** [ni:t] ⑱ 아기자기한, 깔끔한

☐ **measurable** [méʒərəbl] ⑱ 주목할 만한; 측정 가능한

☐ **smooth** [smu:ð] ⑧ 매끄럽게 하다, 원활하게 하다

☐ **conserve** [kənsə́:rv] ⑧ 보존하다, 아끼다

☐ **beneficial** [bènəfíʃəl] ⑱ 유익한, 이득이 되는

☐ **sea urchin** [síːəːrtʃin] ⑲ 성게

☐ **bony** [bóuni] ⑱ 가시(뼈)가 많은

☐ **claw** [klɔ:] ⑲ 갈고리 발톱

☐ **arcade** [a:rkéid] ⑲ (쇼핑) 아케이드, 게임 센터

☐ **grab** [græb] ⑧ 움켜잡다(= seize)

☐ **grind** [graind] ⑧ 잘게 부수다, 분쇄하다(-ground-ground)

☐ **incorporation** [inkɔ̀:rpəréiʃən] ⑲ 포함, 합병

☐ **standard** [stǽndərd] ⑱ 일반적인

☐ **inefficient** [ìnifíʃənt] ⑱ 비효율적인
　　(↔ efficient 효율적인)

☐ **shovel** [ʃʌ́vəl] ⑲ 삽

☐ **scale** [skeil] ⑲ 규모, 범위

☐ **means** [mi:nz] ⑲ 수단(단수 취급)

☐ **perfect** [pə́:rfikt] ⑧ 완전하게 하다

Expressions

☐ **roll up** 걷어 올리다

☐ **what if** ~라면 어떨까?

☐ **figure out** 알아내다

☐ **vary from ~ to...** ~에서 …까지 변하다(달라지다)

☐ **in a way that** ~하는 방식으로

☐ **end result** 최종 결과

☐ **conserve energy** 에너지를 보존하다

☐ **look a lot like** ~와 매우 비슷해 보이다

· 정답 p.43

01 다음 영어는 우리말로, 우리말은 영어로 쓰시오.

(1) lowly _____

(2) biomimetics _____

(3) end result _____

(4) measurable _____

(5) grind _____

(6) scale _____

(7) 과정, 절차 _____

(8) 주사 _____

(9) 복잡한 _____

(10) 물다 _____

(11) 유익한 _____

(12) 보존하다 _____

02 다음 괄호 안에서 문맥상 알맞은 것을 고르시오.

(1) I agree with the (incorporation / cooperation) of a new design and material into your work.

(2) The machine is so (inevitable / inefficient) that the work is being delayed.

(3) It was (credible / incredible) that he could stand on one foot for such a long time.

(4) Although mosquito bites are (painful / painless), they can be very itchy.

· cooperation
  협력, 협동
· inevitable
  불가피한, 필연적인
· credible
  믿을 수 있는
· itchy 가려운

03 다음 빈칸에 들어갈 말로 알맞은 것을 고르시오.

(1) Instead of growing _____, that tree is growing horizontally.

① downwards   ② gently   ③ lowly

④ sideways   ⑤ upwards

(2) Exercise can be a very useful _____ of keeping in shape.

① scale   ② goal   ③ charity

④ means   ⑤ result

· horizontally
  수평으로, 가로로
· sideway 옆길, 인도
· keep in shape
  건강을 유지하다
· charity 자선 (단체)

04 다음 영영풀이에 해당하는 단어를 〈보기〉에서 골라 쓰시오.

〈보기〉

smooth	grab	grind	inspire

(1) _____ : to give something a flat surface or appearance

(2) _____ : to give someone an idea about what to do or create

· flat 평평한
· surface 표면
· appearance
  겉모습, 모양

Communicative Functions

① 설명 요청하기: Could you explain... ?

> **A**   **Could you explain** how that helps?
>
> **B**   Well, the cream forms a layer between the brush and your hair, which reduces static electricity.

Could you explain... ?은 '~을 설명해 주실래요?'라는 뜻으로 상대방에게 설명을 요청할 때 쓰는 표현으로 explain 다음에 명사, 대명사 외에도 「의문사+주어+동사」가 올 수 있다. explain은 타동사이므로 뒤에 about을 쓰지 않도록 유의한다.

> **유사표현** ▶ Would you explain... ? / What is... ? / What do you mean by... ? /
> Would(Could) you give me an explanation of... ?

- **Would you explain** how I can turn this TV on?
  (이 TV를 어떻게 켜는지 좀 알려 주실래요?)
- **What is** potential energy? (위치 에너지란 무엇인가요?)
- **What do you mean by** sustainable lifestyle? (지속 가능한 삶의 방식이 무슨 뜻인가요?)
- **Could you give me an explanation of** the rules? (저에게 그 규칙들에 대해서 좀 설명해 주시겠어요?)

② 가능성 정도 표현하기: It's likely that... .

> **A**   What do you think about the possibility of robots doing surgery?
>
> **B**   **It's likely that** robots will be able to perform surgery soon.

It's likely that... .은 '~일 것 같다.'라는 뜻으로 가능성의 정도를 나타낼 때 쓰는 표현이다. 접속사 that 뒤에 「주어+동사」가 오거나 that절 대신 to부정사구가 올 수 있다.

> **유사표현** ▶ It's possible that... . / Maybe it(they) will... . / The chances are that... .

- **It's possible that** we will have cooking robots in the future.
  (미래에는 우리가 요리하는 로봇을 갖게 될 수도 있어요.)
- **Maybe** Mark **will** be able to solve this problem.
  (어쩌면 Mark가 이 문제를 풀 수도 있어요.)
- **The chances are that** you will succeed.
  (당신은 아마 성공할 거예요.)

· 정답 p.43

note

01 다음 우리말과 같도록 대화의 빈칸에 알맞은 말을 쓰시오.

> **A** Could you _____ how to open this door?
>
> (이 문을 어떻게 여는지 설명 좀 해 줄 수 있나요?)
>
> **B** Sure. Twist the knob to the left and it will open.

· twist 돌리다
· knob 손잡이

02 다음 우리말과 같도록 괄호 안에서 알맞은 말을 쓰시오.

> It's (like / likely) that we will be able to travel to Mars someday.
>
> (우리는 언젠가 화성으로 여행할 수 있는 가능성이 있다.)

· Mars 화성

03 다음 두 문장의 의미가 같도록 빈칸에 알맞은 말을 쓰시오.

> What do you mean by a driverless car?
>
> = Would you _____ what _____ _____ _____ is?

운전자 없는

서술형

04 다음 대화의 괄호 안의 단어들을 바르게 배열하시오.

> **A** I'm thinking of learning more about nanotechnology.
>
> **B** Good idea. It'll be used more and more in the future. What applications are you most interested in?
>
> **A** Medical applications attract me the most. (it's / tiny / be able to / surgery / that / will / perform / likely / nanorobots) in the deepest parts of our body in the near future.
>
> **B** That would be a huge advancement in surgical procedures.
>
> **A** Yep. That's why I want to study medical engineering in college.

· application
  응용, 적용
· medical 의학의
· surgery 수술
· engineering 공학

→ _____

Language Structures

1 동명사의 의미상의 주어

문장에서 본동사가 나타내는 행위의 주체와 동명사의 주체가 다를 때, 동명사 앞에 소유격이나 목적격 대명사를 사용하여 동명사의 주체를 나타내는데, 이것을 동명사의 '의미상의 주어'라고 한다.

문장의 주어와 동명사의 주어가 일치할 때	문장의 주어와 동명사의 주어가 일치하지 않을 때
My sister loves singing. (나의 동생은 노래를 부르는 것을 좋아한다.) → 본동사(loves)의 주체: My sister 동명사(singing)의 주체: My sister	**My sister** loves me singing. (나의 여동생은 내가 노래를 부르는 것을 좋아한다.) → 본동사(loves)의 주체: My sister 동명사(singing)의 주체: me

cf. 「의미상의 주어+동명사」로 이루어진 구는 절로도 나타낼 수 있다.
My mom was happy **about me winning** the contest.
= My mom was happy **that I won** the contest. (우리 엄마는 내가 대회에서 우승해서 행복해 하셨다.)

cf. to부정사의 의미상의 주어: 문장의 주어와 to부정사의 주어가 다를 때 to부정사의 의미상의 주어는 「for(of)+목적격」 형태로 쓰며 to부정사 앞에 쓴다.
This book is a bit too easy **for me** to read. (이 책은 내가 읽기에는 너무 쉽다.)
It is nice **of you** to say so. (네가 그렇게 말해 주다니 친절하구나.)

2 명사를 뒤에서 수식하는 분사(구)

분사는 형용사적 성질을 갖고 있어 명사를 앞이나 뒤에서 수식하는데, 분사가 부사구, 목적어 등을 동반하여 구를 이루면 명사 뒤에서 수식한다. 현재분사는 능동이나 진행의 의미를, 과거분사는 수동이나 완료의 의미를 나타낸다.

종류	현재분사(-ing)	과거분사(p.p.)
의미	능동 / 진행(~하고 있는, ~중인)	수동 / 완료(~된, ~당한)

- Mom held the **sleeping baby** in her arms.
(엄마는 잠자고 있는 아기를 그녀의 팔로 안았다.)
- Mom held the **baby sleeping so peacefully** in her arms.
(엄마는 아주 평온하게 잠자고 있는 아기를 그녀의 팔로 안았다.)

cf. 분사구는 형용사적인 관계대명사절로도 바꾸어 쓸 수 있다. 이때, 「관계대명사+be동사+분사」의 형태가 된다.
These are the pictures **taken** in Paris.
= These are the pictures **which were taken** in Paris.
(이것들은 파리에서 찍은 사진들이다.)

· 정답 p.43

note

01 다음 괄호 안에서 알맞은 것을 고르시오.

(1) I object (he / his) joining the club.

(2) My father is sure of (my brother will / my brother) passing the exam.

(3) Does she know of (they / their) coming tonight?

(4) My mom does not like (I / me) staying up late.

- object 반대하다
- stay up late
  늦게까지 깨어 있다

02 다음 괄호 안에 주어진 단어를 알맞은 형태로 고쳐 쓰시오.

(1) The package (deliver) to me is from my son.　　→ _____

(2) It is a documentary (feature) the life of nuns.　　→ _____

(3) Is the man (wear) glasses your friend?　　→ _____

(4) We found the hills (cover) with snow.　　→ _____

- package 소포
- deliver 배달하다
- feature (특집으로)
  다루다
- nun 수녀

03 다음 괄호 안의 단어들을 바르게 배열하여 문장을 다시 쓰시오.

(1) I hate (lie / telling / his / a).

　→ _____

(2) Look at (his house / car / the / red / in front of / parked).

　→ _____

(3) Excuse (coming / late / me).

　→ _____

(4) (the / in the pool / swimming / girl) is my daughter.

　→ _____

- tell a lie 거짓말하다
- park 주차하다

서술형

04 다음 밑줄 친 문장에서 어법상 틀린 부분을 찾아 바르게 고쳐 다시 쓰시오.

(1) Would you mind if I open the window?

　= <u>Would you mind I opening the window?</u>

　→ _____

(2) I read the novels that he wrote.

　= <u>I read the novels writing by him.</u>

　→ _____

- mind 꺼리다
- novel 소설

Reading

✚ 본문을 읽고 알맞은 구문과 표현으로 빈칸을 채우고, 괄호 안에서 알맞은 것을 고르시오.

Discover from Nature

Do you remember your mom ❶_____ you to a doctor's office? The doctor decided to give you some medicine. She ❷_____ _____ your sleeves, and gave you a shot in the upper arm. Ouch! That hurt, didn't it? ❸_____ _____ a shot given in the arm didn't hurt? Well, maybe in the future, it won't. Some scientists have been studying how the lowly mosquito is able to bite us without ❹(we / us) knowing. When they ❺_____ _____ the secrets, the doctor's shot might become a painless procedure. This is what "biomimetics" is about.

People who study biomimetics look to solve human problems by copying how nature does it. It might sound ❻_____, but it is much easier ❼_____ you understand. Let's look at some examples of biomimetics we see today or will see in the near future.

Natural Air Conditioning

Termites are simple creatures, but when they work together, they can build incredible natural structures. Some termite mounds can reach 7 meters in height. They even go 3 meters underground. There is another amazing fact about termite mounds: even though the temperature outside can ❽_____ _____ 40 degrees Celsius during the day to 1 degree Celsius at night, it is always about 30 degrees Celsius inside. Termite mounds are built in a way ❾_____ hot air rises out and cool air comes in through the bottom. ❿(Inspiring / Inspired) by termite mounds, Mick Pearce, an African architect, constructed a building in Zimbabwe and another in Australia using the same passive cooling techniques. These buildings were 10% cheaper to build because less money was spent on air moving equipment, and this design reduced cooling energy costs by 35%. Now that's a cool idea!

❶ take의 알맞은 형태

❷ 걷어 올렸다

❸ ~라면 어떨까?

❹ 동명사 knowing의 의미상의 주어
❺ ~을 알아내다

❻ 복잡한
❼ 일단 ~하면(접속사)

❽ ~에서 (…까지) 달라지다

❾ 알맞은 접속사(~하는 방식으로)
❿ 분사구문

정답 ❶ taking ❷ rolled up ❸ What if ❹ us ❺ figure out ❻ complicated ❼ once ❽ vary from ❾ that
❿ Inspired

Airplane Winglets

If you look at an airplane's wings, you can sometimes see that the tips are turned upwards. These are called "winglets" and they may look neat, but they have ⑪_____ benefits. When engineers studied birds, they observed that birds' wings have tips that turn up in flight. They found that the tips smooth the flow of air, which helps them ⑫_____ _____ when flying. The engineers thought that ⑬(if / unless) it worked for birds, why not for airplanes? The end result is that the airplane winglets help keep planes smaller, saving about 10% in fuel costs. This is beneficial ⑭_____ _____ for the environment but for passengers' wallets, too.

⑪ 주목할 만한

⑫ 에너지를 보존하다

⑬ 알맞은 접속사

⑭ ~뿐만 아니라

Sea Urchins

Sea urchins may be eaten in some parts of the world, but they can also damage parts of the sea environment with their bony mouths. A sea urchin mouth looks a lot like a five-fingered claw you might see while trying to pick up prizes at the arcade. This design is surprisingly ⑮_____ at grabbing and ⑯_____. The efficiency of this natural design is now being tested for incorporation into missions in space. When small robots are sent to another planet to collect soil samples, the standard method is ⑰_____ _____ _____ _____ like a small shovel. By copying the design of a sea urchin mouth, scientists believe it will be easier to collect samples. Amazingly, a design ⑱(developing / developed) naturally in the deep sea may soon be seen in deep space.

⑮ 효율적인

⑯ 잘게 부수다, 분쇄하다 (동사의 알맞은 형태)

⑰ 순서대로 배열 (inefficient, use, to, something)

⑱ 알맞은 분사

When we observe nature, we can be amazed by its beauty and its grand scale. We should remember that nature has had millions of years to experiment. Now, as we observe nature on all levels big and small, we have the technology and the means to copy what nature has perfected. Because there is still so much we do not know about nature, there is still much ⑲_____ to discover. Maybe one day you will be inspired ⑳(by / for) nature to invent a product that will change the world.

⑲ leave의 알맞은 형태

⑳ 알맞은 전치사

정답 ⑪ measurable ⑫ conserve energy ⑬ if ⑭ not just ⑮ efficient ⑯ grinding ⑰ to use something inefficient ⑱ developed ⑲ left ⑳ by

01 다음 글의 바로 뒤에 올 수 있는 내용으로 알맞지 <u>않은</u> 것은?

note
- collector 수집가
- imagination 상상
- genius 천재

People who study biomimetics look to solve human problems by copying how nature does it. It might sound complicated, but it is much easier once you understand. Let's look at some examples of biomimetics we see today or will see in the near future.

① Termite Mounds: Natural Air Conditioning
② Painless Shots: A Hint Taken from Mosquito Bites
③ Airplane Winglets That Copied Birds' Wings
④ Sample Collectors in Space: Inspiration from a Sea Urchin Mouth
⑤ Transformer Robots: The Product of 100% Imagination of a Genius

02 다음 글의 밑줄 친 ①~⑤ 중, 문맥상 낱말의 쓰임이 적절하지 <u>않은</u> 것을 골라 바르게 고쳐 쓰시오.

- architect 건축가
- construct 건설하다
- equipment 장치
- reduce 줄이다

Termite mounds are built in a way that ①<u>hot</u> air rises out and cool air comes in through the bottom. Inspired by termite mounds, Mick Pearce, an African architect, constructed a building in Zimbabwe and another in Australia ②<u>using</u> the same passive cooling techniques. These buildings were 10% cheaper to build because ③<u>more</u> money was spent on air ④<u>moving</u> equipment, and this design ⑤<u>reduced</u> cooling energy costs by 35%. Now that's a cool idea!

→ _____

03 다음 글의 밑줄 친 부분이 뜻하는 바를 본문의 말을 이용하여 완성하시오.

- observe 관찰하다
- grand 거대한
- discover 발견하다

When we observe nature, we can be amazed by its beauty and its grand scale. We should remember that nature has had millions of years to experiment. Now, as we observe nature on all levels big and small, we have the technology and the means <u>to copy what nature has perfected</u>. Because there is still so much we do not know about nature, there is still much left to discover. Maybe one day you will be inspired by nature to invent a product that will change the world.

→ to _____ by copying _____

· 정답 p.44

04 다음 글의 내용과 일치하는 것은?

Sea urchins may be eaten in some parts of the world, but they can also damage parts of the sea environment with their bony mouths. A sea urchin mouth looks a lot like a five-fingered claw you might see while trying to pick up prizes at the arcade. This design is surprisingly efficient at grabbing and grinding. The efficiency of this natural design is now being tested for incorporation into missions in space. When small robots are sent to another planet to collect soil samples, the standard method is to use something inefficient like a small shovel. By copying the design of a sea urchin mouth, scientists believe it will be easier to collect samples. Amazingly, a design developed naturally in the deep sea may soon be seen in deep space.

① Sea urchins have shovel-shaped mouths.
② Sea urchins have five sharp mouths.
③ Creating a new design is easier than copying one from nature.
④ The design of a sea urchin mouth is less efficient at grabbing than shovels.
⑤ The design of a sea urchin mouth may soon be incorporated into missions in space.

note
· damage 손상시키다
· efficiency 효율(성)
· mission 임무
· soil 토양

[05~06] 다음 글을 읽고, 물음에 답하시오.

If you look at an airplane's wings, you can sometimes see that the tips are ⓐ turned upwards. These are called "winglets" and they may look neat, but they have measurable benefits. When engineers studied birds, they observed that birds' wings have tips that turn up in flight. They found that the tips ⓑ smoothing the flow of air, which helps them conserve energy when ⓒ flying. The engineers thought that (A) if it worked for birds, why not for airplanes? The end result is that the airplane winglets help ⓓ keep planes smaller, ⓔ saving about 10% in fuel costs. This is beneficial not just for the environment but for passengers' wallets, too.

· tip (뾰족한 것의) 끝
· benefit 이점
· fuel 연료
· passenger 승객

05 윗글의 밑줄 친 ⓐ~ⓔ 중, 어법상 틀린 것은?

① ⓐ   ② ⓑ   ③ ⓒ   ④ ⓓ   ⑤ ⓔ

서술형

06 새의 "winglet"이 새의 비행에 미치는 영향을 우리말로 쓰시오.

→ _____

_____

단원평가 1회

01 다음 빈칸에 공통으로 들어갈 말로 가장 적절한 것은?

> • After taking some _____, I felt better.
> • The company has developed a new _____ for diabetes.

① scale
② medicine
③ shot
④ winglet
⑤ termite

02 다음 중 단어의 영영풀이가 <u>어색한</u> 것은?

① lowly: low in status or importance
② standard: regularly and widely used, seen, or accepted
③ perfect: to make something free from faults or defects
④ tip: the end of something that is usually long and thin
⑤ measurable: too small or unimportant to be worth consideration

03 다음 밑줄 친 접두어의 의미가 나머지와 <u>다른</u> 것은?

① <u>in</u>corporation
② <u>im</u>perfect
③ <u>in</u>credible
④ <u>im</u>measurable
⑤ <u>in</u>efficient

04 다음 중 짝지어진 대화가 <u>어색한</u> 것은?

① A Could you explain how that helps?
   B Well, the cream forms a layer between the brush and your hair. It reduces static electricity.
② A What's NFC technology?
   B NFC stands for "near field communication."
③ A Chances are, we will be able to travel to Mars someday.
   B Really? That sounds exciting.
④ A It's likely that we won't have to make long trips to meet our friends in the future.
   B That will be really inconvenient.
⑤ A Maybe someday, I'll be able to design medical nanorobots.
   B That's a great goal in life. I wish I had a dream like you.

05 다음 대화의 빈칸에 들어갈 말로 가장 적절한 것은?

> A NFC allows two devices to exchange information just by being close to each other.
> B That's pretty convenient. You mean payments can be made by touching your phone to the reader over here?
> A Right. NFC technology can be found on a smart watch, too. _____ you'll be able to find it in more and more things in the future.
> B That's amazing.

① It's likely that
② It's not realistic
③ It will be difficult
④ It will be impossible
⑤ It should be confusing that

06 다음 중 밑줄 친 부분이 어법상 틀린 것은?

① I haven't seen him studying so hard before.

② Look at the clock indicating 5 o'clock.

③ I appreciate your come to the party.

④ She could not open the door locked from inside.

⑤ I cannot tolerate her singing loudly at night anymore.

07 다음 두 문장의 의미가 같도록 빈칸에 알맞은 말을 쓰시오.

My dad was worried that I was sick.
= My dad was worried about _____
_____ sick.

[08~09] 다음 글을 읽고, 물음에 답하시오.

Do you remember your mom ⓐtake you to a doctor's office? The doctor decided to give you some medicine. She rolled up your sleeves, and gave you a shot in the upper arm. Ouch! That hurt, didn't it? What if a shot given in the arm didn't hurt? Well, maybe in the future, it won't. Some scientists have been studying how the lowly mosquito is able to bite us ⓑ우리도 모르게. When they figure out the secrets, the doctor's shot might become a painless procedure. This is what "biomimetics" is about.

08 윗글의 밑줄 친 ⓐtake를 알맞은 형태로 고쳐 쓰시오.

→ _____

09 윗글의 밑줄 친 우리말 ⓑ를 전치사 without을 이용하여 영작하시오.

→ _____

[10~11] 다음 글을 읽고, 물음에 답하시오.

People who study biomimetics look to solve human problems by copying how _____ does it. It might sound complicated, but it is much easier once you understand. Let's look at some examples of biomimetics we see today or will see in the near future.

10 윗글의 빈칸에 들어갈 말로 가장 적절한 것은?

① other people

② nature

③ insects

④ biotechnology

⑤ marine life

11 윗글에 이어질 내용으로 가장 적절한 것은?

① 생체 모방 기술의 정의

② 생체 모방 기술의 사례

③ 생체 모방 기술의 장·단점

④ 생체 모방 기술을 연구하는 사람들

⑤ 생체 모방 기술을 통한 문제 해결 방법

[12~13] 다음 글을 읽고, 물음에 답하시오.

When we observe nature, we can be (A) amazing / amazed by its beauty and its grand scale. ⓐ We should remember that nature has had millions of years to experiment. ⓑ Now, as we observe nature on all levels big and small, we have the technology and the means to copy what nature has (B) perfect / perfected. ⓒ Because there is still so much we do not know about nature, there is still much left to discover. ⓓ Earth has never failed to follow the laws of natural selection. ⓔ Maybe one day you will be (C) inspiring / inspired by nature to invent a product that will change the world.

12 윗글의 ⓐ~ⓔ 중, 글의 전체 흐름과 관계 <u>없는</u> 것은?

① ⓐ ② ⓑ ③ ⓒ
④ ⓓ ⑤ ⓔ

13 윗글의 (A), (B), (C)의 각 네모 안에서 어법에 맞는 표현으로 가장 적절한 것은?

(A)	(B)	(C)
① amazing	… perfect	… inspired
② amazing	… perfected	… inspiring
③ amazed	… perfect	… inspiring
④ amazed	… perfected	… inspiring
⑤ amazed	… perfected	… inspired

[14~15] 다음 글을 읽고, 물음에 답하시오.

There is another amazing fact about termite mounds: even though the temperature outside can vary from 40 degrees Celsius during the day to 1 degree Celsius at night, it is always about 30 degrees Celsius inside.

(A) Inspired by termite mounds, Mick Pearce, an African architect, constructed a building in Zimbabwe and another in Australia using the same passive cooling techniques.

(B) Termite mounds are built in a way that hot air rises out and cool air comes in through the bottom.

(C) These buildings were 10% cheaper to build because less money was spent on air moving equipment, and this design _____ cooling energy costs by 35%. Now that's a cool idea!

14 윗글의 주어진 글에 이어질 글의 순서로 가장 적절한 것은?

① (A) — (B) — (C)
② (B) — (A) — (C)
③ (B) — (C) — (A)
④ (C) — (A) — (B)
⑤ (C) — (B) — (A)

15 윗글의 빈칸에 들어갈 말로 가장 적절한 것은?

① increased ② reduced
③ doubled ④ created
⑤ affected

[16~18] 다음 글을 읽고, 물음에 답하시오.

Sea urchins may be eaten in some parts of the world, but they can also damage parts of the sea environment with their bony mouths. A sea urchin mouth looks a lot like a five-fingered claw you might see while trying to pick up prizes at the arcade. This design is surprisingly ⓐ efficient at grabbing and grinding. The ⓑ efficient of this natural design is now being tested for incorporation into missions in space. When small robots are sent to another planet to collect soil samples, the standard method is to use something inefficient like a small shovel. By copying the design of a sea urchin mouth, scientists believe it will be easier to collect samples. _____ⓒ_____, a design developed naturally in the deep sea may soon be seen in deep space.

16 윗글의 밑줄 친 ⓐ와 ⓑ의 efficient의 알맞은 형태로 바르게 짝지어진 것은?

	ⓐ		ⓑ
①	efficiency	⋯	efficient
②	efficiency	⋯	efficiently
③	efficient	⋯	efficiently
④	efficient	⋯	efficiency
⑤	efficiently	⋯	efficiency

17 윗글의 빈칸 ⓒ에 들어갈 말로 가장 적절한 것은?
① On the contrary
② Regretfully
③ Amazingly
④ For example
⑤ On the other hand

18 윗글의 내용과 일치하지 <u>않는</u> 것은?
① 성게 입은 다섯 손가락 달린 갈고리 발톱과 유사하다.
② 성게 입은 가시가 많아서 바다 환경에 이롭다.
③ 성게 입의 디자인은 토양 샘플 채취에 효율적이다.
④ 성게 입은 움켜잡는 일과 분쇄하는 일에 효율적이다.
⑤ 성게 입의 디자인은 앞으로 우주 탐사에 쓰일 수 있다.

[19~20] 다음 글을 읽고, 물음에 답하시오.

If you look at an airplane's wings, you can sometimes see that ⓐ the tips are turned upwards. ⓑ These are called ⓒ "winglets" and they may look neat, but ⓓ they have measurable benefits. When engineers studied birds, they observed that birds' wings have tips that turn up in flight. They found that the tips smooth the flow of air, which helps ⓔ them conserve energy when flying.

19 윗글의 밑줄 친 ⓐ~ⓔ 중, 가리키는 것이 다른 하나는?
① ⓐ ② ⓑ ③ ⓒ
④ ⓓ ⑤ ⓔ

20 윗글에 나타난 윙렛의 이점에 대한 내용으로 알맞은 것은?
① 제작하기 쉽다.
② 비행 에너지를 절약한다.
③ 새 연구에 도움이 된다.
④ 공기 정화 기능이 있다.
⑤ 디자인이 심미적으로 우수하다.

단원평가 2회

01 다음 중 단어의 영영풀이가 <u>어색한</u> 것은?

① neat: tidy and good-looking

② beneficial: advantageous and helpful

③ scale: to cause someone to be afraid

④ grind: to crush or break into very small pieces

⑤ upwards: towards a higher place, point, or level

02 다음 중 품사가 나머지 넷과 <u>다른</u> 하나는?

① efficiency   ② means

③ medicine   ④ bony

⑤ procedure

03 다음 중 짝지어진 대화가 <u>어색한</u> 것은?

① A What is nanotechnology?

   B It's the study and application of extremely small things.

② A Medical nanotechnology will be used a whole lot more than just with bandages.

   B Yeah. It's possible that nanorobots will be able to perform surgery in the future.

③ A Could you explain how applying hand cream to your hair helps with static electricity?

   B The cream forms a layer between the brush and your hair, which reduces static electricity.

④ A Do you think 3D printers will become popular?

   B No way. It's likely that 3D printers will be everywhere.

⑤ A Could you explain what this is for?

   B Oh, it's a device to freeze ice.

04 다음 대화의 밑줄 친 부분과 바꾸어 쓸 수 있는 것은?

A Dr. Smith, please tell our audience about what you do.

B I'm interested in the use of wild plants for medical purposes.

A <u>Could you explain</u> how you got interested in this field?

B Sure. One day, I smelled some leaves, and my headache disappeared instantly. So my team is now working on commercializing that plant as a headache remedy.

① Are you sure

② Could you ask

③ Have you thought about

④ What do you think of

⑤ Could you give an explanation of

05 다음 대화의 빈칸에 들어갈 말로 적절하지 <u>않은</u> 것은?

A _____ we can develop new things out of things that already exists.

B Probably. I'm sure the principles of nature can be applied to many other fields of science.

A Yes. That's why I want to study biomimetics in college.

① Maybe

② It's likely that

③ The chances are that

④ It will become a reality that

⑤ It will not be possible that

06 다음 중 짝지어진 두 문장의 의미가 서로 다른 것은?

① It is possible for me to finish the book today.

= It is possible that I can finish the book today.

② I'm sure that you'll finish it in time.

= I'm sure of your finishing it in time.

③ My mom was proud of my winning the race.

= My mom was proud that I won the race.

④ I visited the castle built 300 years ago.

= I visited the castle which was built 300 years ago.

⑤ Many people were annoyed by the children running in the restaurant.

= The restaurant run by the children annoyed many people.

07 다음 두 문장의 의미가 같도록 빈칸에 알맞은 말을 쓰시오.

The novels which were written in English were translated into Korean.

= The novels _____ in English were translated into Korean.

08 다음 중 어법상 틀린 문장은?

① The boy playing the piano is Ben.

② Are you okay with his smoking at home?

③ There were cookies baked in various shapes.

④ I picked up the book throwing on the floor.

⑤ He did not agree with his son studying abroad.

[09 ~ 11] 다음 글을 읽고, 물음에 답하시오.

Termites are simple creatures, but when they work together, they can build incredible natural structures. Some termite mounds can reach 7 meters in height. They even go 3 meters underground. There is another ⓐ amazing fact about termite mounds: _____ the temperature outside can vary from 40 degrees Celsius during the day to 1 degree Celsius at night, it is always about 30 degrees Celsius inside. Termite mounds are ⓑ built in a way that hot air rises out and cool air comes in through the bottom. ⓒ Inspired by termite mounds, Mick Pearce, an African architect, constructed a building in Zimbabwe and another in Australia using the ⓓ same passive cooling techniques. These buildings were 10% ⓔ more expensive to build because less money was spent on air moving equipment, and this design reduced cooling energy costs by 35%. Now that's a cool idea!

09 윗글의 제목으로 가장 적절한 것은?

① A Natural Air Conditioning System

② How Temperature Varies Day and Night

③ Smart Ways to Protect Simple Creatures

④ Secrets to Surviving in a Tough Environment

⑤ Lessons from the Cooperation of Termites

10 윗글의 빈칸에 들어갈 말로 가장 적절한 것은?

① because of   ② considering that

③ compared to   ④ even though

⑤ just as

11 윗글의 밑줄 친 ⓐ~ⓔ 중, 문맥상 낱말의 쓰임이 적절하지 <u>않은</u> 것은?

① ⓐ   ② ⓑ   ③ ⓒ

④ ⓓ   ⑤ ⓔ

[12~13] 다음 글을 읽고, 물음에 답하시오.

Do you remember your mom ⓐ<u>take</u> you to a doctor's office? The doctor decided ⓑ<u>give</u> you some medicine. She rolled up your sleeves, and ⓒ<u>give</u> you a shot in the upper arm. Ouch! That hurt, didn't it? What if a shot ⓓ<u>give</u> in the arm didn't hurt? Well, maybe in the future, it won't. Some scientists ⓔ<u>study</u> how the lowly mosquito is able to bite us without us knowing. When they figure out <u>the secrets</u>, the doctor's shot might become a painless procedure. This is what "biomimetics" is about.

12 윗글의 밑줄 친 ⓐ~ⓔ의 형태를 알맞게 바꾸지 <u>않은</u> 것은?

① ⓐ − taking

② ⓑ − to give

③ ⓒ − gave

④ ⓓ − giving

⑤ ⓔ − have been studying

13 윗글의 밑줄 친 the secrets가 의미하는 바를 우리말로 쓰시오.

→ _____

_____

[14~16] 다음 글을 읽고, 물음에 답하시오.

If you look at an airplane's wings, you can sometimes see that the tips are turned upwards. (ⓐ) These are called "winglets" and they may look neat, but they have _____. (ⓑ) They found that the tips smooth the flow of air, which helps them conserve energy when flying. (ⓒ) The engineers thought that if it worked for birds, why not for airplanes? (ⓓ) The end result is that the airplane winglets help keep planes smaller, saving about 10% in fuel costs. (ⓔ) This is beneficial not just for the environment but for passengers' wallets, too

14 윗글의 ⓐ~ⓔ 중, 주어진 문장이 들어가기에 가장 적절한 곳은?

When engineers studied birds, they observed that birds' wings have tips that turn up in flight.

① ⓐ   ② ⓑ   ③ ⓒ

④ ⓓ   ⑤ ⓔ

15 윗글의 빈칸에 들어갈 말로 가장 적절한 것은?

① smart interests

② significant costs

③ attractive figures

④ incredible winglets

⑤ measurable benefits

16 윗글의 윙렛에 대한 설명과 일치하지 <u>않는</u> 것은?

① 위쪽을 향해 있는 비행기 날개의 끝 부분을 뜻한다.
② 새들의 날개 끝 부분이 공기의 흐름을 순조롭게 한다는 사실에 착안하여 만들어졌다.
③ 비행기를 작게 유지하는데 도움이 된다.
④ 연료 비용을 절감하는 반면 환경에 부담을 준다.
⑤ 승객들의 경제적 부담을 덜어준다.

[17~18] 다음 글을 읽고, 물음에 답하시오.

Sea urchins may be eaten in some parts of the world, but they can also damage parts of the sea environment with their bony mouths. A sea urchin mouth looks a lot like a five-fingered claw you might see while trying to pick up prizes at the arcade. This design is surprisingly efficient at grabbing and grinding. The efficiency of this natural design is now being tested for incorporation into missions in space. When small robots are sent to another planet to collect soil samples, the standard method is to use something inefficient like a small shovel. By copying the design of a sea urchin mouth, scientists believe it will be easier to collect samples. Amazingly, a design (the / developed / in / naturally / sea / deep) may soon be seen in deep space.

서술형

17 윗글의 괄호 안의 단어들을 바르게 배열하시오.

→ _____

18 윗글을 읽고 대답할 수 <u>없는</u> 질문은?

① What does a sea urchin look like?
② Which actions are sea urchin mouths efficient at?
③ Where can you find sea urchin prizes?
④ What do robots sent to other planets do?
⑤ What is the standard method of collecting soil samples?

[19~20] 다음 글을 읽고, 물음에 답하시오.

When we observe nature, we can ⓐ be amazed by its beauty and its grand scale. We should remember that nature ⓑ has had millions of years to experiment. Now, ⓒ as we observe nature on all levels big and small, we have the technology and the means to copy ⓓ that nature has perfected. Because there is still so much we do not know about nature, there is still much left ⓔ to discover. Maybe one day you will be inspired by nature to invent a product that will change the world.

19 윗글의 밑줄 친 ⓐ~ⓔ 중, 어법상 <u>틀린</u> 것은?

① ⓐ   ② ⓑ   ③ ⓒ
④ ⓓ   ⑤ ⓔ

20 윗글의 내용과 일치하지 <u>않는</u> 것은?

① 자연의 규모는 거대하다.
② 자연은 수백만 년의 실험을 거쳤다.
③ 우리는 현재 자연이 완성해 온 것들을 모방할 기술과 수단을 가지고 있다.
④ 자연의 대부분은 이미 연구가 끝난 상태이다.
⑤ 자연에서 영감을 얻어 세계를 변화시킬 제품을 미래에 발명할 수 있을 것이다.

핵심 콕콕

Communicative Functions

1 설명 요청하기: Could you explain...?

> **Could you explain...?**은 '~을 설명해 주실래요?'라는 뜻으로 상대방에게 설명을 요청할 때 쓰는 표현으로 explain 다음에 명사, 대명사 외에도 「의문사+주어+동사」가 올 수 있다.
>
> **Could you explain** the plot of the movie?
>
> > 유사표현 ▶ Would you explain...? / What is...? / What do you mean by...? /
> > Would(Could) you give me an explanation of...?

2 가능성 정도 표현하기: It's likely that... .

> **It's likely that... .**은 '~ 일 것 같다.'라는 뜻으로 가능성의 정도를 나타내며, 접속사 that 뒤에 「주어+동사」가 오거나 that절 대신 to부정사구가 올 수 있다.
>
> **It's likely that** the car will break down.
>
> > 유사표현 ▶ It's possible that... . / Maybe it(they) will... . / The chances are that... .

Language Structures

3 동명사의 의미상의 주어

> 한 문장에서 문장 전체 주어와 동명사구(동사원형+-ing)의 주체가 다를 경우 동명사의 주체를 동명사 앞에 소유격이나 목적격으로 나타내며, 이를 동명사의 의미상의 주어라고 부른다.
>
> • He didn't mind **me** turning off the air conditioner.
>   (그는 내가 에어컨을 끄는 것을 신경쓰지 않았다.)

4 명사를 뒤에서 수식하는 분사(구)

> 현재분사(-ing)나 과거분사(p.p.)는 준동사로 형용사처럼 쓰이면서도 목적어나 전치사구를 수반하는 동사적 특성을 지닌다. 명사를 수식할 때 분사 뒤에 전치사구, 목적어 등이 동반되어 길어지면 명사 뒤에서 수식한다.
>
> • The girl **swimming** in the pool is my sister. 〈현재분사: 능동/진행〉
>   (수영장에서 수영하고 있는 소녀는 내 여동생이다.)
> • The novels **written** in English were translated into Korean. 〈과거분사: 수동/완료〉
>   (영어로 쓰여진 그 소설들은 한국어로 번역되었다.)

08

Appreciate

Topic 예술과 감상 / 다른 예술 분야 간 상호 작용

Communicative Functions

- 기쁨 표현하기

  I'm delighted to hear that you liked it.
  네가 그것이 마음에 들었다니 기뻐.

- 정의하기

  This means he borrowed artistic styles from prehistoric peoples.
  이것은 그가 선사시대 사람들의 예술 양식을 차용했다는 뜻이다.

Language Structures

- 반복 어휘(구) 생략

  Yellow is linked with the sound of the trumpet and blue **(is linked)** with that of the cello.
  노란색은 트럼펫의 소리와 연관되어 있으며, 파란색은 첼로의 소리와 연관되어 있다.

- 조동사+have+p.p.

  Kandinsky **might have intended** to turn a series of musical notes into visual forms.
  칸딘스키는 일련의 음표들을 시각적 형태로 바꾸고자 했을지도 모른다.

Words & Expressions

✦ 다음을 읽고 자신이 기억해야 할 것에 ☑ 표시 하시오.

Words

☐ **field** [fi:ld] ⑲ 분야

☐ **visual** [víʒuəl] ⑲ 시각의

☐ **representation** [rèprizentéiʃən] ⑲ 묘사, 표현

☐ **furthermore** [fə́:rðərmɔ̀:r] ⑭ 더욱이

☐ **line** [lain] ⑲ (글의) 행

☐ **auditory** [ɔ́:ditɔ̀:ri] ⑲ 청각의

☐ **interaction** [ìntərǽkʃən] ⑲ 상호 작용

☐ **interpret** [intə́:rprit] ⑧ 해석하다

☐ **emotional** [imóuʃənl] ⑲ 감정의

☐ **influence** [ínfluəns] ⑲ 영향

☐ **canvas** [kǽnvəs] ⑲ 캔버스

☐ **artwork** [á:rtwə̀:rk] ⑲ 예술품

☐ **reflect** [riflékt] ⑧ 반영하다, 나타내다

☐ **stroke** [strouk] ⑧ 선(획)을 긋다 ⑲ (그림의) 획

☐ **note** [nout] ⑲ 음, 음표

☐ **aggressive** [əgrésiv] ⑲ 공격적인

    (↔ defensive 방어적인)

☐ **capture** [kǽptʃər] ⑧ 포착하다, 담아내다

☐ **memorial** [məmɔ́:riəl] ⑲ 추도의, 기념하기 위한

☐ **suite** [swi:t] ⑲ 모음곡

☐ **movement** [mú:vmənt] (큰 음악 작품의) 한 부분, 악장

☐ **translate** [trænsléit] ⑧ 번역하다, 옮기다

☐ **play** [plei] ⑲ 희곡

☐ **fantasy** [fǽntəsi] ⑲ 공상, 상상

☐ **imaginary** [imǽdʒənèri] ⑲ 상상의

☐ **dreamy** [drí:mi] ⑲ 꿈을 꾸는

☐ **figure** [fígjər] ⑲ 모습, 인물

☐ **recreate** [rèkriéit] ⑧ 재현하다, 되살리다

☐ **dreamlike** [drí:mlaik] ⑲ 꿈같은

☐ **atmosphere** [ǽtməsfìər] ⑲ 분위기

☐ **artistic** [a:rtístik] ⑲ 예술의

☐ **intake** [ínteik] ⑲ 빨아들임, 흡입

☐ **stimulate** [stímjulèit] ⑧ 자극하다

☐ **unexpected** [ʌ̀nikspéktid] ⑲ 예기치 않은, 뜻밖의

    (= sudden)

☐ **accordingly** [əkɔ́:rdiŋli] ⑭ 그에 알맞게, 부응해서

Expressions

☐ **give life to** ~에 생기를 주다

☐ **play a ~ role in** …에서 ~한 역할을 하다

☐ **be successful in** ~에서 성공하다

☐ **be influenced by** ~에 영향을 받다

☐ **be linked with** ~와 연계가 있다

☐ **be associated with** ~와 관련되어 있다

☐ **each time** ~할 때마다

☐ **a series of** 일련의

☐ **anyone who** ~하는 사람은 누구나

☐ **breathe in** 숨을 들이쉬다

☐ **in one way or another** 어떻게든

01 다음 영어는 우리말로, 우리말은 영어로 쓰시오.

(1) intake　　_____　　(7) 묘사, 표현　　_____

(2) reflect　　_____　　(8) 상호 작용　　_____

(3) recreate　　_____　　(9) 공격적인　　_____

(4) stimulate　　_____　　(10) 상상의　　_____

(5) interpret　　_____　　(11) 모음곡　　_____

(6) accordingly　　_____　　(12) 포착하다　　_____

02 다음 괄호 안에서 문맥상 알맞은 것을 고르시오.

(1) The news was so (expected / unexpected) that everyone was speechless.

(2) Loss of (visual / auditory) stimulation means a loss of hearing experience.

(3) Television and radio have an (affluence / influence) on the attitudes and preferences of adolescents.

(4) Marsha's dog looks (aggressive / progressive) but he's trained not to bite.

· speechless
　말을 못하는
· visual 시각의
· affluence 풍부
· adolescent
　청소년
· progressive
　진보적인

03 다음 빈칸에 들어갈 말로 가장 적절한 것을 고르시오.

(1) The artist grew mentally and his art increased _____, in depth.

　① ironically　　② accordingly　　③ expensively

　④ contrastively　　⑤ limitedly

(2) The novel has been _____ into eight languages.

　① translated　　② transformed　　③ transmitted

　④ transported　　⑤ transferred

· ironically
　반어적으로
· contrastively
　대조적으로
· transform
　변형시키다
· transmit 전송하다
· transfer 옮기다

04 다음 우리말과 같도록 빈칸에 알맞은 말을 쓰시오.

(1) We can play an important _____ in improving energy efficiency in our homes.

　(우리는 가정에서 에너지 효율을 높이는 데 중요한 역할을 할 수 있다.)

(2) A number of diseases are _____ with poor nutrition.

　(수많은 질병이 영양 부족과 관련되어 있다.)

· efficiency 효율(성)
· disease 질병
· nutrition 영양

Communicative
Functions

① 기쁨 표현하기: I'm delighted to... .

> **A** I really loved the song you wrote for me.
>
> **B** Great! **I'm delighted to** hear you liked it.

I'm delighted to... .는 '나는 ~해서 기쁘다.'라는 뜻으로 기쁨을 나타낼 때 쓰는 표현이다. to 뒤에는 동사원형이 와서 to부정사구를 이루며 '~해서'라는 원인의 의미로 해석된다.

> **유사표현** I'm glad(happy / pleased) to... . / It's nice that... . / It's a pleasure to... .

- **I'm glad to** assist you.
  (내가 너를 도울 수 있어서 기뻐.)

- **It's nice that** I can finally meet the author of the book.
  (내가 드디어 그 책의 저자를 만날 수 있다니 좋아.)

- **It's a pleasure to** see that so many museums have free admission.
  (많은 박물관에 무료입장이 있다니 기뻐.)

② 정의하기: This(It) means... .

> **A** What does the yellow flower in the picture mean?
>
> **B** **It means that** there is a bright future for all of us.

This(It) means... .는 '이것(그것)은 ~을 의미한다.'라는 뜻으로 앞서 언급된 것의 의미를 해석하거나 추가로 설명할 때 쓰는 표현이다. 목적어 자리에 that절이 주로 오지만 동명사구나 to부정사구 등 다양한 명사구가 올 수도 있다.

> **유사표현** The meaning of this is... . / What this means is... .

- **The meaning of this traffic sign is** to go around.
  (이 교통 표지판은 우회하라는 뜻이야.)

- **What** your signature **means** here **is** that you agree to the terms and conditions.
  (여기서 너의 서명이 의미하는 것은 네가 약관에 동의한다는 거야.)

- **A** What does this pair of marks mean? (이 한 쌍의 부호들은 무슨 뜻이니?)
  B **They mean** the beginning and the end of a quotation.
  (그것은 인용구의 시작과 끝을 의미해.)

01 다음 우리말과 같도록 대화의 빈칸에 알맞은 말을 쓰시오.

> **A** The concert was great. Thank you for inviting me.
>
> **B** I am _____ to hear that you enjoyed it.
>
> (네가 콘서트를 즐겼다니 나는 기뻐.)

02 다음 우리말과 같도록 빈칸에 알맞은 말을 쓰시오.

(1) It was _____ _____ we all sang together.

(우리가 함께 노래한 것이 멋졌다.)

(2) _____ _____ that we only have three days before leaving.

(이것은 우리가 떠나기 전 3일 밖에 시간이 없다는 것을 뜻한다.)

03 다음 주어진 말에 알맞은 응답을 〈보기〉에서 골라 쓰시오.

> ─〈보기〉─
> ⓐ Thanks. I'm glad that you like it. Take the rest home if you want.
> ⓑ It is cool to see amazing pictures.
> ⓒ It is such a great song that I cannot resist singing along.
> ⓓ It means a person's moral obligation to use their position or wealth to help others.

(1) This cake is so delicious! You are an amazing patissier. _____

(2) What does 'noblesse oblige' mean? _____

· resist 저항하다
· moral 도덕적인
· obligation 의무
· patissier 제빵사

서술형

04 다음 대화의 괄호 안의 단어들을 바르게 배열하시오.

> **A** Hi, Bora! Did you get the e-book I sent you this morning?
>
> **B** Yeah! I cannot stop reading it.
>
> **A** It's (to hear / a pleasure / you / the e-book / interesting / find).
> The story is really captivating, right?
>
> **B** Yeah. And I particularly love the fact that it is based on real history.

· e-book 전자책
· captivating 매혹적인
· particularly 특히

Language Structures

1 반복 어휘(구) 생략

1. 이어지는 두 구절에서 동일한 구조로 인해 같은 어휘(구)가 반복될 경우, 반복되는 표현을 생략할 수 있다. 이때 이어지는 구절은 동일한 구조를 가져야 한다.

- I **was talking** with Tom and my sister **(was talking)** with Robert.
  (나는 Tom과 이야기하고 있었고 내 여동생은 Robert와 이야기하고 있었다.)

- I was disappointed in him not **because of** his mistake but **(because of)** his lie.
  (나는 그의 실수 때문이 아니라 그의 거짓말 때문에 그에게 실망했다.)

2. 다양한 품사와 어구가 반복될 때 생략할 수 있다.

1) 「주어+동사」 생략	**He is** not from Austria but **(he is)** from Australia.
2) 형용사 생략	Have a **wonderful** Christmas and **(wonderful)** year.
3) 명사구 생략	I am going to stay for one **more week** or two **(more weeks)**.

---

2 조동사 + have + p.p.

1. 조동사 뒤에는 반드시 동사원형이 와야 하므로 과거형 동사를 쓸 수 없다. 따라서 조동사의 완료 시제는 다음과 같이 표현한다.

단순시제: 조동사+동사원형	완료시제: 조동사+have+p.p.
I **should work** harder. (나는 더 열심히 일해야 한다.)	You **should have seen** it. (네가 그걸 봤어야 했다.)

2. 「조동사+have+p.p.」는 과거의 일에 관한 추측이나 의무를 나타낸다.

must+have+p.p.: ~했음이 틀림없다(강한 확신)	You **must have been** very busy. (너는 매우 바빴음이 틀림없다.)
may(might)+have+p.p.: ~했을지도 모른다(추측)	You **might have heard** of the story. (네가 그 이야기를 들어봤을 지도 모른다.)
could+have+p.p.: ~했을 수도 있다(가능성/불확실한 추측)	I **could have passed** the exam. (나는 시험에 통과했을 수도 있다.)
should+have+p.p.: ~했어야 했다(후회/유감)	I **should have checked** the battery. (나는 배터리를 확인했어야 했다.)
cannot+have+p.p.: ~했을 리가 없다(강한 의심)	She **cannot have said** such a thing. (그녀가 그런 말을 했을 리가 없다.)

01 다음 문장에서 생략 가능한 말을 찾아 괄호를 치시오.

(1) I like pasta with tomato sauce but I like risotto with cream sauce.

(2) My favorite flavor is vanilla but my mother's favorite flavor is chocolate.

(3) I enjoy playing classical music as well as playing rock music.

(4) The owner of the restaurant has a lot of money and he has a good reputation.

· risotto 리소토
· flavor 맛
· reputation 평판, 명성

02 다음 괄호 안에서 알맞은 것을 고르시오.

(1) **A** Can I borrow two dollars to take the bus home?

　B Not again! You (should not have / must not have) spent all your money.

(2) **A** It (must have / cannot have) been true if he said so.

　B I know. He never lies.

· borrow 빌리다
· lie 거짓말하다

03 다음 괄호 안의 단어들을 바르게 배열하시오.

(1) I lived in New York for three years and (Paris / in / years / for / five).

　→ _____

(2) We have the first meeting on Tuesday, and (second / the / Thursday / on).

　→ _____

(3) Ask him if he's hungry. He (might / have / yet / not / eaten).

　→ _____

(4) I saw Mr. Brown running down the street. He (have / must / busy / very / been).

　→ _____

서술형

04 다음 대화의 밑줄 친 부분과 같은 의미가 되도록 빈칸에 알맞은 말을 쓰시오.

(1)
> **A** Can you tell me where the bread and milk are?
> **B** Sure. Go to the end of that aisle. Turn right for bread and <u>left for milk</u>.

= _____ _____ _____ _____

(2)
> **A** That red shirt looks good on you. Good choice!
> **B** Does it? Actually, <u>I regret that I didn't get the pink one.</u>

= I _____ _____ gotten the pink one.

· aisle 통로
· regret 후회하다

Reading

✦ 본문을 읽고 알맞은 구문과 표현으로 빈칸을 채우고, 괄호 안에서 알맞은 것을 고르시오.

Where Sound, Color and Letters Meet

A piece of work in one field can inspire artists in another field to create something new. Music can inspire a painter to create a visual representation of something he or she has heard. ❶_____, a painting can inspire a musician to create music in which you can almost see different colors and shapes. Furthermore, lines from a novel or a poem can inspire painters or musicians to create visual or auditory art that gives life to a story. These ❷_____ between artists can have unexpected results, ❸(producing / produced) works of art that have strong visual, auditory or emotional influences on people.

❶ 마찬가지로

❷ 상호 작용

❸ 분사구문

Music Drawn on the Canvas

Music has played ❹_____ _____ _____ in the creation of some artwork. The influence of music on the visual arts can be best seen with the expressionist painter Wassily Kandinsky. Kandinsky studied law and economics and was successful in his law career. However, in his early 30's, he had an unusual visual experience while looking at Monet's *Haystacks*. He also ❺_____ _____ _____ the melody of Wagner's *Lohengrin*. "I saw all my colors before my eyes," he said. He felt as if wild and powerful lines appeared in front of him. As a result, he ❻_____ _____ his law career to study painting. For Kandinsky, music and color were closely tied together. In his paintings, for example, yellow ❼_____ _____ _____ the sound of the trumpet and blue with ❽(that / those) of the cello. In addition, certain shapes in his paintings were associated with particular feelings. The triangle represents ❾_____ feelings and the square calm moods. Each time he stroked the canvas with his brush, he might have intended to turn ❿_____ _____ _____ musical notes into visual forms.

❹ 중요한 역할을 했다

❺ ~에 영향을 받았다

❻ 포기했다

❼ ~과 연계되어 있다
❽ 알맞은 지시대명사

❾ 공격적인

❿ 일련의

Melodies Reflecting Colors and Shapes

Musicians have also found inspiration from painters and their works of art. Modest Mussorgsky was a composer who is famous ⓫(of / for) his descriptions

⓫ 알맞은 전치사

정답 ❶ Likewise ❷ interactions ❸ producing ❹ a key role ❺ was influenced by ❻ gave up
❼ is linked with ❽ that ❾ aggressive ❿ a series of ⓫ for

of colors in his music. One of his most frequently performed piano works, *Pictures at an Exhibition*, ⑫(was / were) composed in his efforts to capture what he felt about the paintings of an artist friend named Viktor Hartmann, who died at the early age of 39. After visiting a memorial exhibition of Hartmann's works, Mussorgsky composed a piano suite in 10 movements to describe each of Hartmann's paintings ⑬ _____ at the exhibition. Anyone who listens to the movements can associate the melodies with what they see in Hartmann's paintings. While Mussorgsky was writing the melodies, he ⑭ _____ _____ wanted to translate the stories in the paintings into his musical language.

⑫ 알맞은 be동사

⑬ display의 알맞은 형태

⑭ ~했음이 틀림없다

Words Living in Melodies and Images

A novel or a play often inspires musicians and painters. For example, Felix Mendelssohn was inspired after reading Shakespeare's play, *A Midsummer Night's Dream*, at the age of 17 and ⑮ _____ _____ compose a piece of music to capture the magic and fantasy in Shakespeare's imaginary world. It became part of his famous work, *A Midsummer Night's Dream. The Wedding March* is one of the best known pieces from the suite. Marc Chagall, ⑯ _____ _____ his use of dreamy colors, was also moved by the play and drew a painting with the same title, *Midsummer Night's Dream.* The figures in the painting ⑰ _____ the dreamlike atmosphere of the play. ⑱ _____ Chagall and Mendelssohn lived in different times, they both translated Shakespeare's words and sentences into their own artistic languages.

⑮ ~하기 시작했다

⑯ ~로 알려진

⑰ 재현하다

⑱ 비록 ~이긴 하지만 (= Though, Even though)

The English word "inspire" originally meant "to ⑲ _____ _____." Air breathed in has to be breathed out ⑳ _____ _____ _____ _____ _____. Kandinsky, Mussorgsky, Mendelssohn, and Chagall were great breathers because they turned their intakes into artwork that stimulates us in novel ways. Maybe, they knew we would interpret their works accordingly, noticing the melodies, colors, shapes, and the words influencing each other.

⑲ 숨을 들이쉬다

⑳ 어떻게든

정답 ⑫ was ⑬ displayed ⑭ must have ⑮ began to ⑯ known for ⑰ recreate ⑱ Although ⑲ breathe in ⑳ in one way or another

[01~02] 다음 글을 읽고, 물음에 답하시오.

note
· inspiration
영감, 자극
· composer 작곡가
· frequently
종종, 빈번하게

Musicians have also found inspiration from painters and their works of art. Modest Mussorgsky was a composer who is famous for ⓐ his descriptions of colors in his music. One of ⓑ his most frequently performed piano works, *Pictures at an Exhibition*, was composed in his efforts to capture what he felt about the paintings of ⓒ an artist friend named Viktor Hartmann, who died at the early age of 39. After visiting a memorial exhibition of Hartmann's works, Mussorgsky composed a piano suite in 10 movements to describe each of Hartmann's paintings displayed at the exhibition. Anyone who listens to the movements can associate the melodies with what they see in Hartmann's paintings. While ⓓ Mussorgsky was writing the melodies, ⓔ he must have wanted to translate the stories in the paintings into his musical language.

01 윗글의 밑줄 친 ⓐ~ⓔ 중, 가리키는 대상이 나머지 넷과 다른 것은?

① ⓐ   ② ⓑ   ③ ⓒ   ④ ⓓ   ⑤ ⓔ

02 Modest Mussorgsky에 관한 내용과 일치하는 것은?

① He was a famous painter.
② He died early at the age of 39.
③ He frequently performed *Pictures at an Exhibition*.
④ He painted 10 pictures describing a piano suite.
⑤ It is difficult to associate his movements with Hartmann's paintings.

03 다음 글에서 Felix Mendelssohn과 Marc Chagall의 공통점을 찾아 빈칸을 완성하시오.

· compose
작곡하다
· Wedding March
결혼 행진곡

A novel or a play often inspires musicians and painters. For example, Felix Mendelssohn was inspired after reading Shakespeare's play, *A Midsummer Night's Dream*, at the age of 17 and began to compose a piece of music to capture the magic and fantasy in Shakespeare's imaginary world. It became part of his famous work, *A Midsummer Night's Dream. The Wedding March* is one of the best known pieces from the suite. Marc Chagall, known for his use of dreamy colors, was also moved by the play and drew a painting with the same title, *Midsummer Night's Dream*. The figures in the painting recreate the dreamlike atmosphere of the play.

→ Both of them _____.

[04~05] 다음 글을 읽고, 물음에 답하시오.

Music has played a key role in the creation of some artwork. The influence of music on the visual arts can be best ⓐ seen with the expressionist painter Wassily Kandinsky. Kandinsky studied law and economics and was successful in his law career. However, in his early 30's, he had an unusual visual experience while ⓑ looking at Monet's *Haystacks*. He also was influenced by the melody of Wagner's *Lohengrin*. "I saw all my colors before my eyes," he said. He felt as if wild and powerful lines appeared in front of him. As a result, he gave up his law career to study painting. For Kandinsky, music and color were closely ⓒ tied together. In his paintings, for example, yellow is linked with the sound of the trumpet and blue with that of the cello. In addition, certain shapes in his paintings were ⓓ associating with particular feelings. The triangle represents aggressive feelings and the square calm moods. Each time he stroked the canvas with his brush, he might have ⓔ intended to turn a series of musical notes into visual forms.

note

· expressionist
  인상주의자
· unusual
  특이한, 드문
· triangle 삼각형
· represent 나타내다
· turn A into B
  A를 B로 바꾸다

04 윗글의 제목으로 알맞은 것은?

① Music Drawn on the Canvas
② Shapes Representing Art and Economics
③ Words Living in Melodies and Images
④ Where Sound, Color and Letters Meet
⑤ Melodies Reflecting Colors and Shapes

05 윗글의 밑줄 친 ⓐ~ⓔ 중, 어법상 틀린 것은?

① ⓐ ② ⓑ ③ ⓒ ④ ⓓ ⑤ ⓔ

서술형

06 다음 글의 밑줄 친 부분의 세 가지 예를 본문에서 찾아 우리말로 쓰시오.

A piece of work in one field can inspire artists in another field to create something new. Music can inspire a painter to create a visual representation of something he or she has heard. Likewise, a painting can inspire a musician to create music in which you can almost see different colors and shapes. Furthermore, lines from a novel or a poem can inspire painters or musicians to create visual or auditory art that gives life to a story. <u>These interactions between artists</u> can have unexpected results, producing works of art that have strong visual, auditory or emotional influences on people.

· likewise 마찬가지로
· poem 시
· result 결과

→ _____

단원평가 1회

01 다음 중 단어의 영영풀이가 <u>어색한</u> 것은?

① imaginary: existing only in the imagination

② intake: an act of taking in something, especially breath

③ atmosphere: an expert in celestial objects, space, and the physical universe as a whole

④ stimulate: to encourage development or increase activity

⑤ stroke: to mark with a pen, pencil, brush, graver, or the like

02 다음 단어의 형용사형이 <u>잘못</u> 짝지어진 것은?

① promise — promiss<u>ary</u>

② custom — custom<u>ary</u>

③ legend — legend<u>ary</u>

④ moment — moment<u>ary</u>

⑤ imagine — imagin<u>ary</u>

03 다음 대화의 밑줄 친 부분과 바꾸어 쓸 수 <u>없는</u> 것은?

> **A** Hi, Ben. What are you listening to?
> **B** The new album by The Black Eyed Peas, an American hip-hop group.
> **A** Really? I really like them. <u>I'm delighted to meet</u> another BEP fan.
> **B** Same here. I'm listening to their latest album a lot nowadays.

① I am glad to meet

② I am happy to meet

③ It is nice that I met

④ It's a pleasure to meet

⑤ It would be nice to meet

04 다음 중 짝지어진 대화가 <u>어색한</u> 것은?

① **A** I'm reading the new comic book you recommended. It's so interesting.
  B I am delighted to hear that you are enjoying it.

② **A** It seems that we'll have to wait for a couple hours.
  B Oh, no! We've got to catch the train!

③ **A** I heard that there was a power failure.
  B Yes. The power came back on after 2 hours. It's nice that everything is back to normal.

④ **A** The flag means that the three tribes are united into one kingdom.
  B That's cool. I never knew that.

⑤ **A** This means that the country has achieved remarkable economic success.
  B That's so mean!

05 다음 대화의 빈칸에 들어갈 말로 가장 적절한 것은?

> **A** Why didn't you apply for the job? You could have got it if you had.
> **B** Right. I _____ for it.

① might have applied

② must have applied

③ should have applied

④ can not have applied

⑤ must not have applied

06 다음 중 밑줄 친 부분을 생략할 수 없는 것은?

① Would you like coffee or would you like tea?

② Anna's graduation is in May and John's graduation is in September.

③ First come, first served.

④ We do not offer any food or any drink.

⑤ To know is one thing, and to teach is another thing.

[07~08] 다음 글을 읽고, 물음에 답하시오.

After visiting a memorial exhibition of Hartmann's works, Mussorgsky ⓐcomposed a piano suite in 10 movements to describe each of Hartmann's paintings ⓑdisplayed at the exhibition. Anyone who ⓒlistens to the movements can associate the melodies with (they / what / paintings / Hartmann's / see / in). While Mussorgsky was ⓓwriting the melodies, he must ⓔwant to translate the stories in the paintings into his musical language.

07 윗글의 밑줄 친 ⓐ~ⓔ 중, 어법상 틀린 것은?

① ⓐ   ② ⓑ   ③ ⓒ

④ ⓓ   ⑤ ⓔ

🖊 서술형

08 윗글의 괄호 안에 주어진 단어들을 바르게 배열하시오.

→ _____

---

09 다음 글의 빈칸에 들어갈 말로 가장 적절한 것은?

A piece of work in one field can inspire artists in another field to create something new. Music can inspire a painter to create a visual representation of something he or she has heard. Likewise, a painting can inspire a musician to create music in which you can almost see different colors and shapes. _____, lines from a novel or a poem can inspire painters or musicians to create visual or auditory art that gives life to a story.

① In contrast   ② For example

③ However   ④ Furthermore

⑤ Therefore

[10~11] 다음 글을 읽고, 물음에 답하시오.

For Kandinsky, music and ____ⓐ____ were closely tied together. ①In his paintings, for example, yellow is linked with the sound of the trumpet and blue with that of the cello. ②In addition, certain ____ⓑ____ in his paintings were associated with particular feelings. ③They allow us to join the artists' world of imagination while walking along the streets. ④The triangle represents aggressive feelings and the square calm moods. ⑤Each time he stroked the canvas with his brush, he might have intended to turn a series of musical notes into visual forms.

10 윗글의 ①~⑤ 중, 글의 전체 흐름과 관계 없는 것은?

①   ②   ③   ④   ⑤

11 윗글의 빈칸 ⓐ, ⓑ에 들어갈 알맞은 말이 바르게 짝지어진 것은?

① color — music
② color — shapes
③ shapes — color
④ shapes — music
⑤ feelings — sounds

14 다음 글의 밑줄 친 부분을 알맞은 형태로 바르게 고쳐 쓰시오.

> The interactions between artists can have unexpected results, producing works of art that have strong vision, audio or emotion influences on people.

→ _____

[12~13] 다음 글을 읽고, 물음에 답하시오.

> The English word "inspire" originally meant "to breathe in." Air breathed in has to be breathed out in one way or another. Kandinsky, Mussorgsky, Mendelssohn, and Chagall were great breathers because they turned their intakes into artwork that stimulates us in ⓐnovel ways. Maybe, they knew we would interpret their works _____ⓑ_____, noticing the melodies, colors, shapes, and the words influencing each other.

[15~16] 다음 글을 읽고, 물음에 답하시오.

> Music has played a key role in the creation of some artwork.
> (A) However, in his early 30's, he had an unusual visual experience while looking at Monet's *Haystacks*. He also was influenced by the melody of Wagner's *Lohengrin*. "I saw all my colors before my eyes," he said.
> (B) The influence of music on the visual arts can be best seen with the expressionist painter Wassily Kandinsky. Kandinsky studied law and economics and was successful in his law career.
> (C) He felt as if wild and powerful lines appeared in front of him. As a result, he gave up his law career to study painting.

12 윗글의 밑줄 친 ⓐ novel과 바꾸어 쓸 수 없는 것은?

① creative   ② innovative
③ new   ④ pioneering
⑤ traditional

15 윗글의 주어진 글 다음에 이어질 글의 순서로 가장 적절한 것은?

① (A) — (B) — (C)
② (B) — (A) — (C)
③ (B) — (C) — (A)
④ (C) — (A) — (B)
⑤ (C) — (B) — (A)

13 윗글의 빈칸 ⓑ에 들어갈 말로 가장 적절한 것은?

① accordingly   ② casually
③ commonly   ④ routinely
⑤ strangely

16 윗글의 Kandinsky에 관한 내용과 일치하지 <u>않는</u> 것은?

① 30대 초반이었을 때 모네의 '건초더미'를 보다가 기이한 시각적 경험을 했다.

② 바그너의 '로엔그린'의 선율에 영향을 받았다.

③ 표현주의 화가로 시각 예술에 끼친 음악의 영향을 가장 잘 보여 준다.

④ 법학과 경제학을 공부했으나 그 분야에서 성공하지 못했다.

⑤ 그는 그림을 공부하기 위해 법조계 경력을 포기했다.

[17~18] 다음 글을 읽고, 물음에 답하시오.

Musicians have also ⓐ<u>found</u> inspiration from painters and their works of art. Modest Mussorgsky was a composer who is famous for (A) his descriptions of music in his colors. One of his most frequently ⓑ<u>performed</u> piano works, *Pictures at an Exhibition*, was composed in his efforts ⓒ<u>to capture</u> what he felt about the paintings of an artist friend ⓓ<u>naming</u> Viktor Hartmann, who ⓔ<u>died</u> at the early age of 39.

▸ 서술형

17 윗글의 밑줄 친 (A)를 문맥에 맞게 바르게 고쳐 쓰시오.

→ _____

18 윗글의 밑줄 친 ⓐ~ⓔ 중, 어법상 <u>틀린</u> 것은?

① ⓐ   ② ⓑ   ③ ⓒ

④ ⓓ   ⑤ ⓔ

[19~20] 다음 글을 읽고, 물음에 답하시오.

A novel or a play often inspires musicians and painters. For example, Felix Mendelssohn was inspired after reading Shakespeare's play, *A Midsummer Night's Dream*, at the age of 17 and began to compose a piece of music to capture the magic and fantasy in Shakespeare's imaginary world. It became part of his famous work, *A Midsummer Night's Dream*. *The Wedding March* is one of the best known pieces from the suite. Marc Chagall, known for his use of dreamy colors, was also moved by the play and drew a painting with the same title, *Midsummer Night's Dream*. The figures in the painting recreate the dreamlike atmosphere of the play. Although Chagall and Mendelssohn lived in different times, they both translated Shakespeare's words and sentences into their own artistic languages.

19 윗글의 제목으로 알맞은 것은?

① Music Drawn on the Canvas

② The Birth Story of Shakespeare's Play

③ Words Living in Melodies and Images

④ Melodies Reflecting Colors and Shapes

⑤ Chagall and Mendelssohn's Life and Art

20 윗글의 내용을 한 문장으로 요약할 때 빈칸 (A)와 (B)에 알맞은 말을 쓰시오.

Shakespeare's ___(A)___, *A Midsummer Night's Dream* inspired Mendelssohn to compose his piano suite and also influenced Chagall to draw a painting with the ___(B)___ title.

(A): _____   (B): _____

단원평가 2회

01 다음 영영풀이에 해당하는 단어로 알맞은 것은?

> to change spoken or written words into another language

① reflect   ② capture
③ recreate   ④ translate
⑤ stimulate

02 다음 중 짝지어진 두 단어의 관계가 나머지와 <u>다른</u> 것은?

① recreate — recreation
② interact — interaction
③ memory — memorial
④ represent — representation
⑤ move — movement

03 다음 대화의 빈칸에 들어갈 말로 가장 적절한 것은?

> **A** Wow. That music you just played was really amazing.
> **B** Thanks. _____
> **A** I especially enjoyed the instrument that looks like a big spoon. What is it?
> **B** That's a sitar. It's an instrument from India.

① What does that mean?
② I'm delighted to hear you liked it.
③ Have you had a chance to listen to it?
④ What kind of music are you listening to?
⑤ I think you should have practiced the instrument harder.

04 다음 중 짝지어진 대화가 <u>어색한</u> 것은?

① **A** I visited the Van Gogh Museum during my last trip to Amsterdam. It was as impressive as you said.
  B I'm delighted to hear that you enjoyed it.
② **A** I heard that the exams are postponed.
  B Really? It's nice that they are finally posted.
③ **A** This data means the economy is moving out of the recession.
  B Does it? It's good to hear we've got some hope.
④ **A** What is the meaning of the sign?
  B It means it is dangerous to swim at night.
⑤ **A** This means that the contract has been terminated.
  B I see. Thank you for your explanation.

05 다음 주어진 문장에 이어질 대화의 순서를 바르게 배열한 것은?

> Look. This is Cho Chiun's *Sukjodo*!

> (A) Yeah. By the way, I know *do* means "drawing," but what does *Sukjo* mean?
> (B) Oh, cool. It's so simple and elegant, isn't it?
> (C) It means "a sleeping bird."
> (D) Now, I see why it is named that way.

① (A) — (B) — (C) — (D)
② (B) — (A) — (C) — (D)
③ (B) — (C) — (A) — (D)
④ (C) — (A) — (B) — (D)
⑤ (C) — (D) — (A) — (B)

서술형

06 다음 주어진 문장과 같은 의미가 되도록 빈칸에 알맞은 말을 쓰시오.

> The restaurant opens at 9 in the morning and the department store opens at 10 in the morning.
> = The restaurant opens at 9 in the morning and _____ _____ _____ at 10 in the morning.

07 다음 대화의 빈칸 (A), (B)에 들어갈 말로 바르게 짝지 어진 것은?

> A What took you so long?
> B I think I lost my wallet.
> A Oh, no.
> B I think I dropped it while running to catch the subway. I ____(A)____ more careful.
> A Somebody ____(B)____ taken it to the information booth in the subway station. Let's go check.

	(A)		(B)
①	could have been	…	would have
②	must have been	…	may have
③	must have been	…	should have
④	should have been	…	cannot have
⑤	should have been	…	might have

08 다음 중 어법상 틀린 문장은?

① I shouldn't have had that much food.
② He must be home now.
③ She might have been to the fair.
④ He must have took her to the dentist's.
⑤ The meeting might be called off.

[09~10] 다음 글을 읽고, 물음에 답하시오.

> The influence of music on the visual arts ⓐ can be best seen with the expressionist painter Wassily Kandinsky. Kandinsky studied law and economics and ⓑ was successful in his law career. However, in his early 30's, he had an ⓒ unusual visually experience while looking at Monet's *Haystacks*. He also ⓓ was influenced by the melody of Wagner's *Lohengrin*. "I saw all my colors before my eyes," he said. He felt _____ wild and powerful lines appeared in front of him. As a result, he gave up his law career ⓔ to study painting.

09 윗글의 밑줄 친 ⓐ~ⓔ 중, 어법상 틀린 것은?

① ⓐ   ② ⓑ   ③ ⓒ
④ ⓓ   ⑤ ⓔ

10 윗글의 빈칸에 들어갈 말로 가장 적절한 것은?

① as if   ② as usual
③ even though   ④ for instance
⑤ such as

[11~12] 다음 글을 읽고, 물음에 답하시오.

> Marc Chagall, known for his use of dreamy colors, was also moved by the play and drew a painting with the same title, *Midsummer Night's Dream*. The figures in the painting recreate the dreamlike atmosphere of the play. _____ Chagall and Mendelssohn lived in different times, they both translated Shakespeare's words and sentences into their own artistic languages.

11 윗글의 빈칸에 들어갈 말로 가장 적절한 것은?

① Although
② As
③ Because
④ when
⑤ Likewise

12 윗글의 내용과 일치하지 <u>않는</u> 것은?

① 샤갈은 몽환적 색채 사용으로 알려져 있다.
② 샤갈은 셰익스피어의 연극에 감명을 받아 동명의 그림을 그렸다.
③ 희곡 '한여름 밤의 꿈'은 몽환적인 분위기이다.
④ 샤갈과 멘델스존은 동시대에 살았다.
⑤ 멘델스존은 셰익스피어의 단어와 문장을 자신의 예술적 언어로 표현했다.

[13~14] 다음 글을 읽고, 물음에 답하시오.

Musicians have also found inspiration from painters and their works of art. Modest Mussorgsky was a composer who is famous for his descriptions of colors in ⓐhis music. One of ⓑhis most frequently performed piano works, *Pictures at an Exhibition*, was composed in his efforts to capture what he felt about the paintings of an artist friend named Viktor Hartmann, who died at the early age of 39. After visiting a memorial exhibition of Hartmann's works, Mussorgsky composed a piano suite in 10 movements to describe each of ⓒhis paintings displayed at the exhibition. Anyone who listens to the movements can associate the melodies with what they see in Hartmann's paintings. While Mussorgsky was writing the melodies, ⓓhe must have wanted to translate the stories in the paintings into ⓔhis musical language.

13 윗글의 밑줄 친 ⓐ~ⓔ 중, 가리키는 대상이 나머지 넷과 <u>다른</u> 것은?

① ⓐ
② ⓑ
③ ⓒ
④ ⓓ
⑤ ⓔ

14 윗글의 내용과 일치하지 <u>않는</u> 것은?

① 음악가 또한 화가와 그들의 예술 작품에서 영감을 얻어 왔다.
② 무소륵스키는 그의 음악에서 색채 묘사로 유명한 작곡가였다.
③ '전람회의 그림'은 예술가 친구 하르트만의 그림에서 느낀 것을 담아내고자 작곡되었다.
④ 하르트만은 39살의 이른 나이에 세상을 떠났다.
⑤ 무소륵스키는 하르트만의 음악에 담긴 이야기를 자신의 미술적 언어로 옮기고 싶어 했음이 틀림없다.

[15~16] 다음 글을 읽고, 물음에 답하시오.

For Kandinsky, music and color were closely tied together. In his paintings, for example, yellow is linked with the sound of the trumpet and blue with (A) that / those of the cello. In addition, certain shapes in his paintings (B) was / were associated with particular feelings. The triangle represents aggressive feelings and the square calm moods. Each time he (C) strokes / stroked the canvas with his brush, he might have intended to turn a series of musical notes into visual forms.

· 정답 p.53

15 윗글의 (A), (B), (C)의 각 네모 안에서 어법에 맞는 표현으로 가장 적절한 것은?

	(A)		(B)		(C)
①	that	⋯	was	⋯	strokes
②	that	⋯	was	⋯	stroked
③	that	⋯	were	⋯	stroked
④	those	⋯	were	⋯	stroked
⑤	those	⋯	was	⋯	strokes

16 윗글의 내용과 일치하도록 빈칸에 알맞은 말을 각각 쓰시오.

> In Kandinsky's paintings, the triangle is linked with _____ feelings and the square with _____ moods.

[17~18] 다음 글을 읽고, 물음에 답하시오.

> ① A novel or a play often inspires musicians and painters. ② For example, Felix Mendelssohn was inspired after reading Shakespeare's play, *A Midsummer Night's Dream*, at the age of 17 and began to compose a piece of music to capture the magic and fantasy in Shakespeare's ⓐimagine world. ③ For Kandinsky, music and color were ⓑclose tied together. ④ It became part of his famous work, *A Midsummer Night's Dream*. ⑤ *The Wedding March* is one of the best known pieces from the suite.

17 윗글의 ①~⑤ 중, 글의 전체 흐름과 관계 <u>없는</u> 것은?

① ② ③ ④ ⑤

18 윗글의 밑줄 친 ⓐ, ⓑ를 알맞은 형태로 고쳐 쓰시오.

ⓐ: _____

ⓑ: _____

[19~20] 다음 글을 읽고, 물음에 답하시오.

> The English word "inspire" originally meant "to breathe in." Air ⓐbreathed in has to be breathed out in one way or another. Kandinsky, Mussorgsky, Mendelssohn, and Chagall were great breathers because they turned their intakes into artwork ⓑthat stimulates us in (A) novel ways. Maybe, they knew we would interpret their works ⓒaccordingly, ⓓnoticed the melodies, colors, shapes, and the words ⓔinfluencing each other.

19 윗글의 밑줄 친 ⓐ~ⓔ 중, 어법상 틀린 것은?

① ⓐ ② ⓑ ③ ⓒ
④ ⓓ ⑤ ⓔ

20 윗글의 밑줄 친 (A) novel과 같은 의미로 쓰인 것은?

① She has not yet finished her novel.
② The novel was translated into 5 languages.
③ The movie is based on a novel by Anne Tyler.
④ His first novel was finally accepted for publication.
⑤ Scientists have come up with a novel way of catching fish.

핵심 콕콕

Communicative Functions

 기쁨 표현하기: I'm delighted to... .

I'm delighted to... .는 '**나는 ~해서 기쁘다.**'라는 뜻으로 기쁨을 나타낼 때 쓰는 표현으로 to 뒤에는 동사원형이 온다.
I'm delighted to meet my old friends.

유사표현 I'm glad(happy / pleased) to.... / It's nice that.... / It's a pleasure to....

 정의하기: This(It) means... .

This(It) means... .는 '**이것(그것)은 ~을 의미한다.**'라는 뜻으로 앞에서 언급된 것의 의미를 해석하거나 추가로 설명할 때 쓴다. 주로 목적어 자리에 that절이 오지만 동명사구나 to부정사구 등이 올 수도 있다.
This means the battery needs to be changed.

유사표현 The meaning of this is.... / What this means is....

Language Structures

3 반복 어휘(구) 생략

이어지는 두 구절에서 동일한 구조로 인해 같은 어휘(구)가 반복될 때 보다 간결한 표현을 위해 반복되는 표현을 생략할 수 있다. 이때 이어지는 구절은 동일한 형태의 구조를 갖는다.

• Yellow **is linked** with the sound of the trumpet and blue **(is linked)** with that of the cello.

4 조동사 + have + p.p.

「조동사+have+p.p.」는 과거의 일에 관한 추측이나 의무 등 다양한 의미를 나타낸다.

· must+have+p.p.: ~했음이 틀림없다(강한 확신)
· may(might)+have+p.p.: ~했을지도 모른다(추측)
· could+have+p.p.: ~했을 수도 있다(가능성/불확실한 추측)
· should+have+p.p.: ~했어야 했다(후회/유감)
· cannot+have+p.p.: ~했을 리가 없다(강한 의심)

내신 대비

Actual Test

01 다음 중 짝지어진 단어의 관계가 나머지와 다른 것은?

① express — expressive

② combine — combination

③ perform — performance

④ require — requirement

⑤ compose — composition

02 다음 중 밑줄 친 부분의 쓰임이 어색한 것은?

① I finally took a day off and went to the beach.

② He was looking for a present for her but didn't find anything suitable.

③ They have different but complementary abilities.

④ I used to drink coffee every morning.

⑤ He is an analogous and fearless climber.

03 다음 중 짝지어진 대화가 어색한 것은?

① A I'm thinking of joining the dance club.

  B Wow! I didn't know that you were interested in dancing.

② A You look like you're deep in thought. What seems to be the problem?

  B Yes, we should figure out what the problem is.

③ A What do you think of her outfit?

  B I think it's strange. Her skirt doesn't match with her shoes.

④ A I'm really worried about next week's speaking contest.

  B If I were you, I would practice as much as possible.

⑤ A I wonder why you drew small dots.

  B That's because they mix well with any pattern.

04 다음 중 대화의 흐름상 밑줄 친 부분이 어색한 것은?

> A ①What are you going to do this weekend?
>
> B I'm going to hike up to the top of Hallasan with my family.
>
> A That's awesome! ②Do you enjoy hiking?
>
> B Absolutely. ③I enjoy walking up the mountain trails. ④What is troubling you these days?
>
> A I'm going to ride my unicycle along the Hangang.
>
> B Unicycle? Did you buy a unicycle?
>
> A ⑤Yeah, I got it last week.

05 다음 빈칸에 들어갈 말이 바르게 짝지어진 것은?

> • The town _____ we are driving is only 2 miles away.
>
> • The person _____ I'm doing a project is from India.

① to which — in which

② in which — with whom

③ to which — with whom

④ with whom — to which

⑤ in which — at whom

06 다음 두 문장이 의미가 같도록 빈칸에 알맞은 말을 쓰시오.

> If it doesn't rain, we will go hiking tomorrow.
>
> = _____ it rains, we will go hiking tomorrow.

07 다음 중 밑줄 친 부분이 어법상 **틀린** 것은?

① What is the best way to handle the conflict?

② One of the tallest trees are the California redwood.

③ He has a plan for his dream of becoming an actor.

④ There are many ways in which this machine can be used.

⑤ Unless you hurry up, you won't finish it on time.

[08~09] 다음 글을 읽고, 물음에 답하시오.

Jinho invited me to his magic show the other day. He performed wonderful card tricks in front of a huge audience. I am envious of him ⓐ as he has a plan for his future dream ⓑ of becoming a professional magician. He watches magic performance shows almost every day and ⓒ keep practicing magic tricks until he can perform them perfectly. He has set his mind on studying psychology in college as magic ⓓ basically deals with people's minds. I wish I ⓔ had a plan for my future.

08 윗글의 밑줄 친 ⓐ~ⓔ 중, 어법상 **틀린** 것은?

① ⓐ ② ⓑ ③ ⓒ ④ ⓓ ⑤ ⓔ

09 윗글을 읽고, 'I'에게 해 줄 조언의 말로 알맞지 **않은** 것은?

① You could participate in a job-shadowing program.

② Why don't you visit the career development office?

③ How about getting some information about jobs?

④ You need to assess yourself and take a career test.

⑤ You should practice various magic tricks for the show.

[10~11] 다음 글을 읽고, 물음에 답하시오.

Now, you should make a list of occupations based on your self-assessment test results. (ⓐ) For each job on your list, you should do some careful research in order to learn about the occupation's educational requirements, outlook, and earnings potential. (ⓑ) After researching, you can eliminate careers in which you are no longer interested. (ⓒ) You now have to gather more in-depth information from people who have first-hand knowledge. (ⓓ) You should identify who they are and conduct interviews with them or ask them for a job-shadowing opportunity. (ⓔ)

10 윗글의 ⓐ~ⓔ 중, 주어진 문장이 들어가기에 가장 적절한 곳은?

At this point you may only have two or three occupations left on your list.

① ⓐ ② ⓑ ③ ⓒ
④ ⓓ ⑤ ⓔ

11 윗글의 내용과 일치하지 **않는** 것은?

① 자기 평가 테스트 결과에 근거한 직업 목록을 작성해야 한다.

② 각각의 직업에 관해 면밀한 조사를 해야 한다.

③ 직업에 관해 조사를 하기 전에 관심이 없는 직업들을 목록에서 지워야 한다.

④ 직접적인 지식을 가진 사람들로부터 상세한 정보를 더 많이 모아야 한다.

⑤ 직접적인 지식을 가진 사람들에게 직업 체험 기회를 요청해야 한다.

[12~13] 다음 글을 읽고, 물음에 답하시오.

We headed to the recording booth, where two singers were recording music for their rock band. Outside of the booth, the composer and a technician were waiting for us. My uncle sat down in the middle next to the composer when the recording started. It didn't take long, however, until it was stopped by my uncle, then by the composer and the technician. They didn't like this or that about the music and had the singers repeat the same line again and again, all of which sounded perfect to me. When everyone got exhausted, my uncle cheered them up with occasional funny stories. It took a whole day to finish one song!

서술형

12 윗글의 밑줄 친 it이 가리키는 것을 본문에서 찾아 한 단어로 쓰시오.

→ the _____

13 윗글을 읽고, 답할 수 없는 질문은?

① What were the singers doing in the recording booth?

② What did my uncle do when the recording started?

③ Why was the music recording stopped?

④ What were the singers' opinions about the music?

⑤ How long did it take to finish one song?

14 다음 글의 밑줄 친 ⓐ~ⓔ에 관한 설명으로 적절하지 <u>않은</u> 것은?

What is your favorite color? Do you often wear fashion items in that color? ⓐ As for me, my favorite color is green, but I felt it did not ⓑ go well with my skin tone, so I ⓒ used to avoid wearing it. One day, I realized that green has many shades, so I experimented with various shades of green and eventually, I found that a deep green helps me look great. If you like a ⓓ certain color, you can try various shades like I ⓔ did, and find one that suits you.

① ⓐ는 In my case로 바꾸어 쓸 수 있다.

② ⓑ는 '~와 잘 어울리다'라는 의미이다.

③ ⓒ는 '~하곤 했다'라는 의미로 과거의 습관을 나타낸다.

④ ⓓ는 '특정한'이라는 의미이다.

⑤ ⓔ는 looked great를 대신한다.

[15~16] 다음 글을 읽고, 물음에 답하시오.

I spend a lot of time at school in my uniform, so I don't pay too much attention to (A) that / what I wear. But there is one thing I often wear outside of school: a black striped shirt. It's very casual with a simple design. I like to wear it under a denim shirt, a leather jacket, or a cardigan. (B) Put / Putting on clothes in layers like this keeps my style fresh even though I don't have a lot of clothes. Mixing and matching clothes is a lot of fun! My point is: (C) If / Unless you have a favorite fashion item, and it goes well with your other clothes, you can create a new outfit every single day.

· 정답 p.56

15 윗글의 제목으로 가장 적절한 것은?

① Simple Designs are Cool!

② Invest in Your Glasses!

③ Have Fun with Colors!

④ School Uniforms Are the Best!

⑤ You Don't Need Many Clothes!

16 윗글의 (A), (B), (C)의 각 네모 안에서 어법에 맞는 표현으로 가장 적절한 것은?

	(A)	(B)	(C)
①	that	… Put	… If
②	that	… Putting	… Unless
③	what	… Putting	… Unless
④	what	… Putting	… If
⑤	what	… Put	… If

[17~18] 다음 글을 읽고, 물음에 답하시오.

One of the simplest ways to develop your own style is _____ⓐ_____ .
I spend a lot of time choosing my eye glasses because they can be an important part of my look. When I choose frames, I think of my face shape. ⓑSince my face is rather angular, I usually choose round frames. If your face is round, however, you may look better in angular or square frames.

17 윗글의 빈칸 ⓐ에 들어갈 말로 가장 적절한 것은?

① to choose something red to look trendy

② to wear baggy pants, a striped shirt and a baseball cap

③ to decide on a color and find other colors that go well with it

④ to pay attention to accessories like shoes, hats, glasses, or watches

⑤ to try on round frames while shopping

18 윗글의 밑줄 친 ⓑ Since와 쓰임이 같은 것은?

① They couldn't enter since no one answered the door.

② Since I was young, I've always wanted to be a comedian.

③ It has been three years since I graduated from high school.

④ I have not seen him since.

⑤ Since then, I had wondered where he went.

[19~20] 다음 글을 읽고, 물음에 답하시오.

Combining analogous colors is (of / one / matching / the / ways / of / colors / easiest) that will give you an elegant look, for example, a yellow shirt on top of green pants. Choosing complementary colors, like wearing a green skirt with red shoes, ① create a bold impression. Choosing a mixture of analogous and complementary colors together, ② called split complementary colors, can be tricky but results in a calmer look than a combination of complementary colors. ③ Unless your signature style is to wear colors ④ that clash, using the color wheel will help you choose colors ⑤ that are natural and pleasing to the eye.

▶ 서술형

19 윗글의 괄호 안에 주어진 단어들을 우리말과 같은 뜻이 되도록 바르게 배열하시오.

색상 고르기의 가장 쉬운 방법 중 하나

→ _____

20 윗글의 밑줄 친 ①~⑤ 중, 어법상 틀린 것은?

① ② ③ ④ ⑤

01 다음 빈칸에 들어갈 말이 바르게 짝지어진 것은?

> • We should approach this problem from a completely different _____ .
> • I wonder how he can _____ to travel abroad every year.

① view — reveal
② perspective — afford
③ conservatory — convince
④ photocopy — ruin
⑤ distribution — promote

02 다음 문장에 쓰인 밑줄 친 tackle의 영영풀이로 가장 적절한 것은?

> Having been founded to <u>tackle</u> this problem on a local scale, the online platform, "foodsharing.de" allows extra food in your fridge or cupboard to be distributed to neighbors.

① to try to deal with something or someone
② to try to take the ball from a player on the other team
③ all the objects needed for a task or sport
④ an act of playing with a ball, or attempting to do so
⑤ a mechanism consisting of ropes, pulley blocks, hooks, or other things for lifting heavy objects

03 다음 대화의 빈칸에 들어갈 말로 적절하지 <u>않은</u> 것은?

> A Are you ready for our trip to Venice?
> B Sure. _____
> A Me, too. Oh, don't forget to bring your passport and air ticket.
> B OK, I won't. Thanks.

① I'm really looking forward to visiting historic sites.
② I can't wait to watch a soccer match in person.
③ I hope to try local foods.
④ I really want to go shopping and buy leather goods.
⑤ I want to stay home and get some rest.

04 다음 대화의 밑줄 친 부분과 바꾸어 쓸 수 있는 것은?

> A What's up? You look excited.
> B I am. I'm playing a really fun game. <u>Have you heard about</u> "My Tree, Our Forest?"
> A No. What is that?
> B It's a mobile game that allows players to take part in a tree planting project.
> A That sounds environmentally friendly.

① What do you mean by
② Have you ever been to
③ Are you aware of
④ Are you excited to play
⑤ How did you hear about

05 다음 두 문장의 의미가 서로 <u>다른</u> 것은?

① I'm looking forward to going to the concert.
   = I'm dying to go to the concert.

② Could I ask you to tell me about your tour program?
   = Would you mind telling me about your tour program?

③ Do you remember the day we went to the amusement park together?
   = Do you remember when we went to the amusement park together?

④ Having finished my homework, I can watch my favorite TV program.
   = If I finish my homework, I can watch my favorite TV program.

⑤ His help enabled me to solve the problem.
   = Thanks to his help, I could solve the problem.

〔서술형〕

06 다음 대화의 밑줄 친 우리말과 같도록 괄호 안의 단어들을 바르게 배열하시오.

> **A** Do you always use disposable plates when you go on a picnic?
> **B** Yes. They are very convenient to use.
> **A** You know, disposables can have a harmful impact on our environment.
> **B** You're right. <u>환경을 돌보는 것은 중요해.</u>

→ It _____.
(important / take / of / care / is / we / that / the environment)

07 다음 문장에서 어법상 <u>틀린</u> 부분을 찾아 바르게 고쳐 쓰시오.

> My mother allowed me sleeping over at my friend's house.

→ _____

[08~09] 다음 글을 읽고, 물음에 답하시오.

> Everyone has things ⓐ<u>that</u> are no longer of any use, and chances are those things will eventually get thrown away. However, some of the things that get ⓑ<u>thrown out</u> are still useful to other people. Goedzak is a Dutch way of allowing people ⓒ<u>to get</u> second-hand things that might otherwise be thrown away. It is a special garbage bag that can be filled with used, but still usable items. Placing the bag outside on the pavement ⓓ<u>makes</u> whatever is in it available to anyone in the community. Goedzak's bright color attracts attention while the transparent side of the bag reveals its contents. People can help themselves to anything they like. What an idea! These transparent garbage containers have helped many Dutch people ⓔ<u>going</u> greener by reducing the amount of trash going to landfills.

08 윗글의 밑줄 친 ⓐ~ⓔ 중, 어법상 틀린 것은?

① ⓐ   ② ⓑ   ③ ⓒ
④ ⓓ   ⑤ ⓔ

09 윗글의 Goedzak에 관한 내용으로 적절하지 <u>않은</u> 것은?

① 버려질 위기에 처한 중고 물건들을 재활용하는 네덜란드의 방식이다.
② 중고이지만 아직 쓸 만한 물건들을 가져갈 수 있게 하는 특별한 쓰레기봉투이다.
③ 밝은 색상이 사람들의 관심을 끈다.
④ 봉투가 불투명해서 내용물을 확인할 수 없다.
⑤ 쓰레기 매립장으로 갈 쓰레기의 양을 줄여준다.

[10~11] 다음 글을 읽고, 물음에 답하시오.

Using disposable cups may be convenient, but it is not necessarily eco-friendly. They are a massive source of waste. Every year, people in the U.S. use over 100 billion disposable cups, and Koreans dispose of over 15 billion cups each year. That's <u>what</u> drove a few novel designers to come up with edible coffee cups. A cookie forms the main structure, with a white chocolate layer on the inside and a thin layer of sugar paper on the outside. This structure allows you to drink coffee without finding yourself holding a soaked mess. You can think of it as a treat for coffee! You may have to consume extra sugar, but it will definitely create less waste.

10 윗글의 밑줄 친 what과 쓰임이 같은 것은?

① What drove them to focus on this project?
② What can you do to protect the environment?
③ What made me angry was his attitude.
④ He asked me what function this machine has.
⑤ I don't know what his name is.

서술형

11 윗글의 내용과 일치하도록 빈칸 (A), (B)에 들어갈 알맞은 말을 윗글에서 찾아 쓰시오.

A large number of ___(A)___ cups are thrown away, so a few designers came up with ___(B)___ coffee cups made of cookies, white chocolate, and sugar paper.

(A): _____   (B): _____

[12~13] 다음 글을 읽고, 물음에 답하시오.

Another green strategy is to use less ink, which is what many people already do. ___(A)___ what if you could take it a step further? That's what Ecofont is. A designer thought that if he could create fonts that have tiny holes in them, he might be able to make more efficient use of the amount of ink ⓐ use. ___(B)___, Ecofont uses about a fifth less ink than traditional fonts without ⓑ ruin readability. The brilliance of Ecofont is the different perspective it takes on going green: the use of less ink by the font.

12 윗글의 빈칸 (A), (B)에 들어갈 말로 바르게 짝지어진 것은?

① For example — Furthermore
② But — In fact
③ In addition — However
④ However — In contrast
⑤ Finally — Moreover

13 윗글의 밑줄 친 ⓐ, ⓑ를 어법에 맞게 고쳐 쓰시오.

ⓐ: _____   ⓑ: _____

[14~15] 다음 글을 읽고, 물음에 답하시오.

I was ①<u>thrilled</u> when my cousin, Suji, invited me to Italy, a country in southern Europe that looks like a boot. She had a few days off from studying music in a conservatory, so we could spend a week together in Rome and Venice. I had never been abroad by myself, and I was a bit ②<u>excited</u>, but after the long flight for twelve hours, I was pleased to be ③<u>greeted</u> by my cousin at Leonardo da Vinci International Airport in Rome. ④<u>Since</u> Italy is seven hours behind Seoul, I was quite exhausted and sleepy when I got there. However, I forced myself to stay ⑤<u>awake</u> to begin my trip in earnest.

14 윗글의 밑줄 친 ①~⑤ 중, 문맥상 낱말의 쓰임이 적절하지 <u>않은</u> 것은?

① ② ③ ④ ⑤

15 윗글을 읽고, 답할 수 <u>없는</u> 질문은?

① What does Suji study in Italy?
② How long does it take to fly to Italy?
③ Where did Suji and 'I' meet?
④ Why was 'I' exhausted when 'I' got to Italy?
⑤ What am 'I' going to study in Italy?

[16~18] 다음 글을 읽고, 물음에 답하시오.

The Creation of Adam, one of Michelangelo's masterpieces, on the ceiling of the Sistine Chapel, still ①<u>lingers</u> in my mind. Although I knew photographs ②<u>are not allowed</u>, ⓐ<u>the masterpiece was so impressive that I almost took one.</u> After looking around, we walked out to see many people lined up in front of a small store ③<u>which</u> green apple gelato was served. Suji convinced me ④<u>to wait</u> in line for over twenty minutes ⑤<u>saying</u> that it would be worth it. She was right: _____ⓑ_____.

16 윗글의 밑줄 친 ①~⑤ 중, 어법상 <u>틀린</u> 것은?

① ② ③ ④ ⑤

17 윗글의 밑줄 친 ⓐ의 의미로 가장 적절한 것은?

① 그 대작이 인상적이어서 작품을 하나 샀다.
② 그 대작이 너무 인상적이어서 사진을 찍고 말았다.
③ 그 대작이 사진을 찍고 싶을 만큼 매우 인상 깊었다.
④ 그 대작은 하나쯤 가지고 싶을 정도로 인상적이었다.
⑤ 인상적인 대작을 기억하고 싶어서 기념품을 하나 샀다.

18 윗글의 빈칸 ⓑ에 들어갈 말로 가장 적절한 것은?

① the green apple gelato was much better than yogurt
② the taste was not better than I expected
③ the green apple gelato came in three flavors
④ the gelato store was really popular
⑤ the gelato was out of this world

[19~20] 다음 글을 읽고, 물음에 답하시오.

My trip to Venice would not be complete without a gondola ride along the Grand Canal, which snakes through the city in a large S shape. ① I was disappointed to find out the fare to ride the Grand Canal by myself was so expensive that I could not afford it. ② The moment I was turning back, I saw my British tourist friends walking toward the ticket office. ③ They were head to Venice too! ④ We shared the fare and we commented on the unique differences of the buildings along the canal. ⑤ We had a nice chat, took some great pictures, and exchanged email addresses before we got off the gondola.

19 윗글에 드러난 'I'의 심경 변화로 가장 적절한 것은?

① discouraged → pleased
② relaxed → frustrated
③ jealous → delighted
④ indifferent → curious
⑤ excited → disappointed

20 윗글의 ①~⑤ 중, 글의 전체 흐름과 관계 <u>없는</u> 것은?

① ② ③ ④ ⑤

01 다음 중 짝지어진 단어의 관계가 나머지와 <u>다른</u> 것은?

① vibrate — vibration
② explode — explosion
③ relieve — relief
④ humid — humidity
⑤ arrange — arrangement

02 다음 빈칸에 들어갈 말이 바르게 짝지어진 것은?

- Vegetarians are people who live _____ vegetables, like broccoli.
- Choose a specific work of art that you can associate _____ this story.

① on — for
② on — with
③ with — for
④ with — of
⑤ for — of

03 다음 중 짝지어진 대화가 <u>어색한</u> 것은?

① A I'd like to volunteer at the nursing home, but I don't know what to do.
  B You are a great musician. Why don't you perform songs for them?
② A You're not allowed to use your cell phone while taking the test.
  B Oh, I didn't know that. I won't forget to bring it.
③ A Excuse me, sir. You must not take photos in the art galleries.
  B I see. I'll keep that in mind.
④ A Do you think our ice cream booth will draw people's attention during the festival?
  B Sure! I'm sure we'll sell a lot.
⑤ A How do you like your new clock? Would you recommend it?
  B No. It works okay, but the ticking sound is quite annoying.

04 다음 문장에서 어법상 <u>틀린</u> 부분을 찾아 바르게 고쳐 쓰시오.

I used to ride the bicycle my father had been bought for me.

→ _____

05 다음 중 어법상 <u>틀린</u> 문장은?

① Never dreamed I that he passed the exam.
② Jenny seems to have been angry last night.
③ The university seems to have various programs.
④ Dessert had been served before he finished the meal.
⑤ Hardly had they left home when it began to snow.

06 다음 두 문장의 의미가 서로 <u>다른</u> 것은?

① Without your help, I would fail the test.
  = If it were not for your help, I would fail the test.
② Without water, no one could have survived.
  = If it had been for water, no one could have survived.
③ Some bright ideas seemed to flow from her brain.
  = It seemed that some bright ideas flowed from her brain.
④ Jonathan seemed to have prepared a lot for his art project.
  = It seemed that Jonathan had prepared a lot for his art project.
⑤ Sally was not at the party, and she did not show up at work yesterday.
  = Sally was not at the party, nor did she show up at work yesterday.

[07~08] 다음 글을 읽고, 물음에 답하시오.

For seventeen days after the initial collapse, there was no word on their fate. As the days passed, Chileans grew increasingly uncertain that any of the miners had survived. A small exploratory hole was drilled on August 22, and the camera captured a message that said, "We are still alive." It was the first sign of hope. Soon, a video camera was sent down 700 meters deep and captured the first images of the miners, all clearly in good health. The discovery sparked joyful celebrations nationwide, and rescue efforts gave a light of hope that the miners could be saved.

07 윗글의 제목으로 가장 적절한 것은?

① Difficulties of Drilling Exploratory Holes
② How to Survive in a Mine Collapse
③ Rescue Efforts Sparked by an Amazing Message
④ The Way the Chilean Miners Could Stay Healthy
⑤ Sudden Disappearance of the First Sign of Hope

▶서술형

08 윗글의 시간 순서대로 주어진 ⓐ~ⓓ를 바르게 배열하시오.

ⓐ Rescue efforts started.
ⓑ An exploratory hole was drilled.
ⓒ The camera images showed the miners alive.
ⓓ Chileans lost hope that any of the miners had survived.

→ _____

[09~10] 다음 글을 읽고, 물음에 답하시오.

The miners were lucky to have an air tunnel that allowed enough fresh air to reach them. They also had broken trucks from which they could charge the _____ⓐ_____ of their head lamps. In addition, they were able to drink water from storage tanks nearby. Until the tunnel to deliver food and medicine was operational, _____ⓑ_____ was the most critical issue in the shelter. They only had enough food for two days. For eighteen days, each person had to live on two spoonfuls of tuna, a mouthful of milk, bits of crackers, and a bite of canned fruit every other day. Another factor which bothered the miners severely was the high heat and humidity of the shelter. Each miner had lost an average of 8 kilograms by the time they were rescued.

09 윗글의 빈칸 ⓐ, ⓑ에 들어갈 말로 바르게 짝지어진 것은?

① phones   — water
② phones   — food
③ batteries — water
④ batteries — food
⑤ light   — medicine

10 윗글의 분위기로 가장 적절한 것은?

① calm and peaceful
② urgent and pressing
③ scary and mysterious
④ depressing and hopeless
⑤ delightful and exciting

[11~12] 다음 글을 읽고, 물음에 답하시오.

The miners united as a group soon after the collapse. They organized themselves into a society where each person had one vote. They all knew that if their social structure broke down, their problems would become more serious and did what they could do best. For example, José Henríquez, a religious man, tried to keep morale up, and Yonni Barrios, who had had some medical training, helped other miners with their health problems.

On October 9, a rescue hole was finally drilled through to the miners in their shelter. It created 그들을 한 사람씩 끌어올리기에 충분히 큰 터널을. For this purpose, a specially designed capsule was built. More than 1,400 news reporters from all over the world, together with the family members of the miners, gathered to watch the rescue process.

11 윗글의 내용과 어울리는 속담으로 가장 적절한 것은?

① In unity there is strength.

② The best mirror is a friend's eye.

③ Better to be alone than in bad company.

④ Familiar paths and old friends are the best.

⑤ Never put off till tomorrow what you can do today.

서술형

12 윗글의 밑줄 친 우리말과 같도록 괄호 안의 단어들을 바르게 배열하시오.

(to / large / one by one / lift / a tunnel / enough / them)

→ _____

[13~14] 다음 글을 읽고, 물음에 답하시오.

Have you ever wondered why retail stores put items on sale? Sales reduce inventory size, ⓐmake room for the store to buy more stuff to sell, and they attract customers. If the jeans were originally $100 but are now on sale for $80, the lower price would lead more customers to consider buying the jeans and ⓑspend another $20 on a T-shirt, too. The bottom line is that sales attract customers that might not have made purchases at the regular price, and they motivate customers to spend because their money can now buy more.

13 윗글의 밑줄 친 ⓐ, ⓑ의 알맞은 형태를 쓰시오.

ⓐ: _____   ⓑ: _____

14 윗글의 중심 내용으로 가장 적절한 것은?

① Sales attract and motivate consumers to spend money.

② Not every retail store makes a profit when they have a sale.

③ People tend to spend a lot more money and time on items on sale.

④ In most cases, it is more advantageous to purchase products on sale.

⑤ Even if a certain product is on sale, wise consumers compare its price from store to store.

[15~17] 다음 글을 읽고, 물음에 답하시오.

ⓐHave you ever been offered to buy something that you had not planned on buying? A sales clerk may make suggestions to you about what else to buy in addition to your originally planned purchase. This is called up-selling and it's ⓑdesigned to be not only helpful for you, but also for the store's bottom line. Have you also noticed that shoes, hats, and socks ⓒare displayed together next to one another? They are mostly inexpensive items _____ placed there. Since you've already decided to buy a pair of jeans, ⓓwhy not buying a pair of sneakers too? No one can tell you that you shouldn't buy something that really suits you, but remember that the arrangement of items in a store is not random. Product placement seems ⓔto have been designed to give subtle suggestions to consumers while they shop.

15 윗글의 빈칸에 들어갈 말로 가장 적절한 것은?

① neatly
② formally
③ randomly
④ accidentally
⑤ strategically

16 윗글의 밑줄 친 ⓐ~ⓔ 중, 어법상 틀린 것은?

① ⓐ   ② ⓑ   ③ ⓒ   ④ ⓓ   ⑤ ⓔ

🖊서술형

17 윗글의 내용과 일치하도록 주어진 질문에 알맞은 응답을 완성하시오.

Q What does up-selling mean?
A Up-selling is a suggestion made by a sales clerk to encourage _____
_____.

[18~20] 다음 글을 읽고, 물음에 답하시오.

Jeans are jeans, right? Well, no! There are ordinary jeans and there are designer jeans. As the TV ads prove, beautiful people wear Brand X, don't they? And you feel you'll be more beautiful if you wear it, too. (ⓐ) This is the power of _____. (ⓑ) When advertisers associate appealing images with certain products, consumers may buy the products to associate themselves with those images. (ⓒ) You're still the same you, but you feel better about yourself because you are wearing Brand X's new jeans. (ⓓ) Is this worth paying 25%, 50%, or even 100% more? (ⓔ)

18 윗글의 ⓐ~ⓔ 중, 주어진 문장이 들어가기에 가장 적절한 곳은?

Well, that's up to each individual to decide on his or her own.

① ⓐ   ② ⓑ   ③ ⓒ   ④ ⓓ   ⑤ ⓔ

19 윗글의 빈칸에 들어갈 말로 가장 적절한 것은?

① strategy
② arrangement
③ imagination
④ association
⑤ advertisement

🖊서술형

20 윗글의 내용과 일치하도록 빈칸 (A), (B)에 들어갈 알맞은 말을 본문에서 찾아 쓰시오.

Consumers are likely to make a purchase when they ___(A)___ certain ___(B)___ with particular products.

(A): _____   (B): _____

01 다음 중 단어의 반의어가 바르게 짝지어지지 <u>않은</u> 것은?

① painful — painless

② efficient — inefficient

③ expected — unexpected

④ complicated — uncomplicated

⑤ dependent — undependent

02 다음 빈칸에 들어갈 말로 가장 적절한 것은?

> If you _____ something, you explain the meaning of it.

① inspire   ② interpret

③ smooth   ④ conserve

⑤ vary

[03~04] 다음 대화를 읽고, 물음에 답하시오.

> A My hair always sticks to my brush. Is there anything I can do about that?
>
> B Apply a bit of hand cream through your hair. That should help. (ⓐ)
>
> A Could you explain how that helps? (ⓑ)
>
> B Well, the cream forms a layer between the brush and your hair. It reduces static electricity. (ⓒ)
>
> A Really? I hate static electricity! (ⓓ)
>
> B Our life wouldn't be easier without it, though. Photocopiers and printers use static electricity. (ⓔ)
>
> A Really? I had no idea that it was actually useful.

03 위 대화의 ⓐ~ⓔ 중, 주어진 문장이 들어가기에 가장 적절한 곳은?

> Why can't we just remove it from the world completely?

① ⓐ   ② ⓑ   ③ ⓒ   ④ ⓓ   ⑤ ⓔ

04 위 대화를 읽고, 알 수 있는 것은?

① how we can use a brush properly

② why hair should not stick to a brush

③ what hand cream is made of

④ how dangerous static electricity is

⑤ why static electricity is useful

05 다음 대화의 빈칸에 들어갈 말로 적절하지 <u>않은</u> 것은?

> A Wow. That music you just played was really amazing.
>
> B Thanks. _____
>
> A I especially enjoyed the instrument that looks like an egg. What is it?
>
> B That's a Xun. It's an instrument from China.

① It's nice that you liked it.

② I'm glad to hear that you liked it.

③ I'm delighted to hear you liked it.

④ It's a pleasure to hear that you liked it.

⑤ I'm disappointed to hear that you liked it.

06 다음 두 문장의 의미가 같도록 빈칸에 알맞은 말을 쓰시오.

(1) A design which is developed naturally in the deep sea may soon be seen in deep space.

     = A design _____ naturally in the deep sea may soon be seen in deep space.

(2) I am interested in reading books and my sister in listening to music.

     = I am interested in reading books and my sister _____ _____ in listening to music.

07 다음 중 문장의 우리말 뜻이 <u>어색한</u> 것은?

① She must have been upset about something.
(그녀는 무언가에 화가 났었음에 틀림없다.)

② I might have missed that information.
(내가 그 정보를 놓쳤을 수도 있다.)

③ You should have studied harder.
(너는 더 열심히 공부했어야 했다.)

④ They could have bought a house here 20 years ago.
(그들은 여기에 20년 전에 집을 샀을 리가 없다.)

⑤ They should clean up the toys before leaving.
(그들은 떠나기 전에 장난감을 치워야 한다.)

[08~09] 다음 글을 읽고, 물음에 답하시오.

Do you remember your mom (A) ⬚ taking / to take ⬚ you to a doctor's office? The doctor decided to give you some medicine. She rolled up your sleeves, and gave you a shot in the upper arm. Ouch! That hurt, didn't it? What if a shot (B) ⬚ given / giving ⬚ in the arm didn't hurt? Well, maybe in the future, ⓐit won't. Some scientists have been studying how the lowly mosquito is able to bite us without us knowing. When ⓑ they figure out the secrets, the doctor's shot might become a painless procedure. This is (C) ⬚ that / what ⬚ "biomimetics" is about.

08 윗글의 (A), (B), (C) 각 네모 안에서 어법에 맞는 표현으로 가장 적절한 것은?

(A)	(B)	(C)
① taking	… given	… that
② taking	… given	… what
③ taking	… giving	… what
④ to take	… giving	… what
⑤ to take	… given	… that

09 윗글의 밑줄 친 ⓐ, ⓑ가 가리키는 것을 본문에서 찾아 쓰시오.

ⓐ: _____ ⓑ: _____

[10~11] 다음 글을 읽고, 물음에 답하시오.

If you look at an airplane's wings, you can sometimes see that the tips are turned upwards. These are called "winglets" and they may look neat, but they have measurable ⓐ (benefits / disadvantages). When engineers studied birds, they observed that birds' wings have tips that turn up in flight. They found that the tips smooth the flow of air, which helps them ⓑ (waste / conserve) energy when flying. The engineers thought that if it worked for birds, why not for airplanes? The end result is that the airplane winglets help keep planes smaller, saving about 10% in fuel costs. ⓒThis is beneficial not just for the environment but for passengers' wallets, too.

10 윗글의 괄호 ⓐ, ⓑ 안에서 문맥상 알맞은 것을 골라 쓰시오.

ⓐ: _____ ⓑ: _____

11 윗글의 밑줄 친 ⓒ가 의미하는 바로 가장 적절한 것은?

① Not only environmentalists but also passengers are influenced by the use of airplanes.

② Winglets are environmentally friendly but not good for passengers.

③ Saving fuels costs is beneficial for the environment but not for passengers.

④ Passengers can save money using environmentally friendly airplanes.

⑤ Winglets reduce air pollution and save money for airplane passengers.

[12~13] 다음 글을 읽고, 물음에 답하시오.

Sea urchins may be eaten in some parts of the world, but they can also damage parts of the sea environment with their bony mouths. A sea urchin mouth looks a lot like a five-fingered claw you might see while trying to pick up prizes at the arcade. This design is surprisingly efficient at grabbing and grinding. ⓐ The efficiency of this natural design is now being tested for incorporation into missions in space. ⓑ When small robots are sent to another planet to collect soil samples, the standard method is to use something inefficient like a small shovel. ⓒ The samples may be delivered directly to Earth, but could be returned via the space shuttle. ⓓ By copying the design of a sea urchin mouth, scientists believe it will be easier to collect samples. ⓔ Amazingly, a design developed naturally in the deep sea may soon be seen in deep space.

12 윗글의 ⓐ~ⓔ 중, 글의 전체 흐름과 관계 <u>없는</u> 것은?

① ⓐ　　　② ⓑ　　　③ ⓒ
④ ⓓ　　　⑤ ⓔ

13 윗글의 Sea urchins에 관한 설명으로 알맞은 것은?

① 식용으로 사용되지 않는다.
② 입에 가시가 많아서 어떤 지역의 바다 환경을 손상시키기도 한다.
③ 입모양은 아케이드에서 상품을 뽑을 때 사용되는 두 개의 집게발을 연상시킨다.
④ 입모양을 따라한 디자인이 실제로 활용되지 않는다.
⑤ 입모양을 모방하는 것이 과학자들에게 도전적인 과제가 되었다.

[14~15] 다음 글을 읽고, 물음에 답하시오.

A piece of work in one field can inspire artists in another field to create something new. Music can inspire a painter to create a visual representation of something he or she has heard. _____ⓐ_____, a painting can inspire a musician to create music in which you can almost see different colors and shapes. _____ⓑ_____, lines from a novel or a poem can inspire painters or musicians to create visual or auditory art that gives life to a story. These _____ⓒ_____ between artists can have unexpected results, producing works of art that have strong visual, auditory or emotional influences on people.

14 윗글의 빈칸 ⓐ, ⓑ에 들어갈 말로 바르게 짝지어진 것은?

① However — For instance
② Moreover — In contrast
③ Likewise — Furthermore
④ In fact — Nevertheless
⑤ For example — Thus

15 윗글의 빈칸 ⓒ에 들어갈 말로 가장 적절한 것은?

① isolations　　② interviews
③ challenges　　④ interactions
⑤ emotions

[16~18] 다음 글을 읽고, 물음에 답하시오.

Musicians have also found inspiration from painters and their works of art. Modest Mussorgsky was a composer ⓐ<u>who</u> is famous for his descriptions of colors in his music. One of his most frequently performed piano works, *Pictures at an Exhibition*, ⓑ<u>was</u> composed in his efforts to capture what he felt about the paintings of an artist friend named Viktor Hartmann, who died at the early age of 39. After ⓒ<u>visiting</u> a memorial exhibition of Hartmann's works, Mussorgsky composed a piano suite in 10 movements to describe each of Hartmann's paintings ⓓ<u>displaying</u> at the exhibition. Anyone who listens to the movements can associate the melodies ⓔ<u>with</u> what they see in Hartmann's paintings. While Mussorgsky was writing the melodies, <u>그는 옮기고 싶어 했던 것이 분명하다</u> the stories in the paintings into his musical language.

16 윗글의 제목으로 가장 적절한 것은?

① Writers Inspired from Each Other
② Music Drawn on the Canvas
③ Melodies Reflecting Colors and Shapes
④ Words Living in Melodies and Images
⑤ Some Paintings Attracting Musicians and Novelists

17 윗글의 밑줄 친 ⓐ~ⓔ 중, 어법상 틀린 것은?

① ⓐ   ② ⓑ   ③ ⓒ   ④ ⓓ   ⑤ ⓔ

 서술형

18 윗글의 밑줄 친 우리말을 주어진 단어를 활용하여 바르게 영작하시오.

→ _____

(must / want / translate)

[19~20] 다음 글을 읽고, 물음에 답하시오.

A novel or a play often inspires musicians and painters.
(A) Marc Chagall, known for his use of dreamy colors, was also moved by the play and drew a painting with the same title, *Midsummer Night's Dream*. The figures in the painting recreate the dreamlike atmosphere of the play.
(B) Although Chagall and Mendelssohn lived in different times, they both translated Shakespeare's words and sentences into their own artistic languages.
(C) For example, Felix Mendelssohn was inspired after reading Shakespeare's play, *A Midsummer Night's Dream*, at the age of 17 and began to compose a piece of music to capture the magic and fantasy in Shakespeare's imaginary world. It became part of his famous work, *A Midsummer Night's Dream*. *The Wedding March* is one of the best known pieces from the suite.

19 윗글에 주어진 글 다음에 이어질 글의 순서로 가장 적절한 것은?

① (A) — (C) — (B)   ② (B) — (A) — (C)
③ (B) — (C) — (A)   ④ (C) — (A) — (B)
⑤ (C) — (B) — (A)

20 윗글의 내용과 일치하지 <u>않는</u> 것은?

① 멘델스존은 17살에 셰익스피어의 희곡 '한여름 밤의 꿈'에서 영감을 받았다.
② '결혼 행진곡'은 셰익스피어의 잘 알려진 작품 중 하나이다.
③ 샤갈은 셰익스피어의 희곡에서 영감을 받았다.
④ 샤갈의 '한여름 밤의 꿈'의 그림 속 모습은 몽환적인 희곡의 분위기를 재현한다.
⑤ 샤갈과 멘델스존은 다른 시대에 살았다.

memo

15개정 교육과정

정답과 해설

High School
ENGLISH

홍민표 안현기 박연미 김정태 장현옥 신정엽 조규희 Richard Pak

visang

HIGH
SCHOOL
ENGLISH

책 속의 가접 별책 (특허 제 0557442호)

visang

ABOVE IMAGINATION

우리는 남다른 상상과 혁신으로
교육 문화의 새로운 전형을 만들어
모든 이의 행복한 경험과 성장에 기여한다

정답과
해설

정답과 해설

Lesson 01 Envision

01 (1) 부러워하는 (2) 적절한 (3) 펼쳐지다 (4) 쉬는 날 (5) 소득, 수입 (6) 직접 경험한, 직접 얻은 (7) conduct (8) composer (9) complexity (10) outlook (11) head (12) arrange **02** (1) eliminate (2) equipment (3) Psychology (4) assessed **03** (1) ③ (2) ① **04** (1) occasional (2) technician

02
(1) 먼저, 우리는 부적절한 지원자를 목록에서 삭제해야 한다.
(2) 나는 너와 골프를 치고 싶지만, 아직 장비가 하나도 없다.
(3) 심리학은 사람의 마음과 행동의 이유에 관한 과학적 연구이다.
(4) Edward Munch의 '절규'는 경매에서 매우 높은 가격에 팔렸다. 그들은 그 그림을 어떻게 평가했나요?

03
(1) 비밀번호를 외우기 위해, Carol은 계속해서 되풀이해야만 했다.
(2) Steve는 마침내 길을 잃은 강아지들에게 집을 찾아 줄 수 있는 멋진 생각을 찾아냈다.

04
(1) 때때로: 가끔 하지만 그리 자주 일어나지는 않는
(2) 기술자: 직업이 과학적이거나 기술적인 일을 하는 사람

01 enjoy playing **02** you should **03** (D)-(B)-(A)-(C) **04** I think you should go for a walk for 30 minutes every day

01
A 너는 올해 어떤 학교 동아리에 가입하고 싶어?
B 나는 테니스 동아리에 가입할까 생각 중이야.
A 그래? 나는 네가 스포츠에 관심이 있었는지 몰랐어.
B 응, 나는 공으로 하는 운동을 좋아해.

02
A 왜 그렇게 시무룩해 있니?
B 나는 내일 있을 과학 시험이 너무 걱정돼.
A 나는 네가 방과 후 스터디 그룹에 참여해야 한다고 생각해.
B 좋아. 충고해 줘서 고마워.

03
(D) 이번 주말에 무엇을 할 예정이니?
(B) 나는 가족들과 지리산 정상까지 등반할 거야.
(A) 그거 멋지다! 너는 등산하는 것을 좋아하니?
(C) 물론이지. 나는 산길을 오르는 것을 좋아해.

04
Sarah는 지난 몇 달 동안 5kg이 증가하여 자신의 체중에 대해 염려하고 있다. 그래서 그녀는 의사를 찾아가 몸무게를 뺄 수 있는 운동에 대해 물어보았다. 네가 의사라면 Sarah에게 무엇을 하라고 조언해 주겠는가?
→ "Sarah, 나는 당신이 하루 30분씩 산책해야 한다고 생각해요."

01 (1) my habit of rubbing my eyes with my hands (2) his proposal of constructing a new building (3) idea of traveling in Europe together **02** (1) ⓒ (2) ⓑ (3) ⓐ **03** (1) build → building (2) to be → being (3) in that → in which **04** (1) Andy decided to give up his idea of running for student council president. (2) We couldn't go to the Halloween party to which we were invited. (We couldn't go to the Halloween party (which) we were invited to.)

01
해설 「명사구＋동격의 of＋명사구」 형태로 of 뒤에는 동명사(-ing)가 온다.
해석 (1) 그녀는 내가 손으로 눈을 비비는 습관을 좋아하지 않는다.
(2) 나는 새 건물을 짓겠다는 그의 제안에 관한 기사를 썼다.
(3) Julie는 유럽을 함께 여행하자는 Sophia의 생각에 동의한다.

02
해설 관계대명사가 관계사절 안에서 전치사의 목적어로 쓰일 때, 전치사는 관계대명사 앞 또는 관계사절의 동사 뒤에 오며, 관계대명사의 선행사나 뒤에 오는 동사의 표현에 따라 전치사가 달라진다.
해석 (1) 그가 함께 일했던 작가는 아시아에서 인기를 얻었다.
(2) 그녀는 아들이 가지고 놀기를 원했던 장난감을 사주었다.
(3) 우리가 보러 갔던 영화는 내가 이제껏 본 최고의 영화였다.

03
해설 (1), (2) 「명사구＋동격의 of＋명사구」 형태로 전치사 of 뒤에 동사가 올 때는 동명사(-ing)로 써야 한다.

(3) 관계대명사 that 앞에는 전치사가 올 수 없으므로 in which로 고쳐
써야 한다.
해석 (1) 우리는 여기에 주차장을 지으려는 도시 계획에 대해 들은
적이 있다.
(2) 나는 마술사가 되겠다는 아들의 꿈에 대해 무엇이라고 말할
지 모르겠다.
(3) 내가 가장 흥미로워 하는 과목은 물리이다.

04

해설 (1) 동격의 of를 사용하여 「명사구＋of＋명사구(동명사구)」 형태의 동
격구문으로 나타낼 수 있으며 of 뒤에 동명사(running)가 옴에 유의한다.
(2) 관계대명사 which를 사용하여 「전치사＋관계대명사(to which)」 형태
로 선행사 the Halloween party를 수식하는 문장으로 나타내거나 전치
사 to를 관계사절의 동사(invited) 뒤에 쓸 수 있다. to를 뒤에 쓰는 경우,
관계대명사 which는 생략할 수 있다.
해석 (1) Andy는 학생회장에 출마하겠다는 생각을 포기하기로
마음먹었다.
(2) 우리는 초대받은 핼러윈 파티에 가지 못했다.

Reading Test
pp. 016~017

01 ④　02 ⓓ-ⓑ-ⓐ-ⓒ　03 ②　04 ⑤　05 ⓔ got
refreshed → got exhausted　06 인내심, 리더십, 의사소통
기술, 음악적 감각

01

해설 올바른 진로 선택을 위해 진로 검사를 통해 자신에 관해 먼저 알고 이
해해야 한다는 내용의 글이다.
해석 올바른 진로 선택을 하기 위해서, 먼저 당신 자신을 알아야
한다. 당신의 가치관, 흥미, 인성은 어떤 직업에는 당신에게 잘
부합하지만, 다른 직업군에는 맞지 않을 것이다. 당신이 자신을
보다 잘 이해하기 위해서는 보통 진로 검사라고 불리는 자기 평
가 테스트를 이용할 수 있다. 우리 사무실에서 무료로 진로 검사
를 받을 수 있다. 진로 검사 결과가 명확하지 않거나 고민을 해결
해 주지 못하더라도 포기하지 말라. 당신이 정말 즐기는 취미가
진로를 선택하는 데 중요한 요소일 수 있다.
① 다양한 자기 평가 테스트
② 직업을 갖는 것의 중요성
③ 효과적으로 무료 진로 검사를 보는 방법
④ 진로 검사를 통해 자신에 관해 알기
⑤ 진로 검사의 장·단점

02

해설 직업 목록을 작성한 후, 각 직업에 대해 면밀히 조사하고(ⓓ) → 더 이
상 관심이 없는 직업은 목록에서 삭제하며(ⓑ) → 두세 개의 직업만 남기고
(ⓐ) → 남은 직업에 대해 보다 상세한 정보를 모아야 한다는(ⓒ) 내용으로

이어지는 것이 가장 적절하다.
해석 이제, 당신은 자기 평가 테스트 결과에 근거한 직업의 목록
을 작성해야 한다. ⓓ 목록에 있는 각각의 직업에 대하여 당신은
그 직업에 필요한 학력, 전망, 그리고 예상 소득을 알아보기 위해
서 면밀한 조사를 해야 한다. ⓑ 조사를 한 후에, 당신은 더 이상
관심을 두지 않게 된 직업들을 지울 수 있다. ⓐ 이 시점에서 당
신은 목록에 두세 개의 직업만 남길 것이다. ⓒ 이제 당신은 직
접적인 지식을 갖고 있는 사람들로부터 더 상세한 정보를 모아야
한다. 그들이 누구인지 확인하고, 그들과 인터뷰를 하거나 그들
에게 직업 체험 기회를 요청해야 한다.

03

해설 빈칸 뒤에 음악을 좋아하는 I가 학교에 가지 않고 앨범 제작 과정
을 직접 볼 수 있는 기회를 얻었다고 하는 것으로 보아 설레는 기분임을 알
수 있다.
해석 나는 음악을 매우 좋아한다, 그래서 어제 X-Music에서 음
악 프로듀서로 일하시는 삼촌을 따라 다니며 직업 현장 체험을 했
다. 나는 매우 <u>설레는</u> 마음으로 집을 나섰다. 나는 학교에 가지 않
아도 되었을 뿐만 아니라, 음악 앨범이 어떻게 만들어지는지 직
접 볼 수 있는 기회를 얻었다.
① 걱정하는　② 흥분한, 설레는　③ 우울한　④ 무관심한　⑤ 꺼
리는, 망설이는

04

해설 ⑤ 글의 마지막에 '삼촌의 이야기 중 절반 이상은 나에게 외국어 같
았다.'라는 내용으로 보아 삼촌의 말을 이해하기 어려웠다는 것을 유추할
수 있다.
해석 스튜디오는 최신 장비들로 가득 차 있었는데, 나는 그 규모와
복잡함에 놀랐다. 삼촌은 나에게 그 장비들에 대하여 간략히 설명
해 주셨다. 그는 또한 음반 기획에서 편곡, 녹음, 편집에 이르기까
지 앨범 하나를 만들기 위해서 무엇이 행해져야 하는지 설명해 주
셨다. 그의 이야기 중 절반 이상은 내게 그저 외국어처럼 들렸다.

05~06

우리는 녹음실로 향했는데, 그곳에서는 두 명의 가수가 자신들의 록
밴드 음악을 녹음하고 있었다. 녹음실 밖에서, 작곡가와 음향 기술자가
우리를 기다리고 있었다. 녹음이 시작되자 삼촌이 작곡가 옆 가운데 자
리에 앉으셨다. 하지만 삼촌과 작곡가, 그리고 음향 기술자의 지적으로
중단되기까지 오랜 시간이 걸리지 않았다. 그들은 음악의 이곳저곳이 마
음에 들지 않아서 가수들에게 똑같은 소절을 계속 반복해서 부르게 하였
는데, 나에게는 모든 게 완벽하게 들렸다. 모두가 지쳐가고 있을 때, 삼
촌은 가끔 농담을 던지며 격려를 했다. 노래 한 곡 녹음을 끝내는 데 하
루 종일 걸렸다!
X-Music에서의 하루는 내게 음악에 대한 사랑이 음악 프로듀서
가 되기 위해 요구되는 유일한 것이 아니라는 것을 깨닫도록 도와주었
다. 음악적 감각 이외에도 인내심과 리더십, 그리고 의사소통 기술도 배
워야 할 중요한 기술들이다. 나는 이러한 능력을 계발할 계획을 세워야
할 것 같다.

05 해설 ⑥ 반복되는 녹음으로 모두 '생기가 살아났다(got refreshed)' 보다는 '지쳤다(got exhausted)'라는 표현이 적절하며, 이어 삼촌이 지친 모두를 위해 노력하는 내용이 나오고 있다.

06 해설 글의 마지막 문장에서 음악에 대한 사랑뿐 아니라 인내심, 리더십, 의사소통 기술, 음악적 감각이 필요함을 깨달았고, 이러한 기술들을 계발할 계획을 세우겠다고 다짐하고 있다.

단원 평가 1회 pp. 018~021

01 ② 02 case 03 ① 04 ⑤ 05 ⑤ 06 ③ 07 (1) with which
(2) to which (3) in which   08 his future dream of becoming
a professional magician 09 ⑤   10 ③   11 ①   12 hobby
13 ④   14 ④   15 ⑤   16 ④   17 ④   18 ⑤   19 ③   20 ③

01
해설 밑줄 친 부분은 '기다림 없이 바로'라는 의미로 ② instantly(즉시, 즉각)에 대한 설명이다.
해석 이 버튼을 클릭하면, 웹페이지가 지체 없이 바로 나타날 것이다.
① 반복적으로 ② 즉시, 즉각 ③ 결국, 마침내 ④ 끊임없이, 계속해서 ⑤ 때때로

02
해설 ⓐ composer(작곡가), ⓑ assess(평가하다), ⓒ suitable(적합한), ⓓ envious(부러워하는)'의 첫 철자들을 조합하면 case(상자)라는 단어를 만들 수 있다.
해석 ⓐ 곡을 쓰는 사람 ⓑ 무언가를 관찰하고 그것에 관한 결정을 내리다 ⓒ 목적이나 상황에 적합한 ⓓ 다른 누군가가 가지고 있는 것을 가졌으면 하고 바라는

03
해설 인형 만드는 것이 어렵기는 하지만 '천으로 작업하는 것을 좋아한다(①)'는 내용이 이어지는 것이 가장 알맞다.
해석
A 소민아, 이 인형 어디서 구했어?
B 내가 직접 만들었어. 마음에 들어?
A 놀라운데! 인형 만드는 거 어렵지 않아?
B 응. 하지만 나는 천으로 작업하는 것을 아주 좋아해.
② 나는 인형 가게를 구경하는 것을 좋아해
③ 나는 다양한 종류의 인형을 수집하는 것을 좋아해
④ 나의 취미는 인형가게에서 인형들을 사는 거야
⑤ 내가 가장 좋아하는 것은 인형을 가지고 노는 거야

04
해설 자꾸 중요한 것을 잊어버린다고 했으므로 '해야 할 목록을 작성하라(⑤)'는 충고가 가장 적절하다.
해석
A 나는 항상 중요한 것을 잊어버려. 오늘 아침, 나는 주말 내내 한 숙제를 가져오는 것을 깜빡했어. 내가 어떻게 해야 할까?
B 해야 할 목록을 작성하는 것이 좋을 것 같아.
① 나는 네가 독서 동아리에 가입해야 한다고 생각해.
② 더 열심히 공부하는 게 어때?
③ 나의 충고는 숙제를 하라는 거야.
④ 내가 너라면, 나는 휴식을 취하겠어.

05
해설 ⑤ 진로 문제로 고민하는 A에게 도리어 자신에게 무슨 충고를 해 주겠느냐고 묻는 B의 대답은 어색하다.
해석
① A 너는 주말에는 주로 무엇을 하니?
　 B 나는 한강을 따라 자전거 타는 것을 좋아해.
② A 나는 정원 가꾸기 동아리에 가입할 생각이야.
　 B 음…. 내가 너라면, 요리 동아리에 가입할 텐데. 그게 더 재미있어 보여.
③ A 나는 음악회에 무엇을 입고 가야할지 모르겠어.
　 B 내 생각에는 치마와 블라우스를 입는 게 좋을 것 같아.
④ A 나는 로봇 대회에서 무엇을 만들지 결정을 못했어.
　 B 말할 수 있는 로봇 강아지를 만들어 보는 것은 어때?
⑤ A 나는 진로에 관해서 내가 무엇을 하고 싶은지 아직도 모르겠어.
　 B 응, 그건 중요한 문제야. 너는 내가 어떻게 하라고 충고하겠니?

06
해설 of는 '~이라는' 뜻의 동격 관계를 나타낸다. / ① ~으로 만든 (재료) ② ~로 인해 (원인) ③ ~이라는 (동격 관계) ④ ~의 (소유) ⑤ ~ 중에서
해석 그는 교수가 되겠다는 꿈을 가지고 있다.
① 그 집은 벽돌로 지어졌다.
② 그의 아버지는 폐암으로 돌아가셨다.
③ 나는 그가 승리했다는 소식에 놀랐다.
④ '로미오와 줄리엣'은 셰익스피어의 작품이다.
⑤ 우리 친구들 중에서, Tom이 가장 멀리 산다.

07
해설 (1) I want some flowers.와 I can decorate my room with them.이라는 두 문장을 합친 문장으로 with which가 적절하다. (2) On Saturday, we visited an art gallery.와 We'd never been to the art gallery before.라는 두 문장을 합친 문장으로, 관계대명사 앞에는 전치사 to가 와야 한다. (3) This is the book.과 I am interested in it.이라는 두 문장을 합친 문장으로 in which가 적절하다.
해석 (1) 나는 내 방을 장식할 수 있는 약간의 꽃을 원한다.

(2) 토요일에 우리는 미술관에 갔는데, 그곳에 우리는 이전에 가 본 적이 없었다.

(3) 이것은 내가 관심이 있는 책이다.

08~09

진호가 며칠 전에 그의 마술 쇼에 나를 초대했다. 그는 수많은 관객 앞에서 놀라운 카드 마술을 선보였다. 나는 그가 프로 마술사가 되겠다는 장래의 꿈에 대한 계획을 가지고 있어서 부럽다. 그는 거의 매일 마술 쇼를 시청하고, 완벽하게 그 마술을 공연할 수 있을 때까지 계속 연습한다. 마술은 기본적으로 사람들의 심리를 다루기 때문에 그는 대학에서 심리학을 공부하겠다고 마음을 정했다. 내가 장래 계획을 갖고 있으면 좋을 텐데.

08 해설 「명사구+동격의 of+명사구(동명사구)」 형태로 his future dream과 becoming a professional magician이 전치사 of로 연결되어 서로 동격을 이룬다.

09 해설 진호의 마술을 보고 'I'가 느낀 점을 중심으로 말하고 있다.

10

해설 'I'가 마술사가 되는 것에 관심이 있다는 내용은 언급되어 있지 않다.

해석 ① 'I'는 며칠 전에 진호의 마술쇼를 보았다.

② 진호는 쇼에서 훌륭한 마술 묘기를 보여 주었다.

③ 'I'도 마술사가 되는 데에 관심이 있다.

④ 진호는 더 멋진 마술사가 되기 위해 열심히 노력한다.

⑤ 진호는 대학에서 무엇을 공부할지 정했다.

11~12

올바른 진로 선택을 하기 위해서, 먼저 당신 자신을 알아야 한다. 당신의 가치관, 흥미, 인성은 어떤 직업에는 당신에게 잘 부합하지만, 다른 직업군에는 맞지 않을 것이다. 당신이 자신을 보다 잘 이해하기 위해서는 보통 진로 검사라고 불리는 자기 평가 테스트를 이용할 수 있다. 우리 사무실에서 무료로 진로 검사를 받을 수 있다. 진로 검사 결과가 명확하지 않거나 고민을 해결해 주지 못하더라도 포기하지 말라. 당신이 정말 즐기는 취미가 진로를 선택하는 데 중요한 요소일 수 있다.

11

해설 글 전체에서 자기 평가 테스트를 통해 자신을 잘 이해해야 할 필요성에 대해 언급하고 있으므로, 빈칸에는 자기 자신에 대해 먼저 알아야 한다는 내용이 어울린다.

해석 ① 너 자신에 대해 배우다

② 많은 돈을 투자하다

③ 인터넷 조사를 하다

④ 충고를 얻기 위해 사람들과 이야기하다

⑤ 되도록 많은 직업 체험을 하다

12

해설 글의 마지막 부분에서 진로 검사의 결과가 명확하지 않거나 고민을 해결해 주지 못하더라도 포기하지 말고 '취미'가 진로 선택에 중요한 요소가 될 수 있다고 설명하고 있다.

해석 진로에 대한 올바른 선택을 하고 너 자신에 대해 더 잘 이해하기 위해서, 진로 검사를 활용할 수 있다. 그러나 검사 결과가 기대했던 것만큼 도움이 되지 않는다면, 너의 취미를 또한 고려해볼 수 있다.

13~15

이제, 당신은 자기 평가 테스트 결과에 근거한 직업의 목록을 작성해야 한다. 목록에 있는 각각의 직업에 대하여 당신은 그 직업에 필요한 학력, 전망, 그리고 예상 소득을 알아보기 위해서 면밀한 조사를 해야 한다. 조사를 한 후에, 당신은 더 이상 관심을 두지 않게 된 직업들을 지울 수 있다. 이 시점에서 당신은 목록에 두세 개의 직업만을 남길 것이다. 이제 당신은 직접적인 지식을 갖고 있는 사람들로부터 더 상세한 정보를 모아야 한다. 그들이 누구인지 확인하고, 그들과 인터뷰를 하거나 그들에게 직업 체험 기회를 요청해야 한다.

당신이 여전히 확신이 들지 않더라도 걱정하지 말라. 당신이 좋아하는 다양한 활동들에 몰입하고 오늘 최선을 다하라. 당신이 오늘을 최선의 것으로 만들 때 최고의 가능한 미래가 열릴 것이다.

13

해설 직업 목록을 작성한 후 조사를 통해 관심 가는 분야의 직업을 추리고, 이후에 상세한 정보를 얻으라고 했으므로 '탐색 후 선택을 좁혀라'는 제목이 적절하다.

해석 ① 직업 목록을 만드는 것의 장점

② 직업에 대한 정보를 얻는 방법

③ 진로 검사를 통해 너 자신을 평가하라

④ 탐색하고 당신의 선택을 좁혀라

⑤ 직업 체험의 혜택

14

해설 빈칸 다음 문장 At this point you may ~ on your list.에서 두세 개의 직업만을 남길 거라고 했으므로, 많은 직업 중에서 더 이상 관심 대상이 아닌 것은 '없애라(eliminate)'라고 하는 것이 문맥상 적절하다.

해석 ① 추가하다 ② 탐색하다 ③ 선택하다 ④ 없애다, 제거하다 ⑤ 그림자처럼 따라다니다

15 해설 (A) be interested in: ~에 관심이 있다 (B) '목록에 남겨진'이라는 수동의 의미가 되어야 하므로 과거분사 left가 알맞다. (C) get oneself involved in: ~에 몰두하다

16~18

나는 음악을 매우 좋아한다. 그래서 어제 X-Music에서 음악 프로듀서로 일하시는 삼촌을 따라 다니며 직업 현장 체험을 했다. 나는 매우

설레는 마음으로 집을 나섰다. 나는 학교에 가지 않아도 되었을 뿐만 아니라, 음악 앨범이 어떻게 만들어지는지 직접 볼 수 있는 기회를 얻었다.
　　스튜디오는 최신 장비들로 가득 차 있었는데, 나는 그 규모와 복잡함에 놀랐다. 삼촌은 나에게 그 장비들에 대하여 간략히 설명해 주셨다. 그는 또한 음반 기획에서 편곡, 녹음, 편집에 이르기까지 앨범 하나를 만들기 위해서 무엇이 행해져야 하는지 설명해 주셨다. 그의 이야기 중 절반 이상은 내게 그저 외국어처럼 들렸다.

16

해설 The studio was full of the latest equipment, and its size and complexity amazed me.에서 and its는 소유격 관계대명사 whose로 바꾸어 쓸 수 있다.

17

해설 '삼촌이 하는 말의 절반 이상은 나에게 외국어처럼 들렸다'는 것은 그만큼 삼촌의 말을 이해하기 힘들었다는 것이다.

해석 ① 나의 삼촌은 외국어로 말씀하셨다.
② 그가 말하는 것을 다른 언어로 이해하는 것이 더 수월했다.
③ 그것은 나의 관심을 집중시킬 만큼 흥미로웠다.
④ 그가 말하는 것을 이해하기 어려웠다.
⑤ 삼촌의 음악은 너무 독특해서 나는 그것을 완전히 이해할 수 없었다.

18

해설 ⑤ 편곡이 어떻게 진행되었는지에 대한 언급은 없다.

해석 ① 'I'는 누구를 직업 체험하였는가?
② 스튜디오는 무엇으로 가득 차 있었는가?
③ 'I'는 집을 떠날 때 기분이 어땠는가?
④ 삼촌은 'I'에게 무엇을 설명했는가?
⑤ 녹음 전에 노래는 어떻게 편곡되었나?

| 19~20 |

　　우리는 녹음실로 향했는데, 그곳에서는 두 명의 가수가 자신들의 록밴드 음악을 녹음하고 있었다. 녹음실 밖에서, 작곡가와 음향 기술자가 우리를 기다리고 있었다. 녹음이 시작되자 삼촌이 작곡가 옆 가운데 자리에 앉으셨다. 하지만 삼촌과 작곡가, 그리고 음향 기술자의 지적으로 중단되기까지 오랜 시간이 걸리지 않았다. 그들은 음악의 이곳저곳이 마음에 들지 않아서 가수들에게 똑같은 소절을 계속 반복해서 부르게 하였는데, 나에게는 모든 게 완벽하게 들렸다. 모두가 지쳐가고 있을 때, 삼촌은 가끔 농담을 던지며 격려를 했다. 노래 한 곡 녹음을 끝내는 데 하루 종일 걸렸다!

19

해설 ⓒ 다음에 '삼촌과 작곡가, 음향 기술자가 이곳저곳이 마음에 들지 않아서 가수들에게 같은 소절을 반복시켰다'는 내용이 나오므로, 주어진 문장 '삼촌과 작곡가, 음향 기술자의 지적으로 중단되기까지 오랜 시간이 걸리지 않았다'는 ⓒ 앞에 오는 것이 가장 적절하다.

20

해설 「have(사역동사)+목적어+동사원형」 구문으로 had는 '시키다, ~하게 하다'라는 의미의 사역동사 have의 과거형이다. / ①, ② '가지다'라는 뜻의 일반동사 have의 과거형 ③ '시키다, ~하게 하다'라는 뜻의 사역동사 have의 과거형 ④ '먹다'라는 뜻의 일반동사 have의 과거형 ⑤ had better+동사원형: ~하는 게 낫다

해석 ① 나에게 너같은 남동생이 한 명 있으면 좋을 텐데.
② 우리는 그녀에게 빌려줄 돈이 좀 있었다.
③ 경찰관은 그 운전자에게 차를 세우게 했다.
④ 너는 내가 만든 버섯 수프 먹어 봤어?
⑤ 너는 교수님과 먼저 이야기하는 것이 낫겠어.

단원 평가 2회　pp. 022~025

01 ① 02 ③ 03 ③ 04 (A)-(C)-(D)-(B) 05 enjoyed watching animations and drawing the characters 06 (1) which (2) with whom 07 (1) ○ (2) with whom 08 (1) 그들의 생명을 잃을 수 있는 위험 (2) 요양원에서 지낸다는 생각 09 ① 10 ① 11 ⑤ 12 ③ 13 ① 14 ⑤ 15 ⓒ-ⓑ-ⓓ-ⓐ 16 Not only was I getting the day off of school 17 ② 18 ⑤ 19 ⓐ repeat ⓑ exhausted ⓒ required 20 ⑤

01

해석 당신이 무엇인가를 펼치면, 그것은 열려서 납작해진다.
① 펼치다, 펼쳐지다 ② 작곡하다 ③ 생산하다, 제작하다 ④ 편집하다 ⑤ 제거하다

02

해설 ③ requirement(요건, 필요조건)에 대한 설명은 없다. / ⓐ exhausted(진이 다 빠진, 녹초가 된) ⓑ trick(장난) ⓒ equipment(장비) ⓓ in-depth(상세한, 면밀한)
해석 ⓐ 매우 피곤한 ⓑ 누군가를 속이기 위해서나 농담으로 하는 것 ⓒ 특정한 활동을 위해 사람들이 사용하는 것 ⓓ 모든 세부 사항을 고려하는 것

03

해설 조언을 부탁한 상대방에게 ③과 같이 자신도 가족들과 여행하는 것을 좋아하곤 했다는 말은 어색하다.
해석
A 우리 가족은 다음 달에 인도를 방문할 예정이야. 너 몇 번 그곳에 가봤잖아. 나에게 조언을 좀 해줄래?
B 음, ＿＿＿＿＿＿＿＿＿＿＿＿＿＿.
① 거기에 있는 동안, 탄두리 치킨 같은 전통음식을 먹어봐.
② 내 생각에 추울 거라서 따뜻한 옷을 가져가는 게 좋을 것 같아
③ 나도 가족들과 여행하는 것을 좋아하곤 했어

④ 너는 왼쪽 손으로 음식을 먹지 않는 것이 좋을 거야
⑤ 내가 너라면, 인도 역사에 대해 미리 공부를 하겠어

04

해석
(A) 안녕, Jason. 안색이 안 좋네. 무슨 일 있어?
(C) 내 생각에 독감에 걸린 것 같아. 기침도 나고 두통도 몹시 심하네.
(D) 나는 네가 병원에 가야 한다고 생각해. 그리고 따뜻한 물도 마시고 충분한 휴식을 취하는 게 좋겠어.
(B) 조언해줘서 고마워.

05

해설 「enjoy+동명사」는 '~하는 것을 즐기다'라는 뜻으로, 동명사 watching, drawing이 각각 enjoyed의 목적어로 쓰였다.

해석
A 조 씨, 저는 당신이 어렸을 때 어떤 것을 즐겨했는지 궁금합니다.
B 글쎄요, 저는 애니메이션을 보고 그 속에 나오는 캐릭터를 그리는 것을 좋아했어요. 제 생각에 그것이 제가 만화가가 되는 데에 많은 도움이 된 것 같아요.

06

해설 (1) She took a job at the company.와 Her mother worked for the company. 두 문장이 목적격 관계대명사 which로 연결되어야 한다.
(2) I happened to meet a man.과 I used to work with him. 두 문장이 목적격 관계대명사 whom으로 연결된 문장으로 빈칸에는 with whom이 알맞다.

해석 (1) 그녀는 자신의 엄마가 일하셨던 회사에 취업했다.
(2) 나는 전에 같이 일했던 한 남자를 우연히 만났다.

07

해설 (1) This is the house in which my uncle lives. 또는 This is the house which my uncle lives in.과 같이 전치사를 관계대명사 앞에 두거나 문장의 맨 끝에 쓸 수 있다. (2) 관계대명사 whom 대신 who를 쓸 때 「전치사+who」는 쓸 수 없다.

해석 (1) 이곳은 우리 삼촌이 사는 집이다.
(2) 너는 매일 아침 Jim이 조깅을 같이 하는 남자가 누구인지 아니?

08

해설 동격의 of 이하의 동명사구는 앞의 명사를 부연 설명한다.

해석 (1) 그들의 생명을 잃을 수 있는 위험에도 불구하고, 그들은 포기하지 않았다.
(2) 그의 어머니는 요양원에서 지낸다는 생각을 거절했다.

| 09~10 |

호민 | 진호가 며칠 전에 그의 마술 쇼에 나를 초대했다. 그는 수많은 관객 앞에서 놀라운 카드 마술을 선보였다. 나는 그가 프로 마술사가 되겠다는 장래의 꿈에 대한 계획을 가지고 있어서 부럽다. 그는 거의 매일 마술 쇼를 시청하고, 완벽하게 그 마술을 공연할 수 있을 때까지 계속 연습한다. 마술은 기본적으로 사람들의 심리를 다루기 때문에 그는 대학에서 심리학을 공부하겠다고 마음을 정했다. 내가 장래 계획을 갖고 있으면 좋을 텐데.
은서 | 진로 개발 센터를 방문해 보는 게 어때? 너는 센터를 통해 중요한 정보를 얻을 수 있을 거야. 내가 그곳에서 받은 정보들이 여기 있어.

09

해설 은서는 진로에 대한 계획을 세우고 싶어 하는 호민이에게 진로 개발 센터를 방문해 보라고 조언하고 있다.

해석 ① 그에게 충고를 해 주기 위해
② 그를 마술 쇼로 초대하기 위해
③ 그를 위해 쇼에 관한 정보를 요청하기 위해
④ 그에게 목표를 정하는 방법을 설명해 주기 위해
⑤ 그에게 취업 박람회에 같이 가자고 요청하기 위해

10

해설 ⓐ 문맥상 '그가 완벽하게 그 마술을 공연할 수 있을 때까지 계속 연습한다'는 의미가 되어야 하므로 시간의 접속사 until(~ 때까지)이 알맞다. ⓑ '마술은 기본적으로 사람들의 심리를 다루기 때문에 대학에서 심리학을 공부하겠다고 결정했다'는 의미가 되어야 하므로 이유의 접속사 as(~ 때문에)가 알맞다.

11

해설 ⑤ 호민이는 아직 장래 계획에 대한 결정을 못한 상태이다.

해석 ① 진호는 자신의 마술 쇼에서 무엇을 했는가?
② 왜 호민이는 진호를 부러워하는가?
③ 진호는 자신의 꿈을 이루기 위해 매일 무엇을 하는가?
④ 진호는 대학교에서 무엇을 공부하려고 하는가?
⑤ 호민이는 장래에 무엇이 되고 싶어 하는가?

| 12~13 |

올바른 진로 선택을 하기 위해서, 먼저 당신 자신을 알아야 한다. 당신의 가치관, 흥미, 인성은 어떤 직업에는 당신에게 잘 부합하지만, 다른 직업군에는 맞지 않을 것이다. 당신이 자신을 보다 덜(→ 잘) 이해하기 위해서는 보통 진로 검사라고 불리는 자기 평가 테스트를 이용할 수 있다. 우리 사무실에서 무료로 진로 검사를 받을 수 있다. 진로 검사 결과가 명확하지 않거나 고민을 해결해 주지 못하더라도 포기하지 말라. 당신이 정말 즐기는 취미가 진로를 선택하는 데 중요한 요소일 수 있다.

12

해설 To make는 '~하기 위해'라는 목적의 의미를 나타내는 부사적 용법이다. / ① 주어(명사적 용법) ② 목적격 보어(명사적 용법) ③ ~하기 위

해(목적을 나타내는 부사적 용법) ④ 목적어(명사적 용법) ⑤ 명사 수식(형용사적 용법)

해석 ① 보는 것이 믿는 것이다.
② 우리 엄마는 내가 방을 청소하기를 원하신다.
③ 우리는 그것을 기념하기 위해 무엇을 할 수 있을까?
④ 나는 늦어도 다음 주까지는 준비가 되기를 바란다.
⑤ 거기에 가는 가장 좋은 방법은 지하철을 타는 것이다.

13

해설 ② 문맥상 '자신을 보다 잘 이해하기 위해서'라는 의미가 되도록 better understand로 고쳐 써야 한다.

| 14~15 |

이제, 당신은 자기 평가 테스트 결과에 근거한 직업의 목록을 작성해야 한다. 목록에 있는 각각의 직업에 대하여 당신은 그 직업에 필요한 학력, 전망, 그리고 예상 소득을 알아보기 위해서 면밀한 조사를 해야 한다. 조사를 한 후에, 당신은 더 이상 관심을 두지 않게 된 직업들을 지울 수 있다. 이 시점에서 당신은 목록에 두세 개의 직업만을 남길 것이다. 이제 당신은 직접적인 지식을 갖고 있는 사람들로부터 더 상세한 정보를 모아야 한다. 그들이 누구인지 확인하고, 그들과 인터뷰를 하거나 그들에게 직업 체험 기회를 요청해야 한다.

14 해설 ⓔ 간접의문문이므로 「의문사＋주어＋동사」의 어순으로 써야 한다. (→ who they are)

15 해설 「ⓒ 직업 목록을 만들어라. → ⓑ 각 직업에 관해 면밀한 조사를 하라. → ⓓ 그 목록을 줄여라. → ⓐ 직업들에 관해 더 알아보라.」의 순서로 요약할 수 있다.

| 16~17 |

나는 음악을 매우 좋아한다. 그래서 어제 X-Music에서 음악 프로듀서로 일하시는 삼촌을 따라 다니며 직업 현장 체험을 했다. 나는 매우 설레는 마음으로 집을 나섰다. 나는 학교에 가지 않아도 되었을 뿐만 아니라, 음악 앨범이 어떻게 만들어지는지 직접 볼 수 있는 기회를 얻었다.
스튜디오는 최신 장비들로 가득 차 있었는데, 나는 그 규모와 복잡함에 놀랐다. 삼촌은 나에게 그 장비들에 대하여 간략히 설명해 주셨다. 그는 또한 음반 기획에서 편곡, 녹음, 편집에 이르기까지 앨범 하나를 만들기 위해서 무엇이 행해져야 하는지 설명해 주셨다. 그의 이야기 중 절반 이상은 내게 그저 외국어처럼 들렸다.

16

해설 「not only ~ but (also)...」 구문으로, 부정어구 not only가 문장의 맨 앞에 오고 주어(I)와 동사(was)는 도치되어 「not only＋be동사＋주어 ~」의 형태로 나타낸다.

17

해설 ② 필자가 X-Music을 방문하기 전에 음악 녹음 작업을 많이 보았는지의 여부는 알 수 없다.

해석 ① 스튜디오에는 많은 최신 장비들이 있었다.
② 나는 X-Music을 방문하기 전에 음악 녹음 작업을 많이 보았다.
③ 나는 스튜디오 장비의 규모와 복잡함에 놀랐다.
④ 나의 삼촌은 녹음 과정을 설명해 주셨다.
⑤ 나는 삼촌의 설명을 쉽게 이해할 수 없었다.

| 18~20 |

우리는 녹음실로 향했는데, 그곳에서는 두 명의 가수가 자신들의 록 밴드 음악을 녹음하고 있었다. 녹음실 밖에서, 작곡가와 음향 기술자가 우리를 기다리고 있었다. 녹음이 시작되자 삼촌이 작곡가 옆 가운데 자리에 앉으셨다. 하지만 삼촌과 작곡가, 그리고 음향 기술자의 지적으로 중단되기까지 오랜 시간이 걸리지 않았다. 그들은 음악의 이곳저곳이 마음에 들지 않아서 가수들에게 똑같은 소절을 계속 반복해서 부르게 하였는데, 나에게는 모든 게 완벽하게 들렸다. 모두가 지쳐가고 있을 때, 삼촌은 가끔 농담을 던지며 격려를 했다. 노래 한 곡 녹음을 끝내는 데 하루 종일 걸렸다!
X-Music에서의 하루는 내게 음악에 대한 사랑이 음악 프로듀서가 되기 위해 요구되는 유일한 것이 아니라는 것을 깨닫도록 도와주었다. 음악적 감각 이외에도 인내심과 리더십, 그리고 의사소통 기술도 배워야 할 중요한 기술들이다. 나는 이러한 능력을 계발할 계획을 세워야 할 것 같다.

18 해설 주어진 문장의 these skills는 ⑤ 바로 앞 문장에 나오는 patience, leadership, and communication skills를 가리키므로 ⑤에 오는 것이 가장 알맞다.

19 해설 ⓐ 사역동사 have＋목적어＋동사원형 (repeat) ⓑ get exhausted: 지치다 ⓒ '요구되는'이라는 수동의 의미를 나타내며 앞에 나오는 the only thing을 수식하는 과거분사(required)가 알맞다.

20 해설 ⑤ 글의 마지막 부분에서 언급했듯이 'I'는 음악 프로듀서가 되기 위해서는 음악에 대한 애정만이 필요한 것이 아니라 인내심과 리더십 등도 필요하다는 것을 깨달았다고 하였다.

Lesson 02 Express

Words & Expressions Test
p. 029

01 (1) 마침내, 결국 (2) 복장, 옷 (3) 엄한, 엄격한 (4) 뚜렷한, 두드러진 (5) ~와 잘 어울리다 (6) ~에 관해 말하자면 (7) eyebrow (8) combine (9) elegant (10) clash (11) showcase (12) realize **02** (1) angular (2) analogous (3) impression (4) current **03** (1) ② (2) ③ **04** (1) square (2) experiment

02

(1) 그 당시에 대부분 집의 지붕은 <u>각</u>이 져 있었다.
(2) 이 상황은 지난달 상황과 <u>유사하다</u>.
(3) Mr. Johnson의 연설은 청중에게 깊은 <u>인상</u>을 남겼다.
(4) 이 회사의 대부분의 직원들은 자신의 <u>현재의</u> 직업에 만족하는 것 같다.

03

(1) 그는 정장보다는 <u>캐주얼한</u> 옷을 입을 때 더 잘 어울린다.
(2) 미니스커트는 지난 몇 년 동안 <u>유행</u>해오고 있다.

04

(1) <u>직각의</u>: 모서리 부분이 90도로 된 모양을 한
(2) <u>실험하다</u>: 얼마나 좋은지 또는 효과적인지 알아내기 위해 다양한 아이디어 또는 방법을 써 보다

Communication Test
p. 031

01 ② **02** What do you think **03** (C)-(A)-(D)-(B) **04** I wonder if you like my gift

01

너는 이 다큐멘터리에 관해 어떻게 생각하니?
① 나는 그렇게 생각하지 않아.
② 나는 그것이 좋았다고 생각해.
③ 나는 전적으로 너에게 동의해.
④ 나는 오늘 밤 영화를 보러 갈 거야.
⑤ 나는 그것을 이미 세 번이나 봤어.

02

George의 새 영화에 관해 어떻게 생각하니?

03

(C) 너는 축제를 즐기고 있니?

(A) 응, 아주. 나는 페이스 페인팅을 할 수 있는 곳이 어딘지 궁금해.
(D) 바로 저기에서 받을 수 있어.
(B) 그렇구나. 고마워!

04

오늘은 미나의 생일이다. 그녀의 친구인 준호는 미나의 생일을 위해 팔찌를 만들었다. 그것을 그녀에게 준 후에 그녀의 반응을 기다리면서, 그는 '그녀가 그것을 좋아할까? 좋아하지 않을까? 그녀에게 물어봐야겠어.'라고 생각했다.
→ "미나야, 나는 네가 내 선물을 좋아하는지 <u>궁금해</u>."

Grammar Test
p. 033

01 ⑤ **02** (1) ⓒ (2) ⓐ (3) ⓑ **03** (1) will arrive → arrives (2) are → is **04** (1) regarded as one of the most famous music producers in England (2) allowed to stay unless they make too much noise

01

해설 「one of+the 최상급+복수명사」는 '가장 ~한 것들 중 하나'라는 뜻으로 ⑤ restaurant → restaurants(복수형)로 고쳐 써야 한다.
해석
A 수지야, 저녁으로 무엇을 먹고 싶니?
B 이탈리안 음식을 먹고 싶어. Francesco 식당으로 갈까?
A 좋아. 그곳이 이 지역에서 가장 훌륭한 이탈리안 식당 중 하나지.

02

해설 조건의 접속사 unless는 '만약 ~하지 않는다면'이라는 의미로, if ~ not으로 바꾸어 쓸 수 있다.
해석 (1) 노력하지 않으면 너는 다른 사람들에게 뒤쳐질 것이다.
(2) 예기치 않은 일이 일어나지 않는다면 나는 내일 너를 만날 것이다.
(3) 그곳이 여기서 그리 멀지 않다면 너는 그냥 걸어갈 수 있다.

03

해설 (1) 접속사 unless가 쓰인 조건 부사절에서는 현재시제가 미래시제를 대신하므로, will arrive를 arrives로 고쳐 써야 한다. (2) 「one of+the 최상급+복수명사」는 단수 취급하므로 are를 is로 고쳐 써야 한다.
해석 (1) 기차가 제시간에 도착하지 않는다면 그는 곤경에 처할 것이다.
(2) 프랑스에서 가장 영향력 있는 정치인들 중 한 명은 D. Morris이다.

04

해설 (1) '가장 ~한 것들(사람들) 중 하나'라는 의미의 「one of+the 최상급 형용사+복수명사」 형태로 나타낸다.

(2) '만약 ~하지 않는다면'이라는 의미의 접속사 unless가 이끄는 조건의 부사절(unless+주어+동사 ~)이 와야 한다.

해석 (1) Jim Smith는 영국에서 가장 유명한 음악 제작자로 여겨진다.

(2) 어린 아이들이 너무 소란을 피우지 않는다면 남아있는 것이 허용된다.

Reading Test

pp. 036~037

01 ② 02 ⑤ 03 (U)nless 04 ④ 05 ③ 06 to cover your eyebrows with your frames

01

해설 마지막 문장 Here are some tips ~ find your own style.에서 실험을 통해 자신만의 스타일을 찾는 방법에 관한 조언이 이어질 것임을 유추할 수 있다.

해석 이처럼, 여러분은 자신만의 매력과 개성을 자신만의 독특한 스타일로 돋보이게 할 수 있고, 그것은 여러분의 개인적인 이미지의 한 부분이 될 수 있다. 그것이 바로 시그니처 스타일이다. 어떻게 실험해서 여러분만의 스타일을 찾을지에 대한 세 명의 십 대 패션 리더들의 몇 가지 조언이 여기 있다.

① 21세기 패션의 역사
② 자신만의 패션 스타일을 찾는 방법에 관한 조언
③ 색상을 조합하여 새로운 스타일을 만들어내는 것에 관한 조언
④ 패션의 측면에서 개성을 가지는 것의 중요성
⑤ 십 대들 사이에 가장 인기 있는 유행 소개

02

해설 가장 좋아하는 색상의 아이템을 자주 착용하는지 묻는 주어진 문장 다음에는 초록색을 좋아하지만 피부와 어울리지 않아 잘 입지 않는다는 (C)가 가장 먼저 오고, 이어서 초록색에도 여러 색조가 있는 것을 알게 되어 짙은 초록색이 자신에게 잘 어울린다는 것을 발견했다는 (B)가 오고, 마지막에 자신이 좋아하는 색의 다양한 색조를 입어보면 자신에게 잘 어울리는 색조를 찾을 수 있을 거라는 내용인 (A)가 오는 것이 문맥상 가장 자연스럽다.

해석 여러분이 가장 좋아하는 색상은 무엇인가요? 여러분은 그 색상의 패션 아이템을 자주 착용하나요? (C) 저의 경우, 제가 제일 좋아하는 색상은 초록색이지만, 그것이 제 피부색과 어울리지 않는다고 생각해서 그것을 입는 것을 피하곤 했습니다. (B) 어느 날, 저는 초록색에는 많은 색조가 있다는 것을 깨달아서, 다양한 색조의 초록색으로 실험을 했고 결국 짙은 초록색이 저를 멋져 보이게 도와준다는 것을 발견했습니다. (A) 만약 여러분이 특정한 색상을 좋아한다면, 제가 한 것처럼 다양한 색조를 시도해 볼 수 있고, 여러분에게 잘 어울리는 색조를 찾을 수 있을 것입니다.

03

해설 문맥상 '서로 어울리지 않는 색상을 입는 것이 아니라면, 색상환을 사용하는 것이 자연스럽고 만족스러운 색상을 고르는 데 도움이 될 것이다'라는 의미가 되도록 접속사 unless(만약 ~하지 않는다면)가 와야 한다.

해석 예를 들어, 초록색 바지 위에 노란색 셔츠를 입는 것과 같이 유사색을 조합하는 것은 여러분에게 우아한 모습을 줄 색상 맞추기의 가장 쉬운 방법들 중 하나입니다. 초록색 치마에 빨간색 신발을 신는 것처럼 보색을 선택하는 것은 뚜렷한 인상을 만듭니다. 분할 보색이라고 불리는 유사색과 보색의 혼합을 고르는 것은 까다롭지만 보색의 조합보다 더 차분한 모습의 결과를 낼 수 있습니다. 여러분의 시그니처 스타일이 서로 충돌하는 색상을 입는 것이 아니라면, 색상환을 사용하는 것이 눈에 보기 자연스럽고 만족스러운 색상을 고르는 데 도움이 될 것입니다.

04

해설 주어진 문장의 this는 ④ 앞의 문장에서 언급한 '검은 줄무늬 셔츠를 데님 셔츠나 가죽 재킷, 카디건 아래에 입는 것'을 가리키므로 ④에 오는 것이 가장 알맞다.

해석 저는 많은 시간을 교복을 입고 학교에서 지내고 있어서, 제가 입는 것에 대해 그다지 많은 관심을 기울이지 않습니다. 그렇지만 제가 학교 밖에서 자주 입는 한 가지가 있는데 바로 검은 줄무늬 셔츠입니다. 그것은 단순한 디자인으로 매우 캐주얼합니다. 저는 그것을 데님 셔츠, 가죽 재킷이나 카디건 아래에 입는 것을 좋아합니다. 옷을 이렇게 겹쳐서 입는 것은 제가 많은 옷을 가지고 있지 않아도 제 스타일을 산뜻하게 유지해 줍니다. 옷을 짜 맞추어 입는 것은 정말 재미있습니다! 제 요점은 이것입니다. 여러분이 제일 좋아하는 패션 아이템이 있다면, 그리고 그것이 여러분의 다른 옷들과 잘 어울린다면, 여러분은 매일매일 새로운 복장을 만들 수 있습니다.

05~06

여러분만의 스타일을 개발하는 가장 단순한 방법 중 하나는 신발, 모자, 안경이나 시계 같은 장신구에 주의를 기울이는 것입니다. 저는 많은 시간을 제 안경을 고르는 데 사용하는데 그 이유는 안경이 제 모습의 중요한 부분이 될 수 있어서입니다. 안경테를 고를 때, 저는 제 얼굴형을 생각합니다. 제 얼굴이 약간 각이 졌기 때문에, 저는 주로 둥근 안경테를 고릅니다. 그렇지만 여러분의 얼굴이 둥글다면, 여러분은 각지거나 네모난 안경테를 착용했을 때 더 멋져 보일 것입니다. 여기 또 다른 중요한 요령이 있습니다. 사람들은 재질이나 색상 면에서 안경테 구입을 결정하는 경향이 있지만, 자신의 눈썹에 대해 생각하는 사람은 별로 없습니다. 눈썹은 매우 표현적일 수 있기 때문에, 그것을 안경테로 가리는 것은 여러분이 표현하는 감정을 숨길 수 있어 결국 여러분을 엄격하게 보이게 만들 수 있습니다.

05

해설 ③ 얼굴이 둥근형이면 각지거나 네모난 모양의 안경테가 잘 어울린다(If your face is round, ~ in angular or square frames.)고 하였다.

06

해설 글의 마지막 부분에 안경테로 눈썹을 가리면 감정을 숨길 수 있고 엄격한 인상을 줄 수 있다고 했으므로, 덜 엄격해 보이고 싶어 하는 준수에게 안경테로 눈썹을 가리지 않도록 하라는 조언을 해 주는 것이 알맞다.

해석 준수: 회사 사람들은 내가 항상 엄격해 보인다고 생각하지만 나는 엄격하지 않다. 나는 덜 엄격해 보이고 싶다. 내가 어떻게 해야 할까?

→ 안경테로 너의 눈썹을 가리지 않도록 노력하렴.

단원 평가 1회   pp. 038~041

01 ②   02 ①   03 ②   04 ③   05 ③   06 is one of the greatest writers   07 (1) are not → are 또는 unless → if (2) will get → gets   08 ③   09 ①   10 It is called a signature style.   11 ③   12 ⑤   13 ②   14 ②   15 ④ 16 ④   17 ③   18 material, color, eyebrows   19 ③   20 ⑤

01

해석 당신이 원하지 않는 무언가가 일어나는 것을 피하려면, 당신은 그것이 일어나는 것을 막기 위해 조치를 취해야만 할 것이다.
① 만들어내다 ② 피하다 ③ 발견하다 ④ 깨닫다 ⑤ 실험하다

02

해설 ①은 tricky(까다로운)의 의미와 반대되는 설명이다.

해석 ① 무엇인가가 까다롭다면, 그것은 다루기 쉬운 것이다.
② 저것은 작년에 Tom에게 일어났던 일과 매우 유사하다.
③ 몇몇 사람들이 이 도시에 대해 잘못된 인상을 가지고 있다.
④ 내가 자랄 때, 우리 부모님께서는 TV에 관해 매우 엄격한 규칙을 가지고 계셨다.
⑤ 이 회의에 참석한 누구나 현재의 이슈에 관해 자유롭게 표현할 수 있다.

03

해석 뮤지컬에 관해 어떻게 생각했니, Anna?
(A) 괜찮았어. 너는 어떻게 생각했어, Junsu?
(C) 나도 동의해. 음악이 정말 좋더라. 그 뮤지컬이 매우 마음에 들었어.
(B) 정말? 나는 음악이 그렇게 특별하다고 생각하진 않았어.

04

해설 대화의 흐름상 '나는 ~가 궁금하다'라는 의미의 궁금증을 표현하는 말인 I wonder ~가 가장 적절하다.

해석
A 와, 밤하늘에 별이 정말 많네.
B 나는 저 바깥 세상에도 생명체가 있는지 궁금해.

A 응. 그것은 나도 궁금해하는 바야.

05

해설 빈칸 이후에 A가 가격에 관해 자신의 의견을 말하는 것으로 보아 가격에 관한 의견을 묻는 ③이 가장 적절하다.

해석
A 나는 여기 음식이 정말 마음에 들어.
B 나도 동의해. 정말 맛있네. 가격에 대해 어떻게 생각해?
A 나는 가격은 조금 높다고 생각해.
① 여기 음식에 관해 너는 어떻게 생각해?
② 샐러드에 관한 너의 의견은 어때?
④ 가격을 조금 깎아줄 수 있어?
⑤ 음식 맛에 관해 어떻게 생각해?

06

해설 '가장 ~한 사람들 중의 하나'라는 의미의 「one of+the 최상급 형용사+복수명사」 구문을 사용하여 one of the greatest writers(가장 훌륭한 작가들 중 한 명)라고 쓰는 것이 적절하다.

해석
A Jason, 무엇을 읽고 있니?
B 나는 '한여름 밤의 꿈'을 읽고 있어.
A 나는 그것을 들어본 적이 없어. 누가 쓴 거야?
B William Shakespeare가 쓴 거야. 나는 그가 역사상 가장 위대한 작가들 중의 한 명이라고 생각해.

07

해설 (1) unless는 부정어 not을 포함하고 있으므로 not을 생략하거나 unless를 if로 고쳐 써야 한다.
(2) unless가 있는 조건 부사절에서는 현재시제가 미래시제를 대신하므로 will get을 gets로 고쳐 써야 한다.

해석 (1) 네가 진실을 들을 준비가 되지 않았다면, 나에게 무슨 일이 일어났는지 물어보지 마라.
(2) 그가 여기에 곧 도착하지 않는다면, 우리는 그가 없는 채로 회의를 시작해야 할 것이다.

08~10

넓은 바지, 줄무늬 셔츠, 야구 모자. 길을 걸어 보라. 그러면 무엇이 유행인지 보일 것이다. 어른들처럼 십 대들도 대중적인 유행을 따르는 경향이 있다. 여러분이 현재의 스타일에 만족한다면 괜찮지만, 만족하지 않는다면 자신만의 스타일을 만들 수도 있다. Steve Jobs를 생각해 보면 검은 셔츠에 청바지를 입은 남자의 모습이 여러분의 머리에 떠오를 것이다. 이처럼, 여러분은 자신만의 매력과 개성을 자신만의 독특한 스타일로 돋보이게 할 수 있고, 그것은 여러분의 개인적인 이미지의 한 부분이 될 수 있다. 그것이 바로 시그니처 스타일이다. 어떻게 실험해서 여러분만의 스타일을 찾을지에 대한 세 명의 십 대 패션 리더들의 몇 가지 조언이 여기 있다.

08 해설 '검은 셔츠와 청바지를 입고 있는'이라는 능동의 의미로 a man을 수식해야 하므로 현재분사 wearing이 알맞다.

09 해설 Steve Jobs하면 떠오르는 이미지가 있듯 당신도 매력과 개성을 보여 주는 스타일을 보여 줘야 한다는 내용이 이어지므로 접속사 Likewise(마찬가지로, 이처럼)가 알맞다.

10
해설 개인의 이미지의 일부가 되는 독특한 스타일은 'a signature style'이라고 불린다고 설명하고 있다.
해석 Q 개인적인 이미지의 한 부분이 될 수 있는 독특한 스타일을 무엇이라고 하는가?
A 시그니처 스타일이라고 한다.

| 11~12 |

여러분이 가장 좋아하는 색상이 무엇인가요? 여러분은 그 색상의 패션 아이템을 자주 착용하나요? 저의 경우, 제가 제일 좋아하는 색상은 초록색이지만, 그것이 제 피부색과 어울리지 않는다고 생각해서 그것을 입는 것을 피하곤 했습니다. 어느 날, 저는 초록색에는 많은 색조가 있다는 것을 깨달아서, 다양한 색조의 초록색으로 실험을 했고 결국 짙은 초록색이 저를 멋져 보이게 도와준다는 것을 발견했습니다. 만약 여러분이 특정한 색상을 좋아한다면, 제가 한 것처럼 다양한 색조를 시도해 볼 수 있고, 여러분에게 잘 어울리는 색조를 찾을 수 있을 것입니다.

11
해설 did는 바로 앞 문장에 나온 자신에게 맞는 색을 찾기 위해 다양한 색조의 초록색으로 실험을 했다는 것을 가리킨다.
해석 ① 다양한 종류의 옷을 사는 것
② 가장 어두운 초록색을 입는 것
③ 다양한 색조의 초록색을 실험해 보는 것
④ 비슷한 색상인 옷을 입는 것
⑤ 피부색과 유사한 색상을 고르는 것

12
해설 that은 앞에 나오는 선행사 one을 수식하는 주격 관계대명사이다. / ① 명사 house 앞에 쓰인 '저'라는 의미의 지시 형용사 ② 목적격 관계대명사 ③ 앞에 나온 the color를 대신하는 지시대명사 ④ 명사절을 이끄는 접속사 that ⑤ 주격 관계대명사
해석 ① 누가 저 집에 사는지 아무도 모른다.
② 이것은 내가 어제 잃어버렸던 시계와 같은 것이다.
③ 벽의 색상은 바닥 색상과 충돌한다.
④ 그가 아직 편지를 받지 못했다는 것은 불가능하다.
⑤ 노부인에게 자리를 양보했던 그 여자아이는 매우 친절해 보였다.

| 13~15 |

일단 색상을 정하면, 여러분은 잘 어울리는 다른 색상을 찾기 위해 색

상환이 유용하다는 것을 알게 될 것입니다. 색상환을 사용하는 세 가지 간단한 방법이 있습니다. 그것은 유사색을 조합하는 것, 보색을 고르는 것, 그리고 유사색과 보색을 함께 섞는 것입니다.

예를 들어, 초록색 바지 위에 노란색 셔츠를 입는 것과 같이 유사색을 조합하는 것은 여러분에게 우아한 모습을 줄 색상 맞추기의 가장 쉬운 방법들 중 하나입니다. 초록색 치마에 빨간색 신발을 신는 것처럼 보색을 선택하는 것은 뚜렷한 인상을 만듭니다. 분할 보색이라고 불리는 유사색과 보색의 혼합을 고르는 것은 까다롭지만 보색의 조합보다 더 차분한 모습의 결과를 낼 수 있습니다. 여러분의 시그니처 스타일이 서로 충돌하는 색상을 입는 것이 아니라면, 색상환을 사용하는 것이 눈에 보기 자연스럽고 만족스러운 색상을 고르는 데 도움이 될 것입니다.

13 해설 ⓑ 동명사 주어(Choosing complementary colors)는 단수 취급하여 단수동사를 취하므로 creates가 와야 한다.

14 해설 주어진 문장이 색상환을 활용하는 세 가지 방법이 있다고 언급하는 도입 문장이므로, 유사색, 보색, 분할 보색에 대한 세부 내용이 나오기 전(②)에 오는 것이 적절하다.

15 해설 글에서 유사색과 보색의 혼합을 고르는 것은 차분한 모습의 결과를 나타낸다고 했으므로, ④에서 파란색과 유사색인 연두색, 그리고 연두색의 보색인 주황색을 혼합해서 고르는 것이 더 강렬한 인상을 준다는 것은 글의 내용과 상반된다.

| 16~18 |

여러분만의 스타일을 개발하는 가장 단순한 방법 중 하나는 신발, 모자, 안경이나 시계 같은 장신구에 주의를 기울이는 것입니다. 저는 많은 시간을 제 안경을 고르는 데 사용하는데 그 이유는 안경이 제 모습의 중요한 부분이 될 수 있어서입니다. 안경테를 고를 때, 저는 제 얼굴형을 생각합니다. 제 얼굴이 약간 각이 졌기 때문에, 저는 주로 둥근 안경테를 고릅니다. 그렇지만 여러분의 얼굴이 둥글다면, 여러분은 각지거나 네모난 안경테를 착용했을 때 더 멋져 보일 것입니다. 여기 또 다른 중요한 요령이 있습니다. 사람들은 재질이나 색상 면에서 안경테 구입을 결정하는 경향이 있지만, 자신의 눈썹에 대해 생각하는 사람은 별로 없습니다. 눈썹은 매우 표현적일 수 있기 때문에, 그것을 안경테로 가리는 것은 여러분이 표현하는 감정을 숨길 수 있어 결국 여러분을 엄격하게 보이게 만들 수 있습니다.

16
해설 빈칸 바로 뒤에 얼굴형에 관한 이야기가 이어지므로 ④가 적절하다.
해석 ① 나이 ② 키 ③ 머리 모양 ④ 얼굴형 ⑤ 눈썹 위치

17 해설 (A)「one of the 최상급 형용사+복수명사」구문으로 복수명사 ways가 알맞다.
(B)「spend+시간+-ing(~하는 데에 시간을 쓰다)」구문으로 choosing 이 알맞다.

(C) '~하면서'라는 의미의 동시상황을 나타내는 분사구문(동사원형+-ing)이 적절하다.

18 해설 글의 마지막 부분에서 '사람들은 보통 재료나 색을 보고 안경테를 고르고 눈썹을 경시하는 경향이 있는데 눈썹은 표현력이 강하기 때문에 이를 고려해야 한다'고 설명하였다.

| 19~20 |

저는 많은 시간을 교복을 입고 학교에서 지내고 있어서, 제가 입는 것에 대해 그다지 많은 관심을 기울이지 않습니다. 그렇지만 제가 학교 밖에서 자주 입는 한 가지가 있는데 바로 검은 줄무늬 셔츠입니다. 그것은 단순한 디자인으로 매우 캐주얼합니다. 저는 그것을 데님 셔츠, 가죽 재킷이나 카디건 아래에 입는 것을 좋아합니다. 옷을 이렇게 겹쳐서 입는 것은 제가 많은 옷을 가지고 있지 않아도 제 스타일을 지루하게(→ 산뜻하게) 유지해 줍니다. 옷을 짜 맞추어 입는 것은 정말 재미있습니다! 제 요점은 이것입니다. 여러분이 제일 좋아하는 패션 아이템이 있다면, 그리고 그것이 여러분의 다른 옷들과 잘 어울린다면, 여러분은 매일매일 새로운 복장을 만들 수 있습니다.

19 해설 ⓒ 옷가지 수가 많지 않더라도 옷을 겹쳐 입으면 새로운 모습을 연출할 수 있다는 장점을 이야기하고 있으므로, boring이 아닌 fresh라고 고쳐 써야 한다.

20 해설 가장 좋아하는 패션 아이템을 다른 옷들과 짜 맞추어 입으면 항상 색다른 옷을 연출할 수 있다는 조언을 해 주고 있다.

단원 평가 2회 pp. 042~045

01 ④ 02 ② 03 if 04 ① 5 ⓑ - ⓓ - ⓒ - ⓔ - ⓐ 06
③ 07 ① 08 Don't call me unless it is an emergency situation. 09 popular 10 ③ 11 ① 12 ④ 13 ⑤ 14
⑤ 15 ④ 16 ② 17 ① 18 ④ 19 ⑤ 20 ①

01

해설 ④ combine은 '결합하다'라는 뜻으로, '두 가지를 분리시키다'라는 설명은 어색하다.
해석 ① 정사각형의: 4개의 면과 4개의 같은 각을 가진
② 상호보완적인: 서로의 부족한 것을 상호간에 공급하는
③ 현재의: 현 시점에 일어나거나 존재하는
⑤ 제복: 특정 집단의 사람들이 입는 차별된 디자인의 옷

02

해설 빈칸에는 '실험하다, 실험'의 experiment가 알맞다.
해석 • Alice는 다른 질감들로 자기 그림을 실험할 것이다.

• 나는 동물에게 실험을 한다는 생각을 좋아하지 않는다.
① ~을 돋보이게 하다; 공개 ③ (옷을) 껴입다; 겹침 ④ 충돌하다; 충돌 ⑤ ~의 경향을 띠다; 추세, 경향

03

해설 if에는 '만약 ~한다면'이라는 뜻과 '~인지 어떤지'라는 두 가지 뜻이 있다.
해석 • 네가 원한다면 너는 우리 집에서 자도 된다.
• 나는 화성에 사람들이 살 수 있는지 궁금하다.

04

해설 B의 빈칸 다음에 부정적인 의견이 이어지므로 ①이 적절하다.
해석 A 그 책에 관해 어떻게 생각해?
B 그것은 지루했어. 나는 마음에 들지는 않았어.
② 나는 그것이 정말 훌륭하다는 것을 알았어.
③ 나는 그것이 멋있었다고 생각해.
④ 그것은 아주 흥미로웠어.
⑤ 등장인물들이 정말 좋았어.

05

해설 ⓑ 뭐 하고 있니?
ⓓ 나는 책을 읽고 있어. 이 그림을 좀 봐.
ⓒ 아, 흰긴수염고래구나.
ⓔ 나는 그들이 세상에서 가장 큰 동물인지 궁금해.
ⓐ 음, 나도 그렇게 생각하는데, 확실하지는 않아.

06

해설 ③ 「one of+the 최상급+복수명사(가장 ~한 것들 중 하나)」 형태로 one 앞에는 the를 붙이지 않는다.
해석 ① Ann은 우리 반에서 가장 똑똑한 여학생이다.
② 백두산은 한국에서 가장 높은 산이다.
③ 제주도는 내가 가장 좋아하는 장소 중 한 곳이다.
④ 이것은 상점에서 가장 비싼 전화기이다.
⑤ Bob은 세계에서 가장 빠른 달리기 선수 중 한 명이다.

07

해설 ①은 '~인지 아닌지'라는 의미의 명사절을 이끄는 if이고, 나머지는 '~한다면'이라는 뜻의 조건절을 이끄는 접속사이다.
해석 ① 나는 그녀가 결혼을 했는지 안 했는지 궁금하다.
② 수영장이 문을 연다면 우리는 수영을 하러 갈 수 있다.
③ 네가 엄마에게 거짓말을 하지 않는다면, 엄마는 너를 용서할 것이다.
④ 네가 그를 보고 싶다면, 그에게 솔직히 말해야 한다.
⑤ 오래 걸리지 않는다면, 나는 너를 도와줄 수 있다.

08

해설 unless는 '만약 ~하지 않으면'이라는 if ~ not의 의미이다.
해석 긴급 상황이 아니면 내게 전화하지 마라.

넓은 바지, 줄무늬 셔츠, 야구 모자. 길을 걸어 보라. 그러면 무엇이 유행인지 보일 것이다. 어른들처럼 십 대들도 대중적인 유행을 따르는 경향이 있다. 여러분이 현재의 스타일에 만족한다면 괜찮지만, 만족하지 않는다면 자신만의 스타일을 만들 수도 있다. Steve Jobs를 생각해 보면 검은 셔츠에 청바지를 입은 남자의 모습이 여러분의 머리에 떠오를 것이다. 이처럼, 여러분은 자신만의 매력과 개성을 자신만의 독특한 스타일로 돋보이게 할 수 있고, 그것은 여러분의 개인적인 이미지의 한 부분이 될 수 있다. 그것이 바로 시그니처 스타일이다. 어떻게 실험해서 여러분만의 스타일을 찾을지에 대한 세 명의 십 대 패션 리더들의 몇 가지 조언이 여기에 있다.

09 해설 be in fashion은 '현재 유행하고 있는, 인기 있는'의 의미로, popular와 바꾸어 쓸 수 있다.

10 해설 선행사 style은 사물이고, 계속적 용법의 관계대명사의 경우 that은 쓸 수 없으므로 which가 적절하다.

| 11~12 |

여러분이 가장 좋아하는 색상은 무엇인가요? 여러분은 그 색상의 패션 아이템을 자주 착용하나요? 저의 경우, 제가 제일 좋아하는 색상은 초록색이지만, 그것이 제 피부색과 어울리지 않는다고 생각해서 그것을 입는 것을 피하곤 했습니다. 어느 날, 저는 초록색에는 많은 색조가 있다는 것을 깨달아서, 다양한 색조의 초록색으로 실험을 했고 결국 짙은 초록색이 저를 멋져 보이게 도와준다는 것을 발견했습니다. 만약 여러분이 특정한 색상을 좋아한다면, 제가 한 것처럼 다양한 색조를 시도해 볼 수 있고, 여러분에게 잘 어울리는 색조를 찾을 수 있을 것입니다.

11 해설 첫 번째 빈칸에서 목적절을 이끌고, 두 번째 빈칸에서 주격 관계대명사로 동시에 쓰일 수 있는 것은 that이다.

12 해설 ④ 'I'는 다양한 색조의 초록색을 입어본 결과, 짙은 초록색이 가장 어울린다는 것을 알았다.

| 13~14 |

색상환을 사용하는 세 가지 간단한 방법이 있습니다. 그것은 유사색을 조합하는 것, 보색을 고르는 것, 그리고 유사색과 보색을 함께 섞는 것입니다.

예를 들어, 초록색 바지 위에 노란색 셔츠를 입는 것과 같이 유사색을 조합하는 것은 여러분에게 우아한 모습을 줄 색상 맞추기의 가장 쉬운 방법들 중 하나입니다. 초록색 치마에 빨간색 신발을 신는 것처럼 보색을 선택하는 것은 뚜렷한 인상을 만듭니다. 분할 보색이라고 불리는 유사색과 보색의 혼합을 고르는 것은 까다롭지만 보색의 조합보다 더 차분한 모습의 결과를 낼 수 있습니다. 여러분의 시그니처 스타일이 서로 충돌하는 색상을 입는 것이 아니라면, 색상환을 사용하는 것이 눈에 보기 자연스럽고 만족스러운 색상을 고르는 데 도움이 될 것입니다.

14 정답과 해설

13 해설 색상을 조합하는 데에 있어 색상환이 어떻게 유용하게 쓰이는지에 관해 설명하는 글이다.
해석 ① 유사색을 결합하는 방법
② 보색을 맞추는 다양한 방법들
③ 더 많은 색을 섞을수록, 더 좋아 보인다
④ 어울리는 색을 고르는 것의 어려움
⑤ 색상을 조합하는 데 색상환의 유용함

14 해설 using은 주어로 쓰인 동명사이다. / ① 현재완료진행(~해오고 있다) ② 현재분사(~하면서) ③ 현재진행(~하고 있다) ④ 현재분사(~하고 있는) ⑤ 동명사(~하는 것)
해석 ① 그는 하루 종일 나의 태블릿 PC를 사용하고 있다.
② 그의 지도를 사용하면서, Steve는 동네 주변을 걷고 있다.
③ Carol은 시간과 노력을 줄이려고 식기 세척기를 쓰고 있다.
④ 복사기를 사용하고 있는 여자가 새로운 비서이다.
⑤ 이 망원경을 사용하는 것은 네가 우주의 경이로움을 볼 수 있도록 도와줄 것이다.

| 15~17 |

저는 많은 시간을 교복을 입고 학교에서 지내고 있어서, 제가 입는 것에 대해 그다지 많은 관심을 기울이지 않습니다. 그렇지만 제가 학교 밖에서 자주 입는 한 가지가 있는데 바로 검은 줄무늬 셔츠입니다. 그것은 단순한 디자인으로 매우 캐주얼합니다. 저는 그것을 데님 셔츠, 가죽 재킷이나 카디건 아래에 입는 것을 좋아합니다. 옷을 이렇게 겹쳐서 입는 것은 제가 많은 옷을 가지고 있지 않아도 제 스타일을 산뜻하게 유지해 줍니다. 옷을 짜 맞추어 입는 것은 정말 재미있습니다! 제 요점은 이것입니다. 여러분이 제일 좋아하는 패션 아이템이 있다면, 그리고 그것이 여러분의 다른 옷들과 잘 어울린다면, 여러분은 매일매일 새로운 복장을 만들 수 있습니다.

15 해설 주어진 문장의 Putting on clothes in layers like this (이렇게 옷을 겹쳐 입는 것)은 ⓓ 앞의 문장, 즉 '검은 줄무늬 셔츠와 다른 옷들을 겹쳐서 입는 것'을 의미하므로 ⓓ에 오는 것이 가장 적절하다.

16 해설 빈칸의 앞뒤에 옷이 많지 않아도 다른 옷들과 짜 맞추어 입는 것의 이점에 관해 이야기하고 있으므로 빈칸에는 ②가 와야 한다.
해석 ① 다양한 색상을 실험하는 것
② 옷을 짜 맞추어 입는 것
③ 완전히 다른 스타일을 시도하는 것
④ 매달 새 옷을 구입하는 것
⑤ 다른 사람에게 옷에 관한 조언을 받는 것

17 해설 ① 'I'는 교복을 입고 학교에서 많은 시간을 보내므로 옷에 시간을 투자하지 않고, 옷이 많지 않다고 이야기하고 있다.

| 18~20 |

여러분만의 스타일을 개발하는 가장 단순한 방법 중 하나는 신발, 모자, 안경이나 시계 같은 장신구에 주의를 기울이는 것입니다. 저는 많은 시간을 제 안경을 고르는 데 사용하는데 그 이유는 안경이 제 모습의 중요한 부분이 될 수 있어서입니다. 안경테를 고를 때, 저는 제 얼굴형을 생각합니다. 제 얼굴이 약간 각이 졌기 때문에, 저는 주로 둥근 안경테를 고릅니다. 그렇지만 여러분의 얼굴이 둥글다면, 여러분은 각지거나 네모난 안경테를 착용했을 때 더 멋져 보일 것입니다. 여기 또 다른 중요한 요령이 있습니다. 사람들은 재질이나 색상 면에서 안경테 구입을 결정하는 경향이 있지만, 자신의 눈썹에 대해 생각하는 사람은 별로 없습니다. 눈썹은 매우 표현적일 수 있기 때문에, 그것을 안경테로 가리는 것은 여러분이 표현하는 감정을 숨길 수 있어 결국 여러분을 엄격하게 보이게 만들 수 있습니다.

18 해설 (A) pay attention to: ~에 관심(주의)를 기울이다 (B) in terms of: ~면에서, ~에 관하여

19
해설 ⑤ eventually는 '마침내, 결국'이라는 뜻으로 finally와 바꿔 쓸 수 있다. hardly는 '거의 ~ 아닌'이라는 의미이다.
해석 ① like(~처럼) – such as(~와 같은)
② think of(~에 관해 생각하다) – consider(고려하다)
③ Since(~이므로) – As(~이므로)
④ rather(다소) – somewhat(다소)

20
해설 눈썹은 표현력이 강하기 때문에 안경테로 가리는 것은 당신의 감정을 숨길 수 있으므로, 안경을 고를 때는 눈썹을 고려하라는 것을 또 하나의 팁으로 제시하고 있다.
해석 ① 안경테를 고를 때 눈썹을 고려하는 것
② 얼굴형에 따라 안경테를 고르는 것
③ 구매에 관련된 요소들을 분석하는 것
④ 재료와 색상의 관점에서 안경테를 고르는 것
⑤ 장신구로 자신의 감정을 숨기는 것

Lesson 03 Contribute

Words & Expressions Test p. 049

01 (1) 쓰레기 매립지 (2) 대량의 (3) 흠뻑 젖은 (4) 아마 ~일 것이다 (5) 엄청나게 유행하다 (6) ~을 없애다, ~을 처분하다 (7) transparent (8) edible (9) perspective (10) eco-friendly (11) readability (12) annually **02** (1) promote (2) tackle (3) distribute (4) taken on **03** (1) ③ (2) ① **04** (1) be all the rage (2) activist

02
(1) 그 프로젝트의 주된 목표는 태양 에너지의 사용을 <u>홍보하는</u> 것이다.
(2) 현재 많은 학교들이 학교 폭력 문제를 <u>해결하려고</u> 노력하고 있다.
(3) 몇몇 허리케인 피해자들은 정부가 구호 물품을 즉시 <u>배급해 주지</u> 않았다고 불평하고 있다.
(4) 그 소설가는 동물의 시각에서 글을 쓰는 도전을 <u>해왔다.</u>

03
(1) 나의 낮은 시험 성적은 좋은 학교에 입학할 가능성을 <u>망쳐 놓았다.</u>
(2) 나는 항상 집에서 <u>일회용품을 재활용이 가능한 물건으로 대체할 수 있는 방법</u>을 찾고 있다.

04
(1) <u>엄청나게 유행하다</u>: 특정한 시기에 매우 인기가 있다
(2) <u>운동가, 활동가</u>: 어떤 사회적 변화를 위한 운동을 펼치는 사람

Communication Test p. 051

01 Have you heard **02** (A) – (B) – (D) – (C) **03** you aware **04** (1) remove all of your valuables (2) about the singing dog

01
A 글램핑에 대해 들어본 적 있니?
B 응. 그건 모든 게 잘 갖춰져 있는 고급 캠핑이야, 맞지?

02
(A) 안녕, 민지야! 너 오늘은 그릇에 있는 거 다 먹어야 해.
(B) 왜? 아, 깜박 잊었네! 오늘 잔반 없는 날이지, 맞지?
(D) 맞아. 매주 수요일에는 잔반을 남기지 말자는 우리 학교 새 캠페인이야. 그 캠페인의 목적은 환경 의식을 높이는 거지.

(C) 그렇지. 내 생각에는 모든 학생들이 규칙에 따르는 것이 중요한 것 같아.

03

A 너는 플라스틱을 먹는 박테리아에 대해 들어본 적 있니?
= 너는 플라스틱을 먹는 박테리아를 알고 있니?

B 응. 그 박테리아는 6주 이내에 PET 플라스틱을 완전히 분해할 수 있지.

Grammar Test
p. 053

01 (1) ○ (2) Having deceived → Having been deceived
(3) Having written → Having been written   02 (1)
allowed me to improve my English (2) convinced him
to join the club (3) consumers to get more nutritious
foods   03 (1) to apply (2) having purchased (3) Having
worked   04 (A) Having studied English for so many
years (B) I want my teachers to teach English in English.

01

해설 (1) After I had finished the work 부사절을 분사구문으로 바꾼 것이므로 옳다.
(2) As I had been deceived by them의 뜻이므로 Having been deceived로 써야 알맞다.
(3) 주절의 주어가 it이므로 Having written을 Having been written으로 써야 알맞다.
해석 (1) 나는 일을 끝마치고 잠자리에 들었다.
(2) 그들에게 속았기 때문에 나는 더 이상 그들을 신뢰할 수 없다.
(3) 그것은 급하게 쓰였기 때문에 오류가 많다.

02

해설 「주어+동사+목적어+목적격 보어(to부정사)」 형태의 5형식 문장으로 나타낸다.
해석 (1) 그의 가르침으로 나의 영어 실력이 향상되었다.
(2) 그의 어머니는 결국 그를 설득하여 그 동아리에 가입하게 하였다.
(3) 생명 공학은 소비자들이 더 영양가 높은 음식을 먹을 수 있게 할 것이다.

03

해설 (1) persuade는 목적격 보어로 to부정사를 취하므로 to apply가 알맞다.
(2) 완료분사구문이 와야 하므로 after 뒤에 having purchased가 알맞다.
(3) 완료분사구문이 와야 하므로 Having worked가 알맞다.
해석 (1) Sarah는 그 일에 지원해 보라고 나를 설득했다.

---

(2) 어떤 상품이든 구매한 지 7일 이내에는 거래를 취소할 수 있다.
(3) 영재 학생들과 함께 수업을 진행한 후, 그는 그의 교수법을 향상할 수 있었다.

04

해설 (A) 내가 슬픈 것은 현재 영어를 유창하게 표현하지 못하는 것인데 오랫동안 영어를 공부한 것은 현재완료 시제이다. 즉, Although I have studied English for so many years의 뜻이므로 Having studied English for so many years로 고쳐 써야 한다.
(B) want는 목적격 보어로 to부정사를 필요로 하는 동사이므로 teach를 to teach로 고쳐 써야 한다.
해석 내가 보기에 이것은 이야기를 나눌 만한 매우 의미 있는 주제이다. 그토록 오랫동안 영어를 공부했지만, 슬프게도 나는 여전히 영어로 분명하게 그리고 유창하게 의사표현을 하지 못한다. 대부분의 시간에 우리 영어 선생님들은 중국어로 말하셨고, 우리에게 영어로 말하기를 연습할 기회를 전혀 주지 않으셨다. 나는 선생님들이 영어로 영어를 가르쳐 주시기를 원한다.

Reading Test
pp. 056~057

01 ① 02 ④ 03 (A) go → goes (B) to distribute → to
be distributed 04 waste 05 ② 06 a fifth less ink
than traditional fonts without ruining readability

01

해설 'Going green(친환경)'은 말은 쉬워도 일상생활에서 실천하기 어렵다는 내용이므로 ① '행동보다 말이 쉽다.'가 가장 적절하다.
해석 요즘 'Going green(친환경)'이라는 말이 엄청나게 유행인 것 같다. 상점이나 회사는 자신들의 사업이 환경 친화적이라고 홍보하기 위해 이와 같은 문구를 사용한다. 환경에 해를 미치지 않는 방식으로 살아가려고 노력하는 것은 이치에 맞는 일이지만, 친환경적인 삶을 사는 것이 쉬울까? 예를 들어, 당신은 집에서 텔레비전을 보지 않을 때 항상 TV 플러그를 빼놓는가? 당신의 동네 상점들은 난방기나 냉방기를 가동할 때 항상 문을 닫아 두고 있는가? 아마도 그렇지 않을 것이다.
② 손바닥도 마주쳐야 소리가 난다.
③ 잘 생각해 보고 행동하라. 〔돌다리도 두드려 보고 건너라.〕
④ 늦더라도 안 하는 것보다 낫다.
⑤ 느려도 착실히 하면 이긴다. 〔서두르면 일을 망친다.〕

02

해설 이 글은 자신에게는 필요 없지만 다른 사람들에게는 필요한 물건을 봉투에 담아 재사용하는 네덜란드의 Goedzak 방식에 관한 글로 '기부 행위의 일반적 이점'에 대해 말하고 있는 ④는 글의 전체 흐름에서 벗어난다.
해석 누구나 더 이상 필요 없는 물건들을 가지고 있고, 아마 그 물건들은 결국 버려질 것이다. 하지만 버려지는 것들 중 일부는 아직 다른 사람들에게는 유용하다. Goedzak은 버려졌을지도 모를 중고 물건들을 사람들이 가져갈 수 있게 하는 네덜란드의 방식이다. 그것은 중고이지만 아직 쓸 만한 물건들로 채워질 수 있는 특별한 쓰레기 봉투이다. (중고 물건을 기부하는 것은 물건을 파는 것보다 덜 노동집약적이며, 세금 공제 혜택뿐만 아니라 마음 뿌듯한 보람을 느낄 수 있다.) 보도에 봉투를 내놓는 것은 그 안에 들어 있는 것이 무엇이든 지역 주민 누구나 가져갈 수 있게 한다.

03

해설 (A) a third of는 부분을 나타내는 말로 뒤에 오는 명사의 수에 동사의 수를 일치시킨다. global food production은 단수이므로 goes로 써야 알맞다.
(B) 「allow+목적어+목적격 보어(to부정사)」 구문으로 목적어가 extra food이며, '여분의 음식이 나눠지다'라는 수동의 의미를 나타내야 하므로 to be distributed가 알맞다.

해석 유엔식량농업기구(FAO)에 따르면, 해마다 전 세계 식량 생산량의 3분의 1이 쓰레기통으로 들어간다. 독일에서만, 매년 약 천 백만 톤의 음식이 낭비되고 있다. 지역 단위로 이 문제를 해결하기 위해 설립된 온라인 플랫폼인 'foodsharing.de'는 여러분의 냉장고나 찬장에 있는 여분의 음식이 이웃에게 나눠질 수 있게 해 준다. 기본 개념은 간단하다. 그것은 사람들이 음식을 나누는 것이다. 유일한 규칙은 여러분 자신이 먹지 않을 것을 다른 사람들에게 넘겨주지 말라는 것이다.

04

해설 일회용 컵은 사용하기는 편리하지만 많은 양의 쓰레기를 만들어 내기 때문에 몇몇 디자이너들이 새로운 구조의 커피 컵을 생각하게 되었다고 했으므로 이 컵을 사용하면 필요 이상의 설탕은 섭취할지 모르지만 쓰레기(waste)는 분명 줄일 수 있다는 내용이 되어야 문맥상 자연스럽다.

해석 일회용 컵을 사용하는 것은 편리할 수는 있지만, 그것이 반드시 환경 친화적인 것은 아니다. 그것들은 엄청난 쓰레기의 원천이다. 해마다 미국인들은 1천억 개 이상의 일회용 컵을 사용하고, 한국인들은 매년 150억 개가 넘는 컵을 버린다. 그것이 바로 몇몇 참신한 디자이너들이 먹을 수 있는 커피 컵을 생각해 내게 한 동기가 되었다. 쿠키가 그것의 주요한 구조이고, 안쪽에는 화이트 초콜릿 한 겹이, 바깥쪽에는 얇은 설탕 종이 한 겹이 있다. 이 구조는 당신이 흠뻑 젖은 컵을 들지 않은 채로 커피를 마실 수 있게 해 준다. 당신은 그것을 커피를 위한 다과로 생각할 수 있다! 필요 이상으로 설탕을 섭취할지도 모르지만, 이 컵은 분명 쓰레기를 덜 만들어 낼 것이다.

05~06

당신이 어떤 문서를 500장 복사해야 할 때 친환경적으로 하려면 무엇을 할 수 있을까? 많은 친환경 전략은 양면 인쇄와 같이 종이를 적게 사용하는 데 중점을 두고 있다. 또 다른 친환경 전략은 잉크를 덜 사용하는 것인데, 이것은 많은 사람들이 이미 하고 있다. 하지만 거기서 한 단계 더 나아갈 수 있다면 어떨까? 그것이 바로 Ecofont이다. 그 안에 미세한

구멍이 있는 서체를 개발할 수 있다면, 사용되는 잉크 양을 더 효율적으로 쓸 수 있을 거라고 한 디자이너가 생각했다. 실제로 Ecofont는 가독성을 해치지 않으면서도 기존 서체들에 비해 약 5분의 1 정도의 잉크를 덜 쓴다. Ecofont의 기발함은 친환경을 실천함에 있어 색다른 관점을 취한다는 데 있다. 즉 서체를 통해 잉크를 덜 쓰는 것이다.

05 **해설** 주어진 문장이 앞에서 설명한 일반적인 종이 절약 또는 잉크 절약이라는 기존의 방식에서 한발 더 나아가 혁신적인 발상을 할 수 있다면 어떨까라는 의미로 새로운 방식인 Ecofont를 소개하기 전인 ⓑ에 오는 것이 가장 적절하다.

06 **해설** 'Ecofont는 가독성을 해치지 않으면서도 기존 서체들에 비해 약 1/5 정도 잉크를 덜 쓴다.'는 의미가 되어야 한다. '~보다 약 1/5 정도 잉크를 덜 사용한다'는 use about a fifth less ink than~으로 나타낸다.

단원 평가 1회

pp. 058~061

01 ② **02** ③ **03** ⑤ **04** ④ **05** ④ **06** ③ **07** ⑤ **08** ① **09** ④
10 come up with **11** ④ **12** ③ **13** As it was founded to tackle this problem on a local scale **14** ④ **15** ⓐ: which ⓑ: used **16** ⑤ **17** ③ **18** 당신의 환경 의식 수준을 높은 상태로 유지할 수 있을 것이다. **19** ④ **20** ②

01

해석 우리는 따돌림 문제를 해결해야 한다. 당신의 아이가 학교에서 매일 두려움에 복도를 걸어 다니지 못한다고 생각해 보라.
① 무시하다 ② (문제 등을) 해결하다, 다루다 ③ 받아들이다, 껴안다 ④ 낭비하다 ⑤ 분배하다

02

해석 어떤 사람들은 다른 사람들한테는 유용할 수도 있는 물건들을 그냥 쓰레기통에 버린다.
① 타당하다 ② (일 등을) 맡다 ③ ~을 버리다 ④ ~와 잘 어울리다 ⑤ ~을 생각해 내다

03

해설 ⑤ A가 말한 'green products'는 친환경 제품을 말하는 것이므로, '컬러 디자인의 중요성'을 언급하는 B의 대답은 어색하다.
해석
① A 너는 Sally 다리가 부러졌다는 애기 들었니?
B 아니. 어쩌다가 그랬는데?
② A 종이컵 하나만 주실래요?
B 죄송하지만, 저희는 여기서 일회용품을 사용하지 않아요.
③ A 너는 피자 배달 드론에 관해 알고 있니?
B 응. 나는 텔레비전에서 확실히 봤어.

Lesson 03   **17**

④ **A** 너는 Earth Hour에 관해 들어봤니?
　B 응. 한 시간 동안 전기를 사용하지 말자는 전 세계적인 캠페인이지.
⑤ **A** 요즘 친환경 제품이 유행인 것 같아.
　B 응. 나는 컬러 디자인의 중요성을 강조하고 싶어.

04

해설 빈칸 다음에 No, I haven't.의 대답으로 보아, 상대방이 알고 있는지 묻는 Have you heard about ~?이라는 표현이 쓰인 ④ '너는 이 게임에 관해 들어본 적 있니?'라는 말이 빈칸에 자연스럽다.

해석
A 민호야, 뭐 하고 있니?
B 난 정말 재미있는 모바일 게임을 하고 있는 중이야. <u>너는 이 게임에 관해 들어본 적 있니?</u>
A 아니, 들어본 적 없어. 그게 뭔데?
B 게임하는 사람들이 나무 심기 프로젝트에 참여할 수 있게 해 주는 모바일 게임이야.
① 이 게임은 어떻게 작동하니?
② 이 게임을 같이 하자.
③ 이 게임을 한번 해 보지 그래?
⑤ 이 게임에 관해 어떻게 생각하니?

05

해석 밖이 왜 이렇게 어둡지? 오후 2시밖에 안 됐는데. – (D) 대기오염 앱을 한번 확인해 볼게. 아, 오늘 대기 중 먼지 농도가 높네. – (A) 이 먼지는 다 어디서 오는 걸까? – (C) 대부분 도시 근교의 공장들에서 날아오는 거야. 그 공장들이 환경법을 잘 지키는 게 중요한데. – (B) 맞아. 아무튼, 네가 오늘 외출을 한다면 방진 마스크를 쓰는 것을 추천해.

06

해설 ③ 주절의 주어가 simple things이므로, 종속절의 생략된 주어를 살리면 if they are seen from a different perspective가 된다. 이를 분사구문으로 바꾸면 they are가 생략된 형태인 if seen from a different perspective가 되므로, seeing을 seen으로 고쳐 써야 한다.

해석 ① 난 그 다음 무엇을 해야 할지 몰라서 매우 당황했다.
② 돌고래 쇼를 보고 나서, 나는 처음으로 '동물의 권리'에 관해 생각했다.
③ 다른 시각에서 바라보면, 단순한 것들도 아름답다.
④ 여러 번 듣고 나서, 그는 마침내 그것을 이해하였다.
⑤ 귀하의 웹 사이트를 발견하고 나서, 저는 이 직책에 지원하기로 결심했습니다.

07

해설 ⑤ 종속절이 주절의 시제보다 이전이므로 회복할 시간이 더 필요한 것은 현재이며, 아팠던 것은 과거의 일이므로, 완료분사구문(Having+p.p.)이 와야 한다. (Being → Having been)

해석 ① 그는 그 소식을 듣지 못해서, 무슨 일이 벌어지고 있는

지 전혀 알지 못했다.
② 베를린에서 그 뮤지컬을 보고 나서, 나는 바로 이 CD를 샀다.
③ 그 강의를 녹음해 두면, 네가 원하는 속도로 그것을 재생해 들을 수 있을 것이다.
④ 창문 밖을 내다보았을 때, 그는 낯선 사람을 보았다.
⑤ 나는 오랫동안 아팠기 때문에, 회복할 시간이 더 필요하다.

08

해설 ① enable은 목적격 보어로 to부정사를 취하므로 do를 to do로 고쳐 써야 한다.

해석 ① Burns 씨는 내가 하고 싶은 일은 뭐든 할 수 있게 해 주신다.
② 그녀는 내가 그녀의 멋진 집 사진을 찍는 것을 허락했다.
③ 부모님은 내가 유치원에 다닐 때부터 항상 A학점을 받기를 기대하셨다.
④ 나는 아버지가 설거지를 하고 계신 광경을 종종 보았다.
⑤ 용의자의 행동은 피해자들이 겁에 질리게 만들었다.

09~10

요즘 'Going green(친환경)'이라는 말이 엄청나게 유행인 것 같다. 상점이나 회사는 자신들의 사업이 환경 친화적이라고 홍보하기 위해 이와 같은 문구를 사용한다. 환경에 해를 미치지 않는 방식으로 살아가려고 노력하는 것은 이치에 맞는 일이지만, 친환경적인 삶을 사는 것이 쉬울까? 예를 들어, 당신은 집에서 텔레비전을 보지 않을 때 항상 TV 플러그를 빼놓는가? 당신의 동네 상점들은 난방기나 냉방기를 가동할 때 항상 문을 닫아 두고 있는가? 아마도 그렇지 않을 것이다. 일부 혁신가들이 '친환경'이라는 과제를 맡아 '친환경'을 더 쉽고 단순하게 만들기 위해 몇몇 기발한 아이디어를 생각해 냈다.

09

해설 자신들의 사업을 홍보하기 위해 'Going green(친환경)'이라는 문구를 사용한다고 했으므로 이 문구와 관련된 ④ '친환경적인'이라는 말이 와야 한다.

해석 ① 윤리적인　② 실용적인　③ 유행을 따른　⑤ 진보적인

10 **해설** '안을 내놓다; 어떤 문제나 과제를 다루기 위해 (제안 등을) 생산하다'라는 뜻을 나타내는 말은 come up with이다.

11~12

누구나 더 이상 필요 없는 물건들을 가지고 있고, 아마 그 물건들은 결국 버려질 것이다. 하지만 버려지는 것들 중 일부는 아직 다른 사람들에게는 유용하다. Goedzak은 버려졌을지도 모를 중고 물건들을 사람들이 가져갈 수 있게 하는 네덜란드의 방식이다. 그것은 중고이지만 아직 쓸 만한 물건들로 채워질 수 있는 특별한 쓰레기 봉투이다. 보도에 봉투를 내놓는 것은 그 안에 들어 있는 것이 무엇이든 지역 주민 누구나 가져갈 수 있게 한다. Goedzak의 밝은 색상이 사람들의 관심을 끄는

한편, 봉투의 투명한 면이 내용물을 감춘다(→ 보여 준다). 사람들은 자신들이 마음에 드는 것을 마음껏 가질 수 있다. 얼마나 기발한 아이디어인가! 이 투명한 쓰레기봉투는 쓰레기 매립장으로 갈 쓰레기의 양을 줄임으로써 많은 네덜란드 사람들이 보다 환경 친화적인 삶을 사는 데 일조하고 있다.

11 해설 ⓓ 문맥상 '봉투의 투명한 면이 내용물을 보여 준다'라고 해야 자연스러우므로 conceals(감추다)를 reveals로 고쳐야 한다.

12 해설 ③ 봉투에 내놓는 것은 지역 주민 누구나 가져갈 수 있다는 설명은 있지만, 봉투를 서로 교환할 수 있다는 내용은 나와 있지 않다.

| 13~14 |

독일에서만, 매년 약 천 백만 톤의 음식이 낭비되고 있다. 지역 단위로 이 문제를 해결하기 위해 설립된 온라인 플랫폼인 'foodsharing.de'는 여러분의 냉장고나 찬장에 있는 여러분의 음식이 이웃에게 나눠질 수 있게 해 준다. 기본 개념은 간단하다. 그것은 사람들이 음식을 나누는 것이다. 유일한 규칙은 여러분 자신이 먹지 않을 것을 다른 사람들에게 넘겨주지 말라는 것이다. 이 프로젝트는 사람들이 음식에 대해 생각하는 방식을 바꿀 수도 있다. 즉, 음식은 나누지 않으면 낭비된다.

13 해설 '지역 단위로 이 문제를 해결하기 위해 만들어진'이라는 수동의 의미이고, 주절(the online platform, "foodsharing.de" allows ~)보다 한 시제 앞서므로, As it was founded to ~로 써야 한다.

14 해설 여러분의 음식이 이웃에게 나눠질 수 있게 하며, 기본 개념이 음식을 나누는 것이라고 했으므로 ④ '음식은 나누지 않으면 낭비된다'는 말이 와야 가장 적절하다.
해석 ① 당신이 어떤 사람이냐는 당신이 뭘 먹느냐에 달려 있다
② 그는 겉으로는 안 그런 척 내숭을 떤다
③ 인간은 빵만으로는 살 수 없다
⑤ 대접받고 싶은 대로 남에게 행하라(가는 말이 고와야 오는 말이 곱다)

| 15~16 |

또 다른 친환경 전략은 잉크를 덜 사용하는 것인데, 이것은 많은 사람들이 이미 하고 있다. 하지만 거기서 한 단계 더 나아갈 수 있다면 어떨까? 그것이 바로 Ecofont이다. 그 안에 미세한 구멍이 있는 서체를 개발할 수 있다면, 사용되는 잉크 양을 더 효율적으로 쓸 수 있을 거라고 한 디자이너가 생각했다. 실제로 Ecofont는 가독성을 해치지 않으면서도 기존 서체들에 비해 약 5분의 1 정도의 잉크를 덜 쓴다. Ecofont의 기발함은 친환경을 실천함에 있어 색다른 관점을 취한다는 데 있다. 즉 서체를 통해 잉크를 덜 쓰는 것이다.

15 해설 ⓐ 관계대명사 that은 계속적 용법으로 쓰이지 않으므로 which로 고쳐 써야 한다. ⓑ '쓰이는 잉크의 양(잉크 사용량)'을 뜻하므로 the amount of ink (which is) used가 어법에 맞는 표현이다. (using → used)

16 해설 아무리 잉크를 절약한다 해도 가독성이 떨어지면 소용없으므로 문맥상 ⑤ 'readability(가독성)'가 와야 한다.
해석 ① 독자 수 ② 정확성 ③ 평판 ④ 융통성

| 17~18 |

환경 친화적인 삶의 방식은 하루아침에 온 세상을 뒤바꾸는 일이 아니다. 그것은 당신 자신의 낭비 습관을 인식하고, 나아가 다른 사람들도 자신들의 낭비 습관을 인식할 수 있도록 돕는 일이다. 인식이 생기면, 일상 활동을 하는 약간 다른 방식을 취하는 과정이 따른다. 당신이 이런 일을 할 때, 당신은 환경 예금 계좌를 가득 찬 상태로 유지하는 것이다. 당신이 한 걸음 더 나아가 다른 사람들도 그런 실천을 할 수 있도록 돕는다면, 당신은 환경 운동가이고 큰 변화가 일어날 수 있다.

17 해설 '나의 작은 실천이 큰 변화를 만든다'는 것이 글의 요지이므로 ③이 가장 적절하다.
해석 ① 늦더라도 안 하는 것보다는 낫다.
② 사공이 많으면 배가 산으로 올라간다.
④ 연습한다고 항상 완벽해지는 건 아니다.
⑤ 손에 있는 새 한 마리가 숲속의 새 두 마리 보다 낫다. (→ 남의 돈 천 냥보다 자기 돈 한 냥이 낫다.)

18 해설 문맥상 environmental bank account가 무슨 의미인지 알아야 하는데 여기서는 환경 의식(environmental awareness)을 가리킨다.

| 19~20 |

일회용 컵을 사용하는 것은 편리할 수는 있지만, 그것이 반드시 환경 친화적인 것은 아니다. 그것들은 엄청난 쓰레기의 원천이다. 해마다 미국인들은 1천억 개 이상의 일회용 컵을 사용하고, 한국인들은 매년 150억 개가 넘는 컵을 버린다. 그것이 바로 몇몇 참신한 디자이너들이 먹을 수 있는 커피 컵을 생각해 내게 한 동기가 되었다. 쿠키가 그것의 주요한 구조이고, 안쪽에는 화이트 초콜릿 한 겹이, 바깥쪽에는 얇은 설탕 종이 한 겹이 있다. 이 구조는 당신이 (마시다 보니 어느새) 흠뻑 젖은 컵을 들지 않은 채로 커피를 마실 수 있게 해 준다. 당신은 그것을 커피를 위한 다과로 생각할 수 있다! 필요 이상으로 설탕을 섭취할지도 모르지만, 이 컵은 분명 쓰레기를 덜 만들어 낼 것이다.

19 해설 주어진 문장의 This structure는 ⓓ 앞의 문장 A cookie

forms the main structure, ~의 설명을 가리키므로 ⓓ에 오는 것이 가장 적절하다.

20

해설 커피를 마시고 나서 그 컵까지 먹을 수 있도록 만든 혁신적인 아이디어 컵에 관해 소개하는 글로 제목은 ② '낭비하지 마라: 마시고 나서 그것을 먹어래'가 가장 알맞다.

해석 ① 재활용을 많이 할수록 낭비가 줄어든다
③ 초콜릿이 쿠키를 만날 때
④ 커피 애호가들에게 어울리는 완벽한 후식
⑤ 일회용 커피 컵의 상승세

단원 평가 2회 pp. 062~065

01 ③ 02 ④ 03 ⑤ 04 ② 05 ④ 06 ⑤ 07 ⑤ 08 ①
09 ② 10 ③ 11 ③ **12** makes whatever is in it available to anyone **13** ④ **14** 독일에서 매년 엄청난 양의 음식물이 낭비되고 있는 문제 **15** their wasteful ways **16** ① **17** ⑤
18 You may have to consume extra sugar. **19** ② **20** Holes

01

해설 ③ sense(감각)의 형용사형은 sensible(감각적인)이다.
해석 ① 국가 – 국가의 ② 문화 – 문화의 ④ 지구 – 지구의; 세계적인 ⑤ 환경 – 환경의

02

해석 모든 선거는 공정하고, 개방적이며, <u>투명한</u> 방식으로 치러져야 한다.
① 흠뻑 젖은 ② 먹을 수 있는 ③ 까다로운 ④ 투명한 ⑤ 유사한

03

해설 it's important that ~은 '~하는 게 중요하다'라는 의미로 강조하는 말이다. 유사표현으로는 it's highly significant that ~ / I want to stress ~ 등이 있다.
해석
A 나는 어제 착용하는 충전기를 하나 샀어.
B 착용하는 충전기? 그게 뭐야?
A 네가 몸을 움직일 때 충전이 되는 휴대용 배터리야.
B 오, 그거 기발한데!
A 그렇지, 그런데 에너지를 발생시킬 수 있도록 네가 충분히 많이 움직이는 게 중요해.

04

해설 ② 점심 메뉴를 묻는 A의 말에 '잔반 없는 날'에 대해 들어본 적이 없다는 B의 대답은 어색하다.
해석
① A 너 알파고에 관해 들어봤니?

B 응. 바둑 게임을 하는 인공지능 컴퓨터 프로그램이지.
② A 진수야, 오늘 점심 메뉴가 뭐야?
B 난 '잔반 없는 날'에 대해 들어본 적 없는데.
③ A 많은 사람들이 소풍갈 때 일회용 컵과 접시를 사용해.
B 그들이 환경을 생각해야 하는 중요성을 알면 좋을 텐데.
④ A 텔레비전 보지 않을 때 항상 플러그를 빼놓는 거 잊지 마.
B 잊지 않을게요. 일상생활에서 지구를 생각하는 게 얼마나 중요한지 잘 알아요.
⑤ A 치통이 생겼는데 나아지지가 않아요.
B 어서 치과에 가 봐. 6개월마다 치과 정기 검진을 받는 게 중요해.

05

해설 ④ 'Nelson Mandela는 인종 분리 정책에 저항한 죄로 28년 동안 감옥에 갇힌 후'라는 수동의 의미인 After he had been imprisoned ~를 분사구문으로 바꾼 것이므로, 수동형 완료분사 Having been imprisoned ~로 고쳐 써야 한다.
해석 ① 코끼리는 무엇인가를 들으려고 할 때, 귀를 활짝 열어젖힌다.
② 이 강좌는 나에게 발표 실력과 자신감을 얻을 수 있게 해 줬다.
③ 나는 치통이 너무 심해서 이를 뽑았다.
⑤ Ted는 그 재해 소식을 전해 듣고 나서, 그의 아버지에게 기부 센터에 가자고 요청했다.

06

해설 ⑤ 「have(사역동사)＋목적어＋동사원형」 구문으로 목적격 보어로 clean(동사원형)이 온 것은 알맞다. ① 「persuade＋목적어＋to부정사」 구문으로 go를 to go로 고쳐 써야 한다. ② 「cause＋목적어＋to부정사」 구문으로 change를 to change로 고쳐 써야 한다. ③ help는 준사역동사로 목적격 보어로 동사원형이나 to부정사가 와야 한다. (carrying → (to) carry) ④ 「ask＋목적어＋to부정사」 구문으로 make를 to make로 고쳐 써야 한다.
해석 ① 그는 집에 가라고 나를 설득했지만, 나는 거절했다.
② 그가 마음을 바꾸게 된 원인은 무엇일까?
③ 나는 네가 이 상자들을 위층으로 옮기는 것을 도울 것이다.
④ 매니저는 손님들에게 식당에서 너무 크게 떠들지 말라고 요청했다.
⑤ 엄마는 내가 방에 있는 빨간색 상자를 깨끗이 비우게 하셨다.

07

해설 ⑤ 완료분사구문(Having＋p.p.)으로 종속절의 시제가 주절의 시제보다 이전임을 알 수 있다. 따라서 문맥상 '런던으로 돌아온 후에, 그는 영화배우로 데뷔했다.'가 되어야 한다. (Before he had returned to London → After he had returned to London)
해석 ① 지갑을 잃어버렸기 때문에, 그녀는 그 책을 살 수 없었다.
② 프로젝트를 끝마치고 나서, 그는 이탈리아로 여행을 갔다.
③ 나는 캐나다를 여러 번 갔지만, 아직도 그 나라에 관해 잘 모른다.
④ 전에 한번 거기에 가 본 적이 있어서, 나는 그녀의 집을 찾는 데 어려움이 없었다.

08

해설 사람들에게 지구를 살리기 위한 시급한 대책 마련의 필요성을 주장하는 글로 ① '하루 빨리 지구를 살리기 위한 조치를 취해야 한다고 경고하려고'가 가장 적절하다.

해석 여러분은 어떤 게들이 치약 뚜껑 안에서 살아야 한다면 믿을 수 있겠습니까? 치약 뚜껑 안에 사는 소라게의 사진 한 장이 인터넷 전역에서 사람들의 가슴을 아프게 하고 있습니다. 그 게는 쿠바의 관광객들이 버린 쓰레기를 스스로 보금자리 삼은 것으로 보입니다. 그것은 슬픈 현실입니다. 여러분이 쓰레기통 안에서 살아야 한다고 상상해 보세요. 이 소라게가 우리에게 경고 메시지를 보내고 있을지도 모른다는 사실을 깨닫는 것이 중요합니다. 만약 우리가 지구를 보호하기 위해 뭔가 조치를 취하지 않는다면, 모든 생명체는 도처에 깔린 쓰레기 안이나 쓰레기 사이에서 살아야 할 것입니다.
② 학생들에게 봉사활동 참여를 장려하려고
③ 관계 당국에 지역 해변의 쓰레기를 치우는 것을 요구하려고
④ 관광객에게 위험한 바다 생물에 대해 경고하려고
⑤ 생태 관광의 필요성을 강조하려고

09~10

요즘 'Going green(친환경)'이라는 말이 엄청나게 유행인 것 같다. 상점이나 회사는 자신들의 사업이 환경 친화적이라고 홍보하기 위해 이와 같은 문구를 사용한다. 환경에 해를 미치지 않는 방식으로 살아가려고 노력하는 것은 이치에 맞는 일이지만, 친환경적인 삶을 사는 것이 쉬울까? 예를 들어, 당신은 집에서 텔레비전을 보지 않을 때 항상 TV 플러그를 빼놓는가? 당신의 동네 상점들은 난방기나 냉방기를 가동할 때 항상 문을 닫아 두고 있는가? 아마도 그렇지 않을 것이다. 일부 혁신가들이 '친환경'이라는 과제를 맡아 '친환경'을 더 쉽고 단순하게 만들기 위해 몇몇 기발한 아이디어를 생각해 냈다.

09

해설 친환경적인 삶을 실천하기가 쉽지 않다는 점을 언급한 이후에 구체적인 예를 드는 것이 자연스러우므로 ②에 오는 것이 가장 알맞다.

10

해설 ⓒ 「keep+목적어+목적격 보어」 구문이며, their doors는 닫힌 상태로 유지한다는 의미이므로 현재분사 shutting이 아니라 과거분사 shut이 와야 한다.

11~12

누구나 더 이상 필요 없는 물건들을 가지고 있고, 아마 그 물건들은 결국 버려질 것이다. (B) 하지만 버려지는 것들 중 일부는 아직 다른 사람들에게는 유용하다. Goedzak은 버려졌을지도 모를 중고 물건들을 사람들이 가져갈 수 있게 하는 네덜란드의 방식이다. (C) 그것은 중고이지만 아직 쓸 만한 물건들로 채워질 수 있는 특별한 쓰레기 봉투이다. 보도에 봉투를 내놓는 것은 그 안에 들어 있는 것이 무엇이든 지역 주민 누구나 가져갈 수 있게 한다. Goedzak의 밝은 색상이 사람들의 관심을 끄는 한편, 봉투의 투명한 면이 내용물을 보여 준다. (A) 사람들은 자신들이 마음에 드는 것을 마음껏 가질 수 있다. 얼마나 기발한 아

이디어인가! 이 투명한 쓰레기 봉투는 쓰레기 매립장으로 갈 쓰레기의 양을 줄임으로써 많은 네덜란드 사람들이 보다 환경 친화적인 삶을 사는 데 일조하고 있다.

11

해설 이 글은 네덜란드의 'Goedzak'에 관한 글이다. '필요 없는 물건들은 결국 버려질 것'이라는 주어진 문장 다음에는 Goedzak에 관한 이야기가 맨 처음 언급된 (B)가 오고, 그 다음에 Goedzak에 관한 자세한 설명인 (C)가 오고, 마지막으로 Goedzak의 영향을 다룬 (A)가 오는 것이 흐름상 가장 자연스럽다.

12

해설 '그 안에 들어 있는 것은 무엇이든 누구나 갖고 갈 수 있게 해 준다'는 의미가 되도록 makes whatever is in it available to anyone이라고 쓴다. 명사절 whatever is in it이 makes의 목적어 역할을 한다.

13~14

유엔식량농업기구(FAO)에 따르면, 해마다 전 세계 식량 생산량의 3분의 1이 쓰레기통으로 들어간다. 독일에서만, 매년 약 천 백만 톤의 음식이 낭비되고 있다. 지역 단위로 이 문제를 해결하기 위해 설립된 온라인 플랫폼인 'foodsharing.de'는 여러분의 냉장고나 찬장에 있는 여러분의 음식이 이웃에게 나눠질 수 있게 해 준다. 기본 개념은 간단하다. 그것은 사람들이 음식을 나누는 것이다. 유일한 규칙은 여러분 자신이 먹지 않을 것을 다른 사람에게 넘겨주지 말라는 것이다. 이 프로젝트는 사람들이 음식에 대해 생각하는 방식을 바꿀 수도 있다. 즉 음식은 나누지 않으면 낭비된다.

13

해설 남는 음식을 지역 주민들과 나누자는 취지로 food sharing campaign을 하는 독일의 사례에 관해 언급하고 있으므로, ④ '음식 나누기: 지역 사회와 소통하라'가 제목으로 가장 적절하다.

해석 ① 위기에 처한 세계 식량 생산
② 오래된 습관을 버려야 할 시간
③ 냉장고에 있는 남는 음식 처리하기
⑤ 식량 위기를 둘러싼 지역 분쟁

14

해설 this problem은 바로 앞 문장에서 언급된 '독일에서 매년 엄청난 양의 음식물이 낭비되고 있는 문제'를 가리킨다.

15~16

환경 친화적인 삶의 방식은 하루아침에 온 세상을 뒤바꾸는 일이 아니다. 그것은 당신 자신의 낭비 습관을 인식하고, 나아가 다른 사람들도 자신들의 낭비 습관을 인식할 수 있도록 돕는 일이다. 인식이 생기면, 일상 활동을 하는 약간 다른 방식을 취하는 과정이 따른다. 당신이 이런 일을 할 때, 당신은 환경 예금 계좌를 가득 찬 상태로 유지하는 것이다. 당신이 한 걸음 더 나아가 다른 사람들도 그런 실천을 할 수 있도록 돕는다면, 당신은 환경 운동가이고 큰 변화가 일어날 수 있다.

15

해설 theirs는 your own wasteful ways와 짝을 이루고 있으

으로 their wasteful ways를 가리킨다.

16
해설 자신이 일상 활동에서 환경 친화적인 삶의 방식을 취하고 다른 사람들도 실천할 수 있도록 돕는다는 것은 ① '환경 운동가(activist)'라고 말할 수 있다.

해석 ② 마술사 ③ 발명가 ④ 사업가 ⑤ 은행원

| 17~18 |

일회용 컵을 사용하는 것은 편리할 수는 있지만, 그것이 반드시 환경 친화적인 것은 아니다. 그것들은 엄청난 쓰레기의 원천이다. 해마다 미국인들은 1천억 개 이상의 일회용 컵을 사용하고, 한국인들은 매년 150억 개가 넘는 컵을 버린다. 그것이 바로 몇몇 참신한 디자이너들이 먹을 수 있는 커피 컵을 생각해 내게 한 동기가 되었다. 쿠키가 그것의 주요한 구조이고, 안쪽에는 화이트 초콜릿 한 겹이, 바깥쪽에는 얇은 설탕 종이 한 겹이 있다. 이 구조는 당신이 (마시다 보니 어느새) 흠뻑 젖은 컵을 들지 않은 채로 커피를 마실 수 있게 해 준다. 당신은 그것을 커피를 위한 다과로 생각할 수 있다! 필요 이상으로 설탕을 섭취할지도 모르지만, 이 컵은 분명 쓰레기를 더(→ 덜) 만들어 낼 것이다.

17
해설 ⑤ 역접의 접속사 but의 쓰임으로 보아 '당신은 (먹을 수 있는 커피 컵의 사용으로) 필요 이상의 설탕을 섭취할지는 모르지만, 분명 쓰레기는 덜 만들어 낼 것이다'라는 의미가 되어야 함을 알 수 있다.

18
해설 마지막 문장에서 알 수 있듯이 edible coffee cup(먹을 수 있는 컵)의 단점은 설탕 섭취량의 증가이다.

| 19~20 |

당신이 어떤 문서를 500장 복사해야 할 때 친환경적으로 하려면 무엇을 할 수 있을까? 많은 친환경 전략은 양면 인쇄와 같이 종이를 적게 사용하는 데 중점을 두고 있다. 또 다른 친환경 전략은 잉크를 덜 사용하는 것인데, 이것은 많은 사람들이 이미 하고 있다. 하지만 거기서 한 단계 더 나아갈 수 있다면 어떨까? 그것이 바로 Ecofont이다. 그 안에 미세한 구멍이 있는 서체를 개발할 수 있다면, 사용되는 잉크 양을 더 효율적으로 쓸 수 있을 거라고 한 디자이너가 생각했다. 실제로 Ecofont는 가독성을 해치지 않으면서도 기존 서체들에 비해 약 5분의 1 정도의 잉크를 덜 쓴다. Ecofont의 기발함은 친환경을 실천함에 있어 색다른 관점을 취한다는 데 있다. 즉 서체를 통해 잉크를 덜 쓰는 것이다.

19
해설 글의 중심 내용이 혁신적인 서체를 개발하여 잉크를 절약한다는 것이므로 ②가 가장 적절하다.

해석 ① 사용을 줄이기보다는 재사용하다
③ 효율성은 단지 게으름이다
④ 기발한 생각은 단순할수록 더 좋다
⑤ 새로움이 항상 최선은 아니다

20
해설 Ecofont는 그 안에 미세한 구멍이 있는 서체로 기존 서체보다 잉크를 덜 쓴다고 하였으므로 Holes가 빈칸에 가장 적절하다.

Lesson 04 Explore

Words & Expressions Test

p. 069

01 (1) 예술 학교 (2) 의견을 내다 (3) 설득하다 (4) 남다, 계속되다 (5) 걸작, 명작 (6) 너무도 훌륭한 (7) border (8) fountain (9) definitely (10) snake (11) sculpture (12) pigeon 02 (1) construction (2) explore (3) alley (4) abroad 03 (1) ② (2) ③ 04 (1) wander (2) sculpture

02
(1) 새로운 공항의 건설이 막 시작되었다.
(2) 원정대는 아마존 강의 남쪽을 탐험할 계획이다.
(3) 골목은 건물 사이 또는 건물 뒤쪽의 좁은 길이다.
(4) Jonathan은 지난 몇 년간 외국에서 일을 해왔다.

03
(1) 고대 올림픽 경기는 그리스에서 기원전 8세기부터 기원후 4세기까지 시행되었다.
(2) 건강한 식단은 아이들에게도 또한 중요하다.

04
(1) 돌아다니다: 어떤 장소를 가볍게 걸어 다니다
(2) 조각품: 바위, 목재, 또는 진흙을 조각하거나 모양을 내서 제작된 예술 작품

Communication Test

p. 071

01 am looking forward to 02 ④ 03 (B) – (D) – (A) – (C) 04 looking forward to getting to the top of the mountain

01
A '오늘의 음악 쇼'에 가는 게 어때?
B 좋아. 나는 그곳에 가는 것이 정말 기대돼.

02
A 주말 동안 뭐 했니?
B 나는 동물 보호소에서 주말 내내 자원봉사했어.
A 정말 피곤하겠구나.
B 응. 나는 과학 프로젝트를 연구할 시간이 조금도 없었어.
A 내가 너를 도와줄 방법이 있을까?
B 인터넷에서 정보 찾는 것을 도와달라고 부탁해도 될까? 너무 어렵거든.
A 물론이야.

03

(B) 너 정말 바빠보이네. 내가 뭐 도와줄 것이 있니?
(D) 글쎄…. 진공청소기로 바닥 청소하는 것을 부탁해도 될까?
(A) 물론이지. 다른 건 없어?
(C) 지금은 없어. 도와줘서 고마워.

04

A 너 제주도 한라산으로 여행갈 준비됐니?
B 물론이야. 나는 산 정상에 올라가는 일이 정말 기대돼.
A 나도 그래. 아, 등산화와 등산 막대기를 가져오는 것을 잊지 마라.
B 응, 잊지 않을게. 고마워.

Grammar Test
p. 073

01 (1) when (2) where (3) why (4) where (5) how 02 ④
03 (1) the way how → the way 또는 how (2) which →
where 또는 at (in) which (3) going → (should) go (4)
stops → (should) stop 04 (1) the night when we had
dinner at Sonya's restaurant (2) live in a country where
it snows a lot (3) his father should quit smoking

01

해설 (1) 선행사가 시간(the day)을 나타내므로 관계부사 when이 알맞다.
(2) 선행사가 장소(the classroom)를 나타내므로 관계부사 where이 알맞다.
(3) 선행사가 이유(the reason)를 나타내므로 관계부사 why가 알맞다.
(4) 선행사가 장소(a country)를 나타내므로 관계부사 where이 알맞다.
(5) '방법'을 묻고 있으므로 관계부사 how가 오며, 앞에 방법을 나타내는 선행사(the way)가 생략되었다.
해석 (1) 네가 이 학교에 입학한 날을 기억하니?
(2) 이것은 우리가 공부하는 교실이다.
(3) 그것이 내가 너를 이해하지 못하는 이유이다.
(4) 나는 영어를 매일 쓸 수 있는 나라에서 살고 싶다.
(5) 네가 보통 여가 시간을 어떻게 보내는지 말해줄 수 있니?

02

해설 suggest 다음의 that절에는 「주어+(should)+동사원형」이 온다.
해석 그녀는 우리가 프랑스 식당에서 외식하자고 제안했다.

03

해설 (1) 선행사가 the way인 경우, 관계부사 how를 함께 쓸 수 없으므로 둘 중 하나를 써야 한다. (2) 선행사가 장소를 나타내므로 관계부사 where를 쓰거나 「전치사+관계대명사」, 즉 at(in) which를 써야 한다. (3)~(4)주절에 주장, 요구를 나타내는 동사(insist, demand)의 목적어로 쓰인 that절에서 동사는 「(should)+동사원형」의 형태로 쓴다.

해설 (1) 내가 이 배를 만든 방법을 너에게 보여 줄게.
(2) 이곳은 우리가 일요일마다 점심을 먹는 식당이다.
(3) 그녀는 우리가 그곳에 택시를 타고 가야 한다고 주장했다.
(4) 경찰은 그 여자가 차를 세워야 할 것을 요구했다.

04

해설 (1) 「선행사(the night)+관계부사절{관계부사(when)+주어(we)+동사(had) ~}」의 어순으로 나타낸다.
(2) 「want to+동사원형(live)+선행사(in a country)+관계부사절{관계부사(where)+주어(it)+동사(snows) ~}」의 어순으로 나타낸다.
(3) 「suggest+that절{that+주어(his father)+(should)+동사원형(quit) ~}」의 형태로 나타내며, quit 뒤에 목적어로 동명사(smoking)가 온다.
해석 (1) 우리가 Sonya의 식당에서 저녁을 먹은 밤을 기억하니?
(2) 나는 눈이 많이 오는 나라에서 살고 싶다.
(3) Tom은 아버지가 담배를 끊으실 것을 제안했다.

Reading Test
pp. 076~077

01 ④ 02 The Colosseum has eighty arches through
which about fifty thousand people could go in and
out in fifteen minutes! 03 ② 04 ⑤ 05 ③ 06 I
was lucky enough to meet a group of tourists my age
from Britain.

01

해설 주어진 문장 '이탈리아는 서울보다 7시간 늦어서 몹시 지치고 졸렸다.' 다음에 '하지만 나는 본격적으로 여행을 시작하기 위해 깨어 있으려고 노력했다.'라는 내용이 바로 이어지는 것이 적절하므로 ④에 오는 것이 가장 알맞다.
해석 나는 사촌 수지가 남부 유럽에 있는 부츠처럼 생긴 나라인 이탈리아에 나를 초대했을 때 정말 신이 났다. 그녀는 예술 학교에서 음악을 공부하는데, 며칠 쉬는 날이 생겨서 우리는 로마와 베니스에서 함께 일주일을 보낼 수 있었다. 나는 혼자 외국에 가 본 적이 없어서 약간 걱정했지만, 12시간에 걸친 긴 비행 후 사촌이 로마에 있는 레오나르도 다빈치 국제공항에서 맞아 주어서 기뻤다. 이탈리아는 서울보다 7시간 늦기 때문에, 나는 그곳에 도착했을 때 꽤 지치고 졸렸다. 하지만 나는 본격적으로 여행을 시작하기 위해 깨어 있으려고 스스로를 다잡았다.

02

해설 지문 전체에 걸쳐 콜로세움에 관해 이야기하고 있지만, The Colosseum has eighty arches ~ in fifteen minutes!에서 콜로세움의 구조를 구체적으로 가장 잘 설명하고 있다.
해석 로마는 내게 거대한 박물관 같았다. 우리는 콜로세움에서 관광을 시작했다. 오늘날 우리는 한때 고대의 가장 위대한 건축물이었던 것의 단지 일부만 볼 수 있다. 나는 사람들이 현대의 건설 장비 없이 그러한 건축물을 지을 수 있었다는 것을 생각하니 놀라웠다. 콜로세움은 약 5만 명의 사람들이 15분 내로 드나들 수 있는 아치가 80개 있다! 내부 계단 꼭대기에 올랐을 때, 아래를 내려다보았는데 군중의 환호 소리가 들리는 것 같았다.

03

해설 ⓑ 앞에 나오는 a single coin을 수식하는 분사 자리이며, '~로 던져진'이라는 수동의 의미를 나타내므로 thrown into로 고쳐 써야 알맞다.

해석 수지와 나는 콜로세움에서 나오는 길을 따라 걸었고, 물이 떨어지는 소리를 들었다. 우리는 곧바로 우리가 그 유명한 트레비 분수 근처에 있다는 것을 알아차렸다. 전설에 따르면 분수로 던져진 동전 하나는 반드시 로마로 돌아오게 하며, 두 번째 동전은 진정한 사랑을 가져다주고, 세 번째 동전은 결혼을 이루어 준다고 한다! 나는 언젠가 이탈리아로 돌아오기를 바라면서 어깨너머로 하나를 던졌다. 나는 지구 반대편에서도 사람들이 여전히 행복, 사랑, 그리고 결혼 같은 단순한 것들을 바란다는 사실이 흥미로웠다.

04

해설 ⑤ '미켈란젤로의 작품이 너무 인상적이어서 사진을 거의 찍을 뻔했다(the masterpiece ~ I almost took one)'라고 했으므로, 실제로 찍은 것은 아니다.

해석 로마에서 누가 교황이 사는 바티칸 시국을 가 볼 기회를 놓칠까? 그곳은 세계에서 가장 작은 국가로 알려져 있다. 사실, 한쪽 국경에서 다른 쪽으로 가는 데 고작 30분이 걸린다! 그러나 나는 바티칸 박물관에 있는 조각상과 그림 소장품에 압도당했다. 미켈란젤로의 걸작 중 하나인 '아담의 창조'는 시스티나 예배당의 천장에 있는데, 여전히 내 마음속에 남아 있다. 나는 사진(촬영)이 허용되지 않는 것을 알고 있었지만, 그 걸작이 너무 인상 깊어서 거의 사진을 찍을 뻔했다.
① 세계에서 바티칸 시국보다 더 작은 나라는 없다.
② 바티칸 시국의 한 국경에서 다른 쪽까지 걷는 데에는 30분이 걸린다.
③ 바티칸 박물관에 있는 소장품을 보는 것은 굉장했다.
④ '아담의 창조'는 시스티나 예배당의 천장에 있다.
⑤ 나는 미켈란젤로의 작품이 너무 인상적이어서 사진을 한 장 찍었다.

05~06

나는 먼저 리알토 다리에 가기로 결심했기 때문에, 걷기 시작했다. 얼마 지나지 않아, 구불구불한 골목길이 내 지도를 거의 쓸모없게 만들었다. 얼마간 헤맨 후에 나는 운 좋게 영국에서 온 내 또래의 단체 관광객을 만날 수 있었다. 그들도 역시 리알토 다리에 향하고 있었다! 그 다리는 사람들이 말한 것처럼 그 자체로 우아했지만, 나는 다리 계단에서 보는 아름다운 운하 경관에 더 큰 감명을 받았다. 나는 영국 친구들에게 작별 인사를 하고 베니스의 주요 관광 명소 중 하나인 산마르코 광장으로 걸어갔다. 나는 내 생에 그렇게 많은 비둘기를 본 적이 없었다.

05

해설 '구불구불한 골목길이 내 지도를 거의 쓸모없게 만들었다'는 것은 그만큼 길이 너무 복잡해서 지도를 봐도 큰 도움이 되지 않았다는 뜻이다.

해석 ① 지도가 너무 어려워서 이해할 수 없었다.
② 나는 실수로 잘못된 지도를 가지고 다녔다.
③ 골목길이 너무 복잡해서 지도가 거의 도움이 되지 않았다.
④ 지도에 그려진 길은 실제 길과 달랐다.
⑤ 지도는 내가 전혀 이해할 수 없는 이탈리아어로 적혀 있었다.

06

해설 「형용사+enough+to부정사(~할 만큼 충분히 …하다)」 구문으로 '영국에서 온 또래의 단체 관광객을 만날 만큼 운이 좋았다'라는 의미가 되도록 한다.

단원 평가 1회   pp. 078~081

01 ②   **02** ④   **03** looking forward to   **04** ⑤   **05** ④
06 (1) how (2) where (3) why (4) when   **07** ③   **08** ①   **09** ④
10 ③   **11** what was once the greatest structure in the ancient world   **12** ⑤   **13** ④   **14** ②   **15** where   **16** ①
17 ⑤   **18** ⓐ: a group of tourists ⓑ: pigeons   **19** 지금까지 한국과 이탈리아 두 나라를 여행했다.   **20** ③

01

해설 '설득하다, 납득시키다'에 해당하는 단어는 ② convince이고, 「convince A of B」는 'A에게 B를 납득시키다'라는 의미이다.

해석 만약 당신이 누군가에게 무엇을 납득시킨다면, 당신은 그 또는 그녀로 하여금 그것이 사실이거나 존재한다는 것을 믿게 하는 것이다.
① 훔치다 ③ 돌아다니다 ④ 의견을 내다 ⑤ 교환하다

02

해설 ④ fare는 'the money that you pay for a journey that you make in a bus, train or taxi(버스, 기차, 택시를 타는 여정에 지불하는 돈)'을 의미한다. ④는 fair(박람회)에 관한 설명이다.

해석 ① 경계: 두 국가 또는 지역 사이를 나누는 선
② 예술 학교: 고전 음악이나 그 외 예술 연구를 하는 학교
③ 천장: 방의 꼭대기 부분 또는 지붕을 이루는 수평면
⑤ 분수: 수영장이나 호수에서 펌프를 통해 공중으로 길고 가는 물줄기가 올려지는 구조물

03

해설 「I can't wait to+동사원형」은 '너무 ~하고 싶다'라는 의미로, 「I'm looking forward to+(동)명사」와 바꾸어 쓸 수 있다.

해석 나는 놀이공원에 너무 가고 싶다.
= 나는 놀이공원에 가는 것을 학수고대하고 있다.

04

해설 I'm looking forward to ~(~하기를 기대하다)는 I hope to ~, I can't wait to ~, I'm dying to ~, I really want to ~ 등으로 바꾸어 쓸 수 있다.

해석 **A** 우리 내일 '한국의 맛 축제'에 가 보는 게 어때? 그곳에 맛있는 음식들이 많아.

B 좋아. 나는 거기에 정말 가 보고 싶어.

① 나는 거기에 갈 수 있으면 좋겠어.

② 나는 거기에 너무 가고 싶어.

③ 나는 거기에 가고 싶어 죽겠어.

④ 나는 거기에 정말 가고 싶어.

⑤ 나는 거기에 갈 수 없을 것 같아.

05

해설 ④는 상대방에게 도움을 요청할 때 쓰는 표현이고, ①, ②, ③, ⑤는 도움을 제공하고자 할 때 쓰는 표현이다.

해석 ① 제가 도와드릴게요.

② 제가 도와 드려도 될까요?

③ 제가 도와줄 수 있는 방법이 있어요?

④ 제가 부탁 좀 드려도 될까요?

⑤ 제가 당신을 위해 할 수 있는 게 있을까요?

06

해설 (1) '~했던 방식'이라는 의미로 관계부사 how가 알맞다. 선행사 the way와 관계부사 how는 함께 쓰일 수 없으므로 선행사 the way가 생략되었다.

(2) 선행사가 the hotel(장소)이므로 관계부사 where가 알맞다.

(3) 선행사가 the reason(이유)이므로 관계부사 why가 알맞다.

(4) 선행사가 the day(시간)이므로 관계부사 when이 알맞다.

해석 (1) 이것이 내가 그 문제를 풀었던 방식이다.

(2) 우리가 숙박한 호텔은 아주 깨끗하지는 않았다.

(3) 나는 그가 나에게 거짓말을 한 이유를 모른다.

(4) 너는 우리가 처음 만난 날을 기억하니?

07

해설 (보기) when은 선행사(the day)를 수식하는 관계부사이다. / ①, ②, ⑤ '~할 때'라는 뜻의 시간부사절을 이끄는 접속사 ③ 관계부사 ④ '언제'라는 뜻의 의문사

해석 (보기) 나는 양궁 수업에서 과녁의 중심을 맞힌 날을 절대 잊지 않을 것이다.

① 네가 끝나면 나에게 전화해라.

② 학교에 다닐 때 나는 수학을 좋아했다.

③ 일요일은 내가 휴가를 낼 수 있는 유일한 날이다.

④ 네 인생에서 가장 행복했던 순간이 언제였니?

⑤ 전화가 울렸을 때 그는 잠이 드려던 참이었다.

08

해설 제안을 나타내는 동사(suggest)의 목적어로 쓰인 that절의 동사는

「(should)＋동사원형」의 형태로 쓴다.

해석 나는 그녀가 매일 산책을 해야 할 것을 제안했다.

| 09~10 |

나는 사촌 수지가 남부 유럽에 있는 부츠처럼 생긴 나라인 이탈리아에 나를 초대했을 때 정말 신이 났다. 그녀는 예술 학교에서 음악을 공부하는데, 며칠 쉬는 날이 생겨서 우리는 로마와 베니스에서 함께 일주일을 보낼 수 있었다. 나는 혼자 외국에 가 본 적이 없어서 약간 걱정했지만, 12시간에 걸친 긴 비행 후 사촌이 로마에 있는 레오나르도 다빈치 국제 공항에서 맞아 주어서 기뻤다. 이탈리아는 서울보다 7시간 늦기 때문에, 나는 그곳에 도착했을 때 꽤 지치고 졸렸다. 하지만 나는 본격적으로 여행을 시작하기 위해 깨어 있으려고 스스로를 다잡았다.

09

해설 본문에 thrilled, a bit worried, pleased, exhausted 등 감정이 언급되어 있지만, 당황했다는 내용은 없으므로 ④ embarrassed는 적절하지 않다.

해석 ① 들뜬, 흥분한 ② 걱정하는 ③ 기쁜 ④ 당황한 ⑤ 피곤한

10

해설 ③ I had never been abroad by myself ~에서 알 수 있듯이 'I'는 한 번도 혼자 외국에 가 본 적이 없다.

해석 ① 이탈리아의 모양은 부츠의 모양과 유사하다.

② 이탈리아는 유럽의 남부에 위치하고 있다.

③ 나는 외국에 혼자 여러 번 다녀온 적이 있다.

④ 로마에 도착하는 데 12시간이 걸렸다.

⑤ 서울과 로마 사이에는 7시간의 시간 차이가 있다.

| 11~12 |

로마는 내게 거대한 박물관 같았다. 우리는 콜로세움에서 관광을 시작했다. 오늘날 우리는 한때 고대의 가장 위대한 건축물이었던 것의 단지 일부만 볼 수 있다. 나는 사람들이 현대의 건설 장비 없이 그러한 건축물을 지을 수 있었다는 것을 생각하니 놀라웠다. 콜로세움은 약 5만 명의 사람들이 15분 내로 드나들 수 있는 아치가 80개 있다! 내부 계단 꼭대기에 올랐을 때, 아래를 내려다보았는데 군중의 환호 소리가 들리는 것 같았다.

11 해설 '한때(과거 언젠가) ~였던 것'은 what was once ~라고 쓰며, what은 '~하는 것'이라는 뜻의 관계대명사이다. the greatest structure는 '가장 위대한 건축물'이라는 의미의 최상급 표현이다.

12

해설 ⑤ As는 '~했을 때'라는 의미의 시간 접속사이다. / ① ~처럼(전치사) ② ~만큼(비교 접속사) ③ ~하는 대로(양태 접속사) ④ ~때문에(이유 접속사) ⑤ ~할 때(시간 접속사)

해석 ① 그들은 모두 마녀처럼 옷을 입었다.

② 그는 나만큼 많은 돈을 벌지 않았다.

③ 그들은 선생님이 요청한 대로 했다.

④ 네가 전화를 받지 않아서, 나는 메시지를 남겼다.

⑤ 내가 만화책을 읽고 있었을 때, 그는 바닥을 청소기로 청소하고 있었다.

| 13~14 |

수지와 나는 콜로세움에서 나오는 길을 따라 걸었고, 물이 떨어지는 소리를 들었다. 우리는 곧바로 우리가 그 유명한 트레비 분수 근처에 있다는 것을 알아차렸다. 전설에 따르면 분수로 던져진 동전 하나는 반드시 로마로 돌아오게 하며, 두 번째 동전은 진정한 사랑을 가져다주고, 세 번째 동전은 결혼을 이루어 준다고 한다! 나는 언젠가 이탈리아로 돌아오기를 바라면서 어깨 너머로 하나를 던졌다. 나는 지구 반대편에서도 사람들이 여전히 행복, 사랑, 그리고 결혼 같은 단순한 것들을 바란다는 사실이 흥미로웠다.

13

해설 윗글의 밑줄 친 it은 가목적어이다. / ① 지시대명사(그것) ② 거리, 명암, 날씨 등을 말할 때 쓰는 비인칭주어 ③ 가주어 ④ 가목적어 ⑤ 「It ~ that...」강조 용법

해석 ① 폴더를 새로 만들어 이 파일을 그 안에 넣어라.

② 거기 가는 데 얼마나 걸리나요?

③ 이틀 안에 그 프로젝트를 마치는 것은 불가능하다.

④ Amy는 프랑스어로 의사소통하는 것이 힘들다는 것을 알았다.

⑤ 내가 정말 되고 싶었던 것은 훌륭한 판사였다.

14

해설 ② 수지가 분수대에 동전을 몇 개 던졌는지는 나와 있지 않다.

해석 ① 어느 도시에 Trevi 분수가 있나?

② 수지는 분수에 몇 개의 동전을 던졌나?

③ 수지와 나는 Trevi 분수에 가기 전 어디에 갔나?

④ 왜 나는 분수에 동전을 하나만 던졌나?

⑤ 동전을 던질 때 사람들은 무엇을 바라나?

| 15~16 |

로마에서 누가 교황이 사는 바티칸 시국을 가 볼 기회를 놓칠까? 그곳은 세계에서 가장 작은 국가로 알려져 있다. 사실, 한쪽 국경에서 다른 쪽으로 가는 데 고작 30분이 걸린다! 그러나 나는 바티칸 박물관에 있는 조각상과 그림 소장품에 압도당했다. 미켈란젤로의 걸작 중 하나인 '아담의 창조'는 시스티나 예배당의 천장에 있는데, 여전히 내 마음속에 남아 있다. 나는 사진(촬영)이 허용되지 않는 것을 알고 있었지만, 그 걸작이 너무 인상 깊어서 거의 사진을 찍을 뻔했다. 우리는 성당을 둘러본 후 걸어 나왔는데 많은 사람들이 풋사과 젤라토를 파는 작은 가게 앞에 줄을 서 있는 것을 보았다. 수지는 20분 넘게 줄을 서서 기다릴 가치가 있다면서 나를 설득했다. 그녀가 옳았다. 그 젤라토는 정말 맛있었다.

15 해설 각각 선행사가 the place와 a small store로 장소를 나타내고, 뒤에는 완전한 문장이 나오므로 관계부사 where이 적절하다.

16 해설 out of this world는 ① '너무도 훌륭한(so great)'이라는 뜻이다.

| 17~18 |

나는 먼저 리알토 다리에 가기로 결심했기 때문에, 걷기 시작했다. 얼마 지나지 않아, 구불구불한 골목길이 내 지도를 거의 쓸모없게 만들었다. 얼마간 헤맨 후에 나는 운 좋게 영국에서 온 내 또래의 단체 관광객을 만날 수 있었다. (D) 그들도 역시 리알토 다리로 향하고 있었다! (B) 그 다리는 사람들이 말한 것처럼 그 자체로 우아했지만, 나는 다리 계단에서 보는 아름다운 운하 경관에 더 큰 감명을 받았다. (C) 나는 영국 친구들에게 작별 인사를 하고 베니스의 주요 관광 명소 중 하나인 산마르코 광장으로 걸어갔다. (A) 나는 내 생에 그렇게 많은 비둘기를 본 적이 없었다. 비둘기들은 사람들 주위에 있는 것에 너무나 익숙해져서 사람들이 주의를 기울이지 않을 때까지 기다렸다가 그들의 크래커를 훔쳐 갔다!

17 해설 영국에서 온 내 또래의 단체 여행객을 만났다는 내용 다음에는 그들 역시 리알토 다리로 향하고 있었다는 내용인 (D)가 오고, 이어서 리알토 다리에 관한 설명을 하는 (B)가 온다. 그 다음에 영국 친구들과 헤어진 후 산마르코 광장으로 갔다는 (C)가 오고 마지막에 광장의 비둘기에 관한 내용인 (A)가 오는 것이 가장 자연스럽다.

18 해설 ⓐ는 바로 앞 문장의 a group of tourists(단체 관광객)를 의미하고, ⓑ는 바로 앞 문장에서 나온 pigeons(비둘기)를 가리킨다.

| 19~20 |

이탈리아 여행은 분명히 내 일생의 경험이었다. 나는 다음 여행이 나의 영국 친구들을 만나러 영국을 갈 수 있기를 바란다. 사람들이 세상은 책과 같고, 여행을 하지 않는 사람들은 오직 그 책의 한 페이지만 읽은 것이나 다름없다고들 한다. 지금까지 나는 두 페이지를 읽었다. 나는 내게 더 많은 페이지를 읽을 기회가 있기를 바란다.

19 해설 ⓐ의 앞 문장에서 '세상은 책과 같아서, 여행을 하지 않는 사람은 책을 한 장 밖에 읽지 않은 것'이라고 했으므로, 두 장을 읽었다는 것은 두 나라, 즉 한국과 이탈리아를 여행했다는 의미이다.

20 해설 실제로 책을 읽겠다는 것이 아니라 앞으로 더 많은 곳을 여행하겠다는 것을 비유적으로 표현한 것이다.

해석 ① 이탈리아에 관해 더 많이 배우는 것

② 더 많은 책을 읽는 것

③ 더 많은 장소를 여행하는 것

④ 가능한 한 많은 친구를 사귀는 것

⑤ 여행 경험에 관해 쓰는 것

단원 평가 2회 pp. 082~085

01 ② 02 ① 03 ① 04 ⑤ 05 (C) - (A) - (D) - (B) 06 ①
07 ⑤ 08 ③ 09 ② 10 ③ 11 ② 12 지구 반대편에 있는
사람들도 행복, 사랑, 결혼 등 단순한 것을 바란다는 사실 13 ② 14 ④
15 in front of a small store where green apple gelato was
served 16 ③ 17 ① 18 ③ 19 ② 20 ③

01

해설 ②는 「명사-형용사」 관계이고, 나머지는 「동사-명사」 관계이다.
해석 ① 관광하다 - 관광 ② 명성 - 유명한 ③ 탐험하다 - 탐험
④ 수집하다 - 수집 ⑤ 건설하다 - 건설

02

해설 빈칸에는 '주요한, 주된'이라는 의미의 ① 'prime'이 알맞다. prime
concern: 주요 관심사 / prime suspect: 유력한 용의자
해석 • 그녀의 주된 관심사는 세계의 평화이다.
• 저 남자는 그 사건에서 유력한 용의자이다.
② 확실한 ③ 신이 난 ④ 유명한 ⑤ 적절한

03

해설 look forward to: ~하기를 학수고대하다 / a couple of: 두서너
개의 / in earnest: 본격적으로
해석 • 우리는 당신을 다시 뵙기를 정말 학수고대하고 있습니다.
• 그는 두서너 해 전에 플로리다에 집을 지었다.
• 재건축 작업은 월요일에 본격적으로 시작될 것입니다.

04

해설 ⑤ 도와 달라는 A의 말에 '지금은 아니야. 고마워.'라는 B의 대답은
어색하다.
해석
① A 사진을 좀 찍어주실 수 있으신가요?
　 B 문제없습니다.
② A 도움이 필요하신가요?
　 B 네. 저 책을 좀 내려다 주실 수 있나요?
③ A 제가 도와드릴 것이 있나요?
　 B 네, 있어요. 제 휴대전화를 찾는 것을 도와주시겠어요?
④ A 저기 있는 옷들에 가격표를 붙여 줄래요?
　 B 네. 다른 것은 없나요?
⑤ A 이것을 좀 도와줄래요?
　 B 지금은 아니에요. 고마워요.

05

해석 (C) 너 야구 좋아하니?
(A) 응. 나는 야구 보는 것을 좋아해.
(D) 나한테 한국 시리즈 결승전 표가 두 장 있는데. 이번 주말에
같이 가지 않을래?
(B) 좋아. 나는 정말 기대돼.

06

해설 주절에 주장, 요구, 제안, 명령을 나타내는 동사(insist,
demand, suggest, order)의 목적어로 쓰인 that절의 동사는
「(should)+동사원형」의 형태로 쓴다. reject는 '거절하다'의 뜻으로 문맥
상 부적절하고 주장, 제안 동사도 아니므로 that절에서 「(should)+동사
원형」의 형태로 꼭 쓸 필요가 없다.

07

해설 관계부사는 「전치사+관계대명사」로 바꿀 수 있는데, 이때 전치
사는 문장의 맨 끝에 위치할 수도 있고, 「전치사+관계대명사」를 생략할 수
도 있다. 하지만 ⑤와 같이 관계부사와 전치사를 함께 쓸 수는 없다.

08

해설 선행사가 the house(장소)일 때는 관계부사 where, 선행사가
dinner time(시간)일 때는 관계부사 when이 적절하다.
해석 • 내가 자란 집은 대가족에게는 너무 좁았다.
• 우리 모두 함께 먹으려고 했던 저녁 시간은 대혼란으로 끝이
났다.

09~10

　나는 사촌 수지가 남부 유럽에 있는 부츠처럼 생긴 나라인 이탈리아에
나를 초대했을 때 정말 신이 났다. 그녀는 예술 학교에서 음악을 공부하
는데 며칠 쉬는 날이 생겨서, 우리는 로마와 베니스에서 함께 일주일을
보낼 수 있었다. 나는 혼자 외국에 가 본 적이 없어서 약간 걱정했지만,
12시간에 걸친 긴 비행 후 사촌이 로마에 있는 레오나르도 다빈치 국제
공항에서 맞아 주어서 기뻤다. 이탈리아는 서울보다 7시간 늦기 때문에,
나는 그곳에 도착했을 때 꽤 지치고 졸렸다. 하지만 나는 본격적으로 여
행을 시작하기 위해 깨어 있으려고 스스로를 다잡았다.

09

해설 ⓐ '내가 감정을 느끼는 것'이므로 thrilled라는 과거분사형으
로 써야 한다. ⓑ 「look like+명사(구)」가 쓰였으며, 관계사 that의 선행사
a country가 단수명사이므로 단수동사 looks는 적절하다. ⓒ 과거보다
더 과거의 일을 언급하므로 과거완료, 즉 had never been이 되어야 한
다. ⓓ '사촌에게 환영을 받는다'는 의미이므로 수동형 to be greeted가
되어야 한다. ⓔ 문장의 주어가 'I'고, force의 목적어가 이와 동일한 'I'이므
로 재귀대명사 myself를 써야 한다.

10

해설 비행 시간이 12시간이므로 오후 11시(한국 시각)에 도착하고,
로마는 서울보다 7시간 늦게 간다고 했으므로 로마 현지 시각으로 오후 4시
에 도착함을 유추할 수 있다.

11~13

　수지와 나는 콜로세움에서 나오는 길을 따라 걸었고, 물이 떨어지는
소리를 들었다. 우리는 곧바로 우리가 그 유명한 트레비 분수 근처에 있
다는 것을 알아차렸다. 전설에 따르면 분수로 던져진 동전 하나는 반드
시 로마로 돌아오게 하며, 두 번째 동전은 진정한 사랑을 가져다주고, 세
번째 동전은 결혼을 이루어 준다고 한다! 나는 언젠가 이탈리아로 돌아
오기를 바라면서 어깨 너머로 하나를 던졌다. 나는 지구 반대편에서도

사람들이 여전히 행복, 사랑, 그리고 결혼 같은 단순한 것들을 바란다는 사실이 흥미로웠다.

11

해설 wishing은 '~하면서'라고 해석하며, 분사구문을 이끌고 있다. / ① the girl을 수식하는 현재분사 ② '돌면서'라는 뜻의 분사구문 ③ 현재진행형 ④ 현재완료진행형 ⑤ 동명사

해석 ① 너는 빨간 모자를 쓴 소녀를 보았니?
② 왼쪽으로 돌면서, 그는 깜빡이를 켰다.
③ 그는 공원을 배회하고 있었다.
④ 어제부터 폭우가 쏟아지고 있다.
⑤ 혼자 외국에서 공부하는 것은 Jack에게 큰 도전일 것이다.

12

해설 글의 마지막 부분 I found it interesting ~.에서 '지구 반대편, 즉 아주 멀리 있는 사람들도 (우리와 같이) 행복, 사랑, 결혼과 같은 단순한 것들을 바란다는 것이 흥미롭다.'고 말하고 있다.

13

해설 ② '수많은 동전이 매일 분수대에 던져지는지'에 대한 내용은 언급되어 있지 않다.

| **14~15** |

로마에서 누가 교황이 사는 바티칸 시국을 가 볼 기회를 놓칠까? 그곳은 세계에서 가장 작은 국가로 알려져 있다. 사실, 한쪽 국경에서 다른 쪽으로 가는 데 고작 30분이 걸린다! 그러나 나는 바티칸 박물관에 있는 조각상과 그림 소장품에 압도됐다. 미켈란젤로의 걸작 중 하나인 '아담의 창조'는 시스티나 예배당의 천장에 있는데, 여전히 내 마음속에 남아 있다. 나는 사진(촬영)이 허용되지 않는 것을 알고 있었지만, 그 걸작이 너무 인상 깊어서 거의 사진을 찍을 뻔했다. 우리는 성당을 둘러본 후 걸어 나왔는데 많은 사람들이 풋사과 젤라토를 파는 작은 가게 앞에 줄을 서 있는 것을 보았다. 수지는 20분 넘게 줄을 서서 기다릴 가치가 있다면서 나를 설득했다. 그녀가 옳았다. 그 젤라토는 정말 맛있었다.

14

해설 「convince A to B」는 'A에게 B하도록 설득하다'라는 의미로, 설득당하는 대상의 다음에는 to부정사가 와야 한다.

15

해설 장소를 나타내는 선행사(a small store) 다음에 관계부사 where를 써서 문장을 완성한다.

| **16~17** |

로마에서 며칠을 더 보낸 후, 우리는 베니스로 향했다. 그 해변 도시는 로마보다 훨씬 더 낭만적이었지만, 훨씬 더 습하기도 했다. 수지는 친구를 만나러 가야 한다고 말했기 때문에, 그녀는 내게 혼자 그 도시를 몇 시간 동안 답사하는 것을 제안했다. 우리는 나중에 오후에 기차역에서 다시 만나면 되었다.

16

해설 '훨씬'이라는 의미로 비교급을 수식할 때는 much, far, a lot, still을 쓸 수 있고, 원급은 very로 수식한다.

17

해설 ① 수지와 'I'는 로마에서 며칠을 보낸 후, 베니스로 향했다. (After a couple of more days in Rome, ~.)
② → 수지는 친구를 만나러 가야 해서 'I' 혼자서 도시를 답사했다.
③ → 베니스는 해변 도시라서 로마보다 훨씬 더 습했다.
④ → 'I'는 베니스가 로마보다 더 낭만적이라고 생각했다.
⑤ → 두 사람은 나중에 오후에 기차역에서 만나기로 하였다.
해석 ① 베니스에 오기 전, 수지와 나는 로마를 방문했다.
② 수지와 나는 하루 종일 함께 베니스를 둘러보았다.
③ 베니스의 습도는 로마의 습도만큼 높았다.
④ 나는 로마가 베니스보다 더 낭만적이라고 생각한다.
⑤ 수지와 나는 나중에 공항에서 만나기로 하였다.

18

해설 ③ 영국 친구들과 돈을 나누어 냈지, 그들이 'I'의 몫까지 지불한 것은 아니다.
해석 나의 베니스 여행은 큰 S자 모양으로 도시를 구불구불하게 관통하는 대운하를 따라 곤돌라를 타지 않는다면, 완성되지 않을 것이다. 나는 대운하에서 혼자 곤돌라를 타는 요금이 너무 비싸서 표를 살 수 없다는 것을 알고 실망했다. 내가 돌아서는 순간, 나는 영국인 관광객 친구들이 매표소를 향해 걸어오는 것을 보았다. 우리는 요금을 분담했고, 운하를 따라 서 있는 건축물들의 독특한 차이점에 관해 이야기했다. 우리는 곤돌라에서 내리기 전에 즐겁게 이야기를 하면서 멋진 사진을 몇 장 찍고, 이메일 주소를 교환했다.
① 나는 내가 감당하기 힘들만큼 높은 가격의 곤돌라 탑승 비용에 실망했다.
② 나는 운하를 따라 서 있는 독특한 건물들을 즐기며 즐거운 시간을 보냈다.
③ 나는 영국 친구들이 나의 곤돌라 타는 요금을 내 주었기 때문에 운이 좋았다.
④ 나는 영국 친구들과 건물들에 관한 의견을 주고받았다.
⑤ 우리는 이야기하고 사진 찍고, 이메일 주소를 교환하며 좋은 시간을 가졌다.

| **19~20** |

나는 먼저 리알토 다리에 가기로 결심했기 때문에, 걷기 시작했다. 얼마 지나지 않아, 구불구불한 골목길이 내 지도를 거의 쓸모없게 만들었다. 얼마간 헤맨 후에 나는 운 좋게 영국에서 온 내 또래의 단체 관광객을 만날 수 있었다. 그들도 역시 리알토 다리로 향하고 있었다! 그 다리는 사람들이 말한 것처럼 그 자체로 우아했지만, 나는 다리 계단에서 보는 아름다운 운하 경관에 더 큰 감명을 받았다. 나는 영국 친구들에게 작별 인사를 하고 베니스의 주요 관광 명소 중 하나인 산마르코 광장으로

걸어갔다. 나는 내 생에 그렇게 많은 비둘기를 본 적이 없었다. 비둘기들은 사람들 주위에 있는 것에 너무나 익숙해져서 사람들이 주의를 기울이지 않을 때까지 기다렸다가 그들의 크래커를 훔쳐 갔다! 그러나 정말로 나를 멈춰 세우고 감탄하며 바라보게 한 것은 광장의 삼면을 둘러싼 아름다운 건축물들이었다. 건축물들을 따라 아름다운 유리 공예품과 장갑 등을 파는 상점들이 있었다. 잠시 둘러본 후에 나는 부모님께 드릴 작은 유리 공예품들을 샀다.

19
해설 가지고 있던 지도가 거의 쓸모없을 정도로 골목길이 복잡해서 당황하던(ⓐ) 터에 같은 곳을 향하던 일행을 만난 'I'는 안도감(ⓑ)을 느꼈을 것이다.

해석 ① 속상한 – 짜증난
② 당황한 – 안도하는
③ 실망한 – 부끄러워하는
④ 즐거운 – 기분 좋은
⑤ 혼란스러운 – 우울한

20
해설 주어진 문장의 They는 비둘기를 지칭하는 것으로, 산마르코 광장에서 '내 생에 그렇게 많은 비둘기를 본 적이 없었다.'라는 내용 다음(③)에 오는 것이 흐름상 가장 자연스럽다.

Lesson 05 Collaborate

Words & Expressions Test

p. 089

01 (1) 광부 (2) 습도, 습기 (3) 진동 (4) 초기의, 처음의 (5) ~의 발단이 되다 (6) 부서지다, 와해되다 (7) humanity (8) explosion (9) celebration (10) shelter (11) morale (12) anthem   02 (1) priority (2) surrender (3) involved (4) live on   03 (1) ③ (2) ①   04 (1) despair (2) relief

02
(1) 교육은 모든 아이들에게 최우선순위가 되어야 한다.
(2) 그 전사의 좌우명은 '부정의에 굴복하느니 차라리 죽음을 택하겠다.'이다.
(3) 그 충돌 사고에 차량 몇 대가 관련되었나요?
(4) 그들은 토마토를 재배하여 버는 돈으로 살아가야 한다.

03
(1) 그들은 결혼식을 기획하는 데 도움을 줄 전문가를 고용했다.
(2) 그 나라는 내전과 경제 붕괴를 견뎌왔다.

04
(1) 절망: 모든 희망과 자신감을 잃는 것
(2) 안도: 놀랍고 걱정스럽거나 고통스러운 것이 끝나거나 발생하지 않을 때 느끼는 편안함

Communication Test

p. 091

01 You're not allowed(permitted)   02 Why not   03 (D) – (B) – (C) – (A)   04 (1) allowed to write any other mark (2) Why don't you talk to your teacher

01
A 시험 중에 전자 사전을 사용해도 되나요?
B 그것을 사용해서는 안 됩니다.

02
A 이 문제는 나한테 너무 어려워서 풀 수가 없어.
B 내가 도와줄게. 의자를 내 책상 쪽으로 끌고 오는 게 어때?

03
안녕, 너 그 상자 가지고 뭐 하고 있니?
(D) 'Helping Hearts'에 가져갈 헌 옷을 싸고 있어.
(B) Helping Hearts? 그게 뭐야?

(C) 중고 물건들을 기부받아 판매하고 그 수익금으로 자선 단체를 돕는 단체야.
(A) 멋진데! 나도 그렇게 하고 싶어.

Grammar Test

p. 093

01 (1) nor Jeff does → nor does Jeff (2) ○ (3) nor isn't it → nor is it 02 (1) had been switched off before (2) that the product had been shipped 03 (1) had been called off (2) nor did he know 04 (A) has been received → has received (B) nor didn't she want to → nor did she want to

01

해설 (1) 부정어 nor 뒤에는 「동사＋주어」 어순이 와야 한다.
(3) nor에 부정의 의미가 있으므로 not을 중복해서 쓰지 않는다.
해석 (1) 그녀는 미식축구를 좋아하지 않고, 그건 Jeff도 마찬가지다.
(2) 우리는 그 일을 하고 싶지 않고, 할 능력 또한 안 된다.
(3) 용서는 망각이 아니고 변명도 아니다.

02

해설 「had been＋p.p.」 형태의 과거완료 수동태 문장으로 나타낸다.
해석 (1) 그는 잠자리에 들기 전에 모든 전등을 다 껐다.
(2) 나는 상품이 배송되었다는 문자 메시지를 받았다.

03

해설 (1) 야구 경기는 취소된 것이므로 과거완료 수동태(had been＋p.p.)가 알맞다.
(2) 부정어(nor) 도치 구문으로 「nor＋동사＋주어」 어순이 알맞다.
해석 (1) 그 야구 경기는 눈 폭풍 때문에 취소되었다.
(2) 그는 형제들을 인지하지 못했고, 자식들도 알아보지 못했다.

04

해설 (A) 그녀가 상을 받은 것이므로 능동형인 has received로 고쳐 써야 한다. (B) nor에 부정의 의미가 있으므로 not을 생략하고 nor did she want to로 고쳐 써야 한다.
해석 미국의 여배우 Sutton Foster는 브로드웨이 무대에서 그녀의 배역 때문에 유명한데, 그녀는 그로 인해 '토니상 뮤지컬 부문 여우주연상'을 두 차례나 수상했다. 그녀는 고등학교 3학년 때 'Will Rogers Follies'라는 뮤지컬에 출연했다. 그녀는 연기를 포기하고 싶지 않았고, 학교를 그만두고 싶지도 않았다. 그래서, 학업을 끝마치고 학급 아이들과 함께 졸업하기 위해 통신 수업을 들었고, 그녀는 마침내 해냈다.

Reading Test

pp. 096~097

01 (A) had been buried (B) surrender 02 ④ 03 ⑤
04 food 05 ③ 06 먼저 치료를 받아야 했기 때문에

01

해설 (A) 'San José 광산에 갇혀 있었던 광부들'이라는 수동의 의미이므로 과거완료 수동태(had been＋p.p.)로 나타내야 한다. (B) 「nor＋동사＋주어」 형태의 도치 구문으로 nor 뒤에 did가 왔기 때문에 surrendered를 surrender로 고쳐 써야 한다.
해석 2010년 10월 13일, San José 광산 안에 69일 동안 매몰되어 있었던 33명의 칠레 광부들이 마침내 구조되었다. 그것은 공학 기술의 업적이자 신념의 승리였다. 지하에 갇힌 광부들은 어둠 속에서도 포기하지 않았고, 지상에 있던 그들의 가족들도 절망에 굴복하지 않았다.

02

해설 처음 17일 동안 생존의 흔적을 전혀 발견하지 못하다가 탐색 카메라가 광부들이 아직 살아 있다는 메시지를 포착하여 구조 작업에 착수하였다. 따라서 ④ '절망한(despairing) → 희망에 찬(hopeful)'이 가장 적절하다.
해석 최초 붕괴 이후 17일 동안, 그들의 운명에 대해서 아무런 소식도 없었다. 날이 갈수록 칠레인들은 광부들 중 누구라도 살아남아 있을 가능성에 대해 점점 더 확신하지 못하게 되었다. 8월 22일에 작은 탐색용 구멍이 뚫렸고, 카메라가 "우리는 아직 살아 있다."라고 쓰인 메시지를 포착했다. 그것은 희망의 첫 신호였다. 곧이어 비디오카메라 한 대가 700미터 아래로 보내졌고 광부들의 이미지를 처음으로 포착했는데, 모두 확실히 건강 상태가 양호했다. 이 발견은 칠레 전역에 즐거운 축하를 불러일으켰고, 구조 노력은 광부들이 구조될 수도 있다는 한 줄기 희망의 빛을 주었다.
① 희망에 찬 → 비극적인
② 무서운 → 차분한
③ 활기찬 → 우울한
⑤ 단조로운 → 다급한

03

해설 붕괴 후 광부들이 자신들의 사회 구조가 무너지면 문제가 더 심각해진다는 것을 알고 하나의 집단으로 단결하여 사회를 조직하였다는 내용의 글로 ⑤ '어둠 속에서 민주 사회 건설하기'가 제목으로 가장 적절하다.
해석 붕괴 후에 곧 광부들은 하나의 집단으로 단결했다. 그들은 스스로를 한 사람당 하나의 투표권을 갖는 사회로 조직하였다. 그들 모두는 만약 자신들의 사회 구조가 무너지면 문제가 더 심각해질 것이라는 점을 알고 있었고, 자신들이 가장 잘 할 수 있는 것들을 했다. 예를 들어, 종교인인 José Henríquez는 (광부들의) 사기를 북돋우려고 노력했고, 약간의 의료 훈련을 받은 적이 있는 Yonni Barrios는 건강 문제가 있는 다른 광부들을 도왔다.
① 다양한 형태의 사회 구조
② 논란의 여지가 있는 통일성의 가치

③ 붕괴된 광산, 붕괴된 사회
④ 고효율을 창출하는 노동 분업

04

해설 빈칸 뒤에 음식이 부족해 힘겨워하는 상황이 묘사되어 있으므로, 빈칸에 들어갈 말은 food(먹을거리)가 가장 알맞다.

해석 광부들은 충분한 양의 신선한 공기가 그들에게 도달할 수 있게 하는 공기 터널을 갖게 되어 다행이었다. 그들은 또한 자신들의 헤드 램프 배터리를 충전할 수 있는 고장 난 트럭들도 가지고 있었다. 게다가, 그들은 가까이에 있는 저장 탱크에서 물을 마실 수도 있었다. 음식과 의약품을 전달하는 터널이 사용 가능하게 될 때까지 먹을거리가 피난처에서 가장 중대한 문제였다. 그들은 이틀 동안 먹을 정도의 식량만을 갖고 있었다. 18일 동안 각 개인은 이틀에 한 번 꼴로 두 숟가락 분량의 참치와 한 모금의 우유, 크래커 부스러기, 그리고 통조림 과일 한 입을 먹고 버텨야 했다.

05~06

10월 12일에 첫 번째 구조 대원이 광부들에게로 내려갔고, 그들은 초조한 안도감으로 그를 맞았다. 곧 갇혀 있던 첫 번째 광부가 지상으로 올려졌다. 한 사람씩, 광부들은 캡슐을 타고 올려져 햇빛을 볼 수 있었다. 캡슐에서 나오자마자 각 광부들은 열광적인 환영을 받았으나, 곧바로 가족들을 만날 수는 없었다. 그들은 너무 오랫동안 갇혀 있어서 그들의 최고 급선무는 치료를 받는 일이었다.

땅속에서 지내는 동안 민주적인 지도자로서 큰 역할을 맡았던 Luis Urzúa가 10월 13일에 마지막으로 지상에 올라왔다. "우리가 열심히 노력했던 69일은 헛되지 않았다. 우리는 가족들을 위해 살고 싶었고, 그것은 가장 위대한 일이었다."라고 Urzúa는 구조 후에 칠레 국민들에게 말했다. 그리고 나서 구조 대원들과 구조된 사람들은 구조 작업을 응원하기 위해 온 수천 명의 환희에 찬 사람들과 함께, 관련자 전원의 영웅적인 행위와 인류애를 자축하면서 칠레의 국가를 부르기 시작했다.

---

05 **해설** ③ 10월 13일에 광부들 중 처음이 아니라 마지막으로 Luis Urzúa가 구조되었다. (Luis Urzúa, who had taken ~, was the last one to come up to the surface on October 13.)

06 **해설** 광부들은 너무 오랫동안 갇혀 있어서 치료를 받는 일이 최우선으로 필요한 일이었기 때문에 가족들을 바로 만날 수 없었다. (They had been trapped for so long that ~ to get medical attention.)

01 ⑤ 02 ② 03 ⑤ 04 ① 05 ④ 06 ③ 7 ⑤ 08 ③
09 surrender 10 ③ 11 ② 12 ① 13 ④ 14 an air tunnel, broken trucks, (water) storage tanks 15 ⓐ: where 또는 in which ⓒ: gathered 16 ⑤ 17 ④ 18 ③ 19 during which we tried so hard were not useless 20 ②

01

해설 in service는 '작동 중인, 운영 중인'의 뜻이므로 ⑤ operational로 바꾸어 쓸 수 있다.

해석 이 엘리베이터는 작동하나요?
① 종교적인 ② 중대한 ③ 초기의 ④ 탐사의

02

해설 triumph: 대성공 / in triumph: 의기양양하게

해석 • 브로드웨이에서 매진된 그 뮤지컬은 대성공이었다고 말할 수 있다.
• 금메달을 딴 후, 그녀는 고국에 의기양양하게 돌아왔다.
① 피난처 ③ 우선 사항 ④ 사기, 의욕 ⑤ 절망

03

해설 ⑤ 지저분한 것들을 치워 달라는 A의 말에 그렇게 생각하지 않는다고 말하고 이어서 청소하는 게 좋겠다고 답하는 것은 어색하다.

해석 ① A 저는 목이 아파요.
　　 B 저런. 너는 병원에 가보는 게 좋겠어.
② A 여기에 주차해도 되나요?
　　 B 안 됩니다. 이곳은 장애인 전용입니다.
③ A 난 진로 멘토가 필요해. 어떻게 해야 하지?
　　 B 학교 홈페이지에서 정보를 찾아보는 게 어때?
④ A 저기요, 도서관 안에서는 음식물을 드시면 안 됩니다.
　　 B 오, 죄송해요. 몰랐어요.
⑤ A 이 먼지 좀 제거하면 좋겠는데요?
　　 B 저는 그렇게 생각하지 않아요. 저는 청소하는 게 좋겠네요.

04

해설 기숙사에서 크게 음악을 틀어 놓아서 주의를 듣는 내용으로 빈칸에는 ① '주거 공간을 공유하고 있다'라는 말이 가장 적절하다.

해석 A 여보세요, Frank 학생인가요? 기숙사 관리인 Patrick Baker입니다.
B 예, 접니다.
A 기숙사에서 밤 10시 이후에 음악을 크게 틀어 놓으면 안 됩니다. 오늘밤 몇 차례 항의를 받았어요.
B 아, 죄송합니다. 저는 음악을 그렇게 크게 틀 의도는 아니었어요.
A 주거 공간을 공유하고 있다는 사실을 명심해 주세요.
B 알겠습니다. 꼭 명심할게요.
② 당신은 손해에 대한 책임이 있다
③ 수업 시간에 음악을 들으면 안 된다

④ 기숙사 규칙이 개정될 필요가 있다

⑤ 밤에 저한테 전화하면 안 된다

05

해설 기부할 책 좀 가져올 테니 기다려 달라는 빈칸 뒤 B의 말로 보아 ④ '너도 (기부할) 물품을 좀 가져오는 게 어때?'라는 말이 오는 것이 가장 적절하다.

해석 A 나는 자선단체에 기부할 물품을 좀 싸고 있어.

B 어느 자선단체에 기부할 생각인데?

A Happier Seoul! 중고 책이나 옷을 기증받아 형편이 어려운 아이들을 돕는 곳이야.

B 정말 좋은 일이네! 나도 참여하고 싶어.

A 그럼, 너도 (기부할) 물품을 좀 가져오는 게 어때?

B 좋아. 잠깐 기다려줄 수 있어? 책 좀 챙겨서 금방 올게.

① 너만의 자선 캠페인을 벌여보는 게 어때?

② 어떤 종류의 물품을 기부할 거니?

③ 자선행사에 미리 등록할 필요가 있어.

⑤ 자선행사에 관해 더 알고 싶을 때 나한테 전화해.

06

해설 ③ nor에 부정의 의미가 있으므로 중복하여 부정어가 나오지 않도록 didn't를 did로 고쳐 써야 한다.

해석 ① 너와 나 둘 다 잘못이 없다.

② 나는 결혼을 하지 않았고, 결혼하고 싶지도 않다.

③ Angela는 어제 나타나지 않았고, 내 전화도 받지 않았다.

④ 그는 나에게 전화를 하지 않았고, 편지도 쓰지 않았다.

⑤ 우리는 그것을 바꿀 수도 개선할 수도 없었다.

07

해설 ⑤ 그는 해고당한 것이므로 수동형(had been unfairly fired)으로 고쳐 써야 한다.

해석 ① 손님들이 배가 고프기 전에 점심 식사가 준비되었다.

② 그녀는 중요한 전화를 받기까지 거의 한 시간 동안 쇼핑을 하고 있었다.

③ 그가 내게 요청했을 때까지 나는 파티에 가자는 제안을 받지 못했다.

④ Jane이 죽었을 때, 그녀는 8년 6개월 동안 감옥에 갇혀 있었다.

⑤ 그 남자는 그의 나이 때문에 부당하게 해고당했다고 주장했다.

08~09

2010년 10월 13일, San José 광산 안에 69일 동안 매몰되어 있었던 33명의 칠레 광부들이 마침내 구조되었다. 그것은 공학 기술의 업적이자 신념의 승리였다. 지하에 갇힌 광부들은 어둠 속에서도 포기하지 않았고, 지상에 있던 그들의 가족들도 절망에 굴복하지 않았다.

2010년 8월 5일, 점심 시간 무렵, 구리와 금을 캐던 광부들은 땅속에서 진동을 느끼기 시작했다. 진동이 시작된 거의 직후에 그들은 갑작

스런 큰 폭발음을 들었고, 광산 전체가 먼지와 바위들로 가득 찼다. 인근 산에서 떨어져 나온 거대한 조각이 광산의 거의 모든 채굴 갱도를 파묻어버리면서 무너져 내렸다.

08

해설 ③ '구리와 금을 캐던 광부들'이라는 능동의 의미를 나타내므로 현재분사 digging이 뒤에서 miners를 수식해야 한다. (dug → digging)

09

해설 '권력, 지배 또는 운명에 굴복하다'라는 것은 surrender(굴복하다)에 대한 설명이다.

10~11

최초 붕괴 이후 17일 동안, 그들의 운명에 대해서 아무런 소식도 없었다. 날이 갈수록 칠레인들은 광부들 중 누구라도 살아남아 있을 가능성에 대해 점점 더 확신하지 못하게 되었다. 8월 22일에 작은 탐색용 구멍이 뚫렸고, 카메라가 "우리는 아직 살아 있다."라고 쓰인 메시지를 포착했다. 그것은 희망의 첫 신호였다. 곧이어 비디오카메라 한 대가 700미터 아래로 보내졌고 광부들의 이미지를 처음으로 포착했는데, 모두 확실히 건강 상태가 양호했다. 이 발견은 칠레 전역에 즐거운 축하를 불러일으켰고, 구조 노력은 광부들이 구조될 수도 있다는 한 줄기 희망의 빛을 주었다.

10

해설 주어진 문장의 It이 ③ 앞의 문장에서 언급된 '우리는 아직 살아 있다.'라고 쓰여진 메시지를 가리키므로 ③에 오는 것이 가장 적절하다.

11

해설 that 이하가 a light of hope와 동격을 이루는 절로, 문맥상 '광부들이 구조될 수 있다는 희망의 빛'이라는 의미가 되어야 하므로 ②가 적절하다.

12

해설 지진으로 고통을 겪고 있는 네팔 이재민 돕기에 관한 글로, 웹 사이트에 방문해서 도울 수 있는 방법을 찾아보는 것이 어떻겠냐는 마지막 문장에서 함께 동참할 것을 권유하고 있음을 알 수 있다.

해석 4월 25일에, 네팔 수도 카트만두의 서부와 이웃 도시들에 강도 높은 지진이 발생하여, 8천 명 이상의 사람들이 사망하고 수천 명 넘게 부상을 당했습니다. 피해 지역의 어린 아이들이 가장 큰 고통을 겪고 있습니다. Save the Children은 어린이 이재민들에게 인도주의적 지원을 해 주기 위해 애쓰고 있습니다. 그 아이들은 음식과 식수, 옷, 의약품, 그리고 교구재 등이 절실히 필요한 상황입니다. 저희 웹 사이트를 방문하셔서 여러분이 도울 수 있는 방법을 찾아보시면 어떻겠습니까?

13~14

광부들은 충분한 양의 신선한 공기가 그들에게 도달할 수 있게 하는 공기 터널을 갖게 되어 다행이었다. 그들은 또한 자신들의 헤드 램프 배터리를 충전할 수 있는 고장 난 트럭들도 가지고 있었다. 게다가, 그들은 가까이에 있는 저장 탱크에서 물을 마실 수도 있었다. 음식과 의약품을

전달하는 터널이 사용 가능하게 될 때까지 먹을거리가 피난처에서 가장 중대한 문제였다. 그들은 이틀 동안 먹을 정도의 식량만을 갖고 있었다. 광부들을 심하게 유익하게 한(→ 괴롭힌) 또 다른 요인은 피난처의 높은 열과 습도였다. 그들이 구조되었을 때 각 광부들은 평균 8킬로그램의 체중이 감소해 있었다.

13 해설 Another factor라고 했으므로, 앞에 나온 역경의 내용처럼 광부들을 괴롭힌 또 다른 역경의 원인이 나와야 하므로 ⓓ benefited는 bothered와 같은 단어로 고쳐 써야 알맞다.

14 해설 식량을 제외하고 광부들의 생존을 가능하게 한 것으로 신선한 공기가 도달하게 해 주는 공기 터널(an air tunnel), 헤드 램프 배터리를 충전할 수 있게 해 주는 고장 난 트럭들(broken trucks), 물을 마실 수 있는 저장 탱크들((water) storage tanks)이 언급되어 있다.

| 15~16 |

붕괴 후에 곧 광부들은 하나의 집단으로 단결했다. 그들은 스스로를 한 사람당 하나의 투표권을 갖는 사회로 조직하였다. 그들 모두는 만약 자신들의 사회 구조가 무너지면 문제가 더 심각해질 것이라는 점을 알고 있었고, 자신들이 가장 잘 할 수 있는 것들을 했다. 예를 들어, 종교인인 José Henríquez는 (광부들의) 사기를 북돋우려고 노력했고, 약간의 의료 훈련을 받은 적이 있는 Yonni Barrios는 건강 문제가 있는 다른 광부들을 도왔다.

10월 9일, 마침내 피난처에 있는 광부들에게까지 구조 구멍이 뚫렸다. 그것은 그들을 한 사람씩 끌어올리기에 충분히 큰 터널을 형성했다. 이 목적을 위해 특별히 고안된 캡슐이 만들어졌다. 전 세계에서 온 1,400명이 넘는 뉴스 기자들이 광부들의 가족들과 함께 구조 과정을 지켜보기 위해 모여들었다.

15 해설 ⓐ a society를 선행사로 하는 관계부사 where이나 「전치사+관계대명사」 형태의 in which로 고쳐 써야 한다. ⓒ More than 1,400 news reporters ~ the world가 주어로 완전한 문장이 이루어지려면 동사가 필요하므로 gathering을 gathered로 고쳐 써야 한다.

16 해설 빈칸 뒤에 사회 구조가 무너지지 않도록 광부들이 자신들이 잘 할 수 있는 것들을 했다는 앞 문장에 대한 예시가 나오므로 연결사 ⑤ 'For example(예를 들어)'이 와야 한다.
해석 ① 그러나 ② 대신에 ③ 게다가 ④ 유사하게

| 17~19 |

10월 12일에 첫 번째 구조 대원이 광부들에게로 내려갔고, 그들은 초조한 안도감으로 그를 맞았다. 곧 갇혀 있던 첫 번째 광부가 지상으로 올려졌다. 한 사람씩, 광부들은 캡슐을 타고 올려져 햇빛을 볼 수 있었다. 캡슐에서 나오자마자 각 광부들은 열광적인 환영을 받았으나, 곧바로 가족들을 만날 수는 없었다. 그들은 너무 오랫동안 갇혀 있어서 그들의 최고 급선무는 치료를 받는 일이었다.

땅속에서 지내는 동안 민주적인 지도자로서 큰 역할을 맡았던 Luis

Urzúa가 10월 13일에 마지막으로 지상에 올라왔다. "우리가 열심히 노력했던 69일은 헛되지 않았다. 우리는 가족들을 위해 살고 싶었고, 그것은 가장 위대한 일이었다."라고 Urzúa는 구조 후에 칠레 국민들에게 말했다.

17 해설 (A) upon -ing: ~하자마자 (B) that절 안에서 주격보어 역할을 하는 to부정사가 와야 한다. (C) Urzúa가 지도자 역할을 맡았던 것은 구조되기 이전의 일이므로 과거시제 보다 앞선 과거완료시제(had+p.p.)로 나타내야 한다.

18
해설 관계대명사의 계속적 용법으로 who는 갇혀있던 광부들이므로 첫 번째 구조 대원이 내려갔을 때 광부들은 ③ '초조한 안도감으로 그를 맞이했다'라는 의미가 되어야 가장 알맞다.
해석 ① 그에 맞서 단결하였다
② 캡슐이 다 떨어졌다
④ 신념의 승리를 축하하고 있었다
⑤ 1년 이상 갇혀 있었다

19 해설 '우리가 살아남으려고 그토록 몸부림쳤던 69일은 헛되지 않았다.'라는 의미가 되어야 하므로 during which로 시작하여 써야 한다.

20
해설 필자가 지하철 레일에 떨어진 할머니를 구할 수 있었던 것은 어떻게 좀 해보라는 한 여학생의 말을 들었기 때문이다. 그러므로 그 여학생의 말이 없었다면 필자는 할머니를 구할 수 없었고, 상도 받지 못했을 것이다.
해석 저는 제가 '올해의 롤 모델'에 뽑혀 수상 연설을 하게 될 거라고는 꿈에도 생각지 못했습니다. 사실, 어린 소녀의 말이 없었더라면 저는 아마도 오늘 여기 서 있지 못할 것입니다. 그날 일어난 일을 설명드리겠습니다. 저는 평소처럼 지하철이 오기를 기다리고 있었습니다. 갑자기 할머니 한 분이 발을 헛디뎌 지하철 레일로 떨어지는 걸 봤습니다. 저는 전동차 접근 신호음을 들었고, 곧 기차가 들어올 예정이라는 사실을 알았습니다. 저는 누군가 도와줄 사람이 없는지 살펴보았지만, 주변에 저 말고는 아무도 없다는 것이 분명했습니다. 그때 한 여학생이 제게 달려와 "어떻게 좀 해 보시는 게 어때요?"라고 말했습니다. 바로 그때 저는 레일 쪽으로 뛰어내렸고 기차가 도착하기 직전에 할머니가 안전한 곳으로 대피하시도록 도와 드렸습니다. 저는 그저 아무도 다치지 않았다는 사실이 기쁩니다.
① (전동차) 접근 신호음
③ 한 할머니의 도움
④ 기차의 시간 엄수
⑤ 경찰이 취한 안전조치

01 ④ 02 ③ 03 ① 04 ② 5 ③ 06 ⑤ 07 ③ 08 ②
09 ⑤ 10 ④ 11 ③ 12 ⑤ 13 ② 14 ⓓ every other
days → every other day 15 ③ 16 ③ 17 ③ 18 had
been trapped 19 ② 20 rescue

01

해석 • 휴가를 떠나기 전에 모든 문과 창문을 잠그는 것을 잊지
마라.
• 나는 차 안에 열쇠를 두고 문을 잠가 버려서, 보험 회사에 전화를
걸어야만 했다.
① 괴롭히다 ② 촉발시키다 ③ 단결하다 ④ ~을 가두다, 잠그다
⑤ 굴복하다

02

해설 ③ '누군가 불안감을 느끼게 하고 걱정하게 하다'라는 것은 bother
(괴롭히다)에 대한 설명이다. bury는 '묻다, 뒤덮다'의 의미이다.
해석 ① 신념: 강한 믿음이나 확신
② 습기: 공기 중의 수분
④ 절망: 어떤 희망도 더 이상 없는 느낌
⑤ 우선 사항: 다른 것보다 더 중요한 것

03

해설 컴퓨터에 저장하면 안 되고 USB를 사용하라고 했으므로, 대화의 흐
름상 ① 'You're not allowed to do that.(그러면 안 돼.)'가 가장 자
연스럽다.
해석 A Jenny, 너 지금 뭐하고 있어?
B 사회 보고서를 쓰고 있어. 내 주제에 관해 몇몇 기사들을 발견
해서, 이 컴퓨터에 그 파일들을 저장하려고 해.
A 너 그렇게 하면 안 돼. 나한테 USB가 있으니 네가 그게 필요
하다면 이걸 사용해.
B 아, 깜박 잊었네. 고마워.
② 잘 됐네. 내가 그것들을 복사할 수 있을까?
③ 너는 완벽한 곳에 왔어.
④ 너는 더 조심했어야 했어.
⑤ 나는 네가 노력한 만큼 성공하길 바란다!

04

해설 ② 사용법을 모른다며 도와 줄 수 있는지 묻는 말에 자신의 것은 고장
났다고 말하는 B의 대답은 어색하다.
해석 ① A 얘야, 교실에서 뛰어다니면 안 되지.
B 죄송해요. 뛰지 않을게요.
② A 나는 이것을 사용하는 방법을 모르겠어. 좀 도와줄래?
B 내 것은 고장 났어. 그것을 업체에 되돌려 주는 게 어때?
③ A 앉아서 나랑 커피 한 잔 하는 거 어때요?
B 좋아요. 너무 길지만 않다면요.
④ A 입 안에 뭘 가득 넣고 말하면 안 돼.
B 알았어요, 엄마. 이제 그렇게 하지 않도록 할게요.
⑤ A 비가 와서 야외 활동 계획을 망쳤어. 영화나 볼까?
B 좋은 생각이야. 어떤 영화를 좋아하니?

05

해설 ③ nor가 문장 앞으로 왔으므로 「nor+동사+주어」 형태의 도치 구
문으로 나타내며, nor에 부정의 의미가 있으므로 not을 생략하고 nor do
they로 고쳐 써야 한다.
해석 ① 나는 베니스에 가본 적이 없고, 내 친구들도 그렇다.
② 나는 그와 말하고 싶지 않고, 그를 만나고 싶지도 않다.
③ 대부분의 데이터 분석가들은 프로그래머가 아니며, 그들은
그걸 원하지도 않는다.
④ 그는 페니실린이 인간에게 무해하다는 사실을 몰랐고, 또한 그
것을 생산하는 법도 깨닫지 못했다.
⑤ 어느 누구도 그 답을 알지 못했고, 그들은 추측도 하지 못했다.

06

해설 ⑤ 편지가 보내진 것이므로 수동태인 might have been sent
로 써야 한다.
해석 ① 내전이 시작되기 전에 그 다리는 파괴되었다.
② 경찰이 도착했을 때, 도둑들은 이미 도망쳐 버렸다.
③ 그 나라는 제국이 무너질 때까지 왕에 의해 통치되었다.
④ 그 야채는 별로 맛이 좋지 않았다. 그것들은 너무 오래 조리되
었음에 틀림없다.
⑤ 나는 아직 편지를 받지 못했다. 편지가 잘못된 주소로 보내졌
을지 모른다.

07

해석 저는 제가 '올해의 롤 모델'에 뽑혀 수상 연설을 하게 될 거
라고는 꿈에도 생각지 못했습니다. 사실, 어린 소녀의 말이 없었
더라면 저는 아마도 오늘 여기 서 있지 못할 것입니다. (B) 그날
일어난 일을 설명드리겠습니다. 저는 평소처럼 지하철이 오기를
기다리고 있었습니다. 갑자기 할머니 한 분이 발을 헛디뎌 지하
철 레일로 떨어지는 걸 봤습니다. 저는 전동차 접근 신호음을 들
었고, 곧 기차가 들어올 예정이라는 사실을 알았습니다. (C) 저
는 누군가 도와줄 사람이 없는지 살펴보았지만, 주변에 저 말고
는 아무도 없다는 것이 분명했습니다. 그때 한 여학생이 제게 달
려와 "어떻게 좀 해 보시는 게 어때요?"라고 말했습니다. (A) 바
로 그때 저는 레일 쪽으로 뛰어내렸고 기차가 도착하기 직전에 할
머니가 안전한 곳으로 대피하시도록 도와 드렸습니다. 저는 그저
아무도 다치지 않았다는 사실이 기쁩니다.

08~10

2010년 10월 13일, San José 광산 안에 69일 동안 매몰되어 있
었던 33명의 칠레 광부들이 마침내 구조되었다. 그것은 공학 기술의 업적
이자 신념의 승리였다. 지하에 갇힌 광부들은 어둠 속에서도 포기하지 않

았고, 지상에 있던 그들의 가족들도 절망에 굴복하지 않았다.

2010년 8월 5일, 점심 시간 무렵, 구리와 금을 캐던 광부들은 땅속에서 진동을 느끼기 시작했다. 진동이 시작한 거의 직후에 그들은 갑작스러운 큰 폭발음을 들었고, 광산 전체가 먼지와 바위로 가득 찼다. 멀리 있는(→ 인근) 산에서 떨어져 나온 거대한 조각이 광산의 거의 모든 채굴 갱도를 파묻어버리면서 무너져 내렸다.

08 해설 ⓐ 문맥상 '그들의 가족들도 굴복하지 않았다'는 의미가 되도록 '~ 또한 아니다'라는 뜻의 부정어 nor가 와야 한다. ⓑ fill up with: ~으로 가득 차다

09 해설 문맥상 ⑤ distant(멀리 떨어져 있는)는 nearby(인근의)로 고쳐 써야 알맞다.

10 해설 ④ 8월 5일 아침이 아니라 점심 시간 무렵에 광부들이 진동을 느끼기 시작했다고 하였다. (On August 5, 2010, at around lunch break, ~ feel vibrations in the earth.)

| 11~12 |

최초 붕괴 이후 17일 동안, 그들의 운명에 대해서 아무런 소식도 없었다. 날이 갈수록 칠레인들은 광부 중 누구라도 살아남아 있을 가능성에 대해 점점 더 확신하지 못하게 되었다. 8월 22일에 작은 탐색용 구멍이 뚫렸고, 카메라가 "우리는 아직 살아 있다."라고 쓰인 메시지를 포착했다. 그것은 희망의 첫 신호였다. 곧이어 비디오카메라 한 대가 700미터 아래로 보내졌고 광부들의 이미지를 처음으로 포착했는데, 모두 확실히 건강 상태가 양호했다. 이 발견은 칠레 전역에 즐거운 축하를 불러일으켰고, 구조 노력은 광부들이 구조될 수도 있다는 한 줄기 희망의 빛을 주었다.

11 해설 as는 '~하면서'라는 의미의 시간의 접속사로 쓰였다. / ① ~대로 ② 비록 ~이지만 ③ ~하면서 ④ ~하듯이 ⑤ ~ 때문에
해석 ① 로마에 가면 로마법대로 하라.
② 그는 비록 거지였지만, 그는 행복했다.
③ 그는 나이가 들면서 더 현명해졌다.
④ 그는 늘 그렇듯이 또 지각했다.
⑤ 그녀는 아팠기 때문에, 학교에 갈 수 없었다.

12 해설 ⑤ all clearly in good health라고 했으므로 '건강이 악화된 광부들'이라는 말은 내용과 일치하지 않는다.

| 13~15 |

광부들은 충분한 양의 신선한 공기가 그들에게 도달할 수 있게 하는 공기 터널을 갖게 되어 다행이었다. 그들은 또한 자신들의 헤드 램프 배터리를 충전할 수 있는 고장 난 트럭들도 가지고 있었다. 게다가, 그들은 가까이에 있는 저장 탱크에서 물을 마실 수도 있었다. 음식과 의약품을 전달하는 터널이 사용 가능하게 될 때까지 먹을거리가 피난처에서 가장 중대한 문제였다. 그들은 이틀 동안 먹을 정도의 식량만을 갖고 있

었다. 18일 동안 각 개인은 이틀에 한 번 꼴로 두 숟가락 분량의 참치와 한 모금의 우유, 크래커 부스러기, 그리고 통조림 과일 한 입을 먹고 버텨야 했다. 광부들을 심하게 괴롭힌 또 다른 요인은 피난처의 높은 열과 습도였다. 그들이 구조되었을 때 각 광부들은 평균 8킬로그램의 체중이 감소해 있었다.

13 해설 광부들의 살아남기 위한 필사적인 노력을 묘사하고 있는 글이므로 ② '살아남기 위한 그들의 필사적인 노력'이 가장 적절하다.
해석 ① 인체의 한계
③ 단결은 때때로 파멸을 부른다
④ 헤드 램프: 광부들의 유일한 희망
⑤ 우리는 어둠 속에서 민주주의 사회를 세울 수 있을까?

14 해설 ⓓ '이틀에 한 번'은 「every other+단수명사」로 쓰므로 days를 day로 고쳐 써야 한다.

15 해설 빈칸 앞에 공기 터널과 고장 난 트럭들이 있어서 광부들이 생존할 수 있었다는 내용에 더하여, 가까이에 저장 탱크가 있어서 물을 마실 수도 있었다는 내용이 빈칸 뒤에 나오므로 첨가의 연결사 ③ '게다가, ~에 더하여'가 오는 것이 가장 적절하다.
해석 ① 그러나 ② 사실은 ④ 예를 들어 ⑤ 그 결과로

| 16~18 |

10월 12일에 첫 번째 구조 대원이 광부들에게로 내려갔고, 그들은 초조한 안도감으로 그를 맞았다. 곧 갇혀 있던 첫 번째 광부가 지상으로 올려졌다. 한 사람씩, 광부들은 캡슐을 타고 올려져 햇빛을 볼 수 있었다. 캡슐에서 나오자마자 각 광부들은 열광적인 환영을 받았으나, 곧바로 가족들을 만날 수는 없었다. 그들은 너무 오랫동안 갇혀 있어서 그들의 최고 급선무는 치료를 받는 일이었다.

땅속에서 지내는 동안 민주적인 지도자로서 큰 역할을 맡았던 Luis Urzúa가 10월 13일에 마지막으로 지상에 올라왔다. "우리가 열심히 노력했던 69일은 헛되지 않았다. 우리는 가족들을 위해 살고 싶었고, 그것은 가장 위대한 일이었다."라고 Urzúa는 구조 후에 칠레 국민들에게 말했다. 그러고 나서 구조 대원들과 구조된 사람들은 구조 작업을 응원하기 위해 온 수천 명의 환희에 찬 사람들과 함께, 관련자 전원의 영웅적인 행위와 인류애를 자축하면서 칠레의 국가를 부르기 시작했다.

16 해설 수천 명이 모여 영웅적인 행위와 인류애를 자축하며 칠레 애국가를 부르고 있으므로 글의 분위기는 ③ '감동적이고 극적인'이 가장 적절하다.
해석 ① 슬프고 우울한
② 고요하고 평화로운
④ 엄숙하고 신비로운
⑤ 비극적이고 단조로운

17 해설 ⓒ 문맥상 Luis Urzúa가 민주적인 지도자로서 주요한 역할을 맡았다고 하는 것이 자연스러우므로 minor(중요치 않은)를 major(주요한)로 고쳐 써야 알맞다.

18 해설 광부들이 그토록 오랫동안 지하에 '갇혀 있었다'는 수동의 의미이므로 과거완료 수동태(had been+p.p.)인 had been trapped로 써야 한다.

| 19~20 |

붕괴 후에 곧 광부들은 하나의 집단으로 단결했다. 그들은 스스로를 한 사람당 하나의 투표권을 갖는 사회로 조직하였다. 그들 모두는 만약 자신들의 사회 구조가 무너지면 문제가 더 심각해질 것이라는 점을 알고 있었고, 자신들이 가장 잘 할 수 있는 것들을 했다. 예를 들어, 종교인인 José Henríquez는 (광부들의) 사기를 북돋우려고 노력했고, 약간의 의료 훈련을 받은 적이 있는 Yonni Barrios는 건강 문제가 있는 다른 광부들을 도왔다.

10월 9일, 마침내 피난처에 있는 광부들에게까지 구조 구멍이 뚫렸다. 그것은 그들을 한 사람씩 끌어올리기에 충분히 큰 터널을 형성했다. 이 목적을 위해 특별히 고안된 캡슐이 만들어졌다. 전 세계에서 온 1,400명이 넘는 뉴스 기자들이 광부들의 가족들과 함께 구조 과정을 지켜보기 위해 모여들었다.

19 해설 ⓑ 문장의 본동사 knew와 and로 병렬 연결되므로 과거완료(had done)는 과거동사(did)로 고쳐 써야 한다.

20 해설 전 세계에서 1,400명이 넘는 기자들이 모인 이유는 '구조(rescue)' 장면을 취재하기 위해서였다.

Lesson 06 Decide

Words & Expressions Test

 p. 109

01 (1) 튀어나오는 (2) 광고 (3) ~에 달려 있다 (4) ~에 더하여 (5) 전략적으로 (6) 압도된 (7) decision (8) retail (9) instead of (10) suggestion (11) random (12) motivate　**02** (1) regular (2) inventory (3) prove (4) clerk　**03** (1) ② (2) ③　**04** (1) assume (2) purchase

02

(1) 정가는 45달러이지만 현재 30달러로 할인 중이다.
(2) 저희 가게는 매트리스 업계에서 가장 많은 재고품을 보유하고 있습니다.
(3) 그 증거는 그가 유죄라는 것을 입증할 것이다.
(4) 그녀는 지역 애완동물 가게에서 점원으로 일한다.

03

(1) 그녀는 마지막으로 대답하기 전에 질문을 신중히 생각하는 것처럼 보였다.
(2) 자리를 좀 비켜서 이 어린 소녀를 위한 공간을 만들어 주시겠어요?

04

(1) 추정하다: 어떤 것이 사실이거나 아마 사실일 것이라고 생각하다
(2) 구매: 어떤 것을 사는 행위

Communication Test

 p. 111

01 Are you certain　**02** How do you like　**03** (C) – (A) – (D) – (B)　**04** Are you sure you're using your money effectively

01

A 나는 우리가 오래된 CD와 DVD를 탁자 앞에 놓아야 한다고 생각해.
B 그것이 그들의 관심을 끌 것이라고 확신하니?

02

A 너는 휴대용 컴퓨터가 마음에 드니?
B 그것은 휴대할 수 있지만 파일, 게임 그리고 다른 자료를 저장할 공간이 충분하지 않아.

03

(C) 안녕, ABC 스킨케어에서 나온 녹차 핸드크림을 사용해 봤니?

(A) 응, 사용해 봤어. 왜?

(D) 너는 그것이 마음에 들었니? 나는 그것을 사려고 생각 중이야.

(B) 부드럽고 너무 기름기가 많지 않아. 나는 그것을 강력히 추천해.

04

여러분, 안녕하십니까? 여러분은 여러분의 돈을 효율적으로 사용한다고 확신하십니까? 제가 하는 것을 말씀드리겠습니다: 저는 콘서트 표와 같은 것을 구매할 때, 항상 친구들과 공동 구매를 합니다. 이 방법으로 저는 단체 할인을 받을 수 있습니다. 이 조언이 여러분에게 도움이 되길 바랍니다.

Grammar Test p. 113

01 (1) had not been for (2) were not for 02 (1) This building seems to have been (2) It seems that many people enjoyed 03 (1) If it had not been for (2) ○ (3) had understood 04 (1) If it were not for water and air (2) seems to have been ill (3) Her life seems to be

01

해설 (1) 주절의 시제가 might have got lost(might+have+p.p.)이므로 가정법 과거완료 문장임을 알 수 있으며, 이때 Without은 If it had not been for ~(~이 없었다면)로 바꿔 쓸 수 있다.

(2) 주절의 시제가 would not wake up(would+동사원형)이므로 가정법 과거 문장임을 알 수 있으며, 이때 But for는 If it were not for ~(~이 없다면)으로 바꿔 쓸 수 있다.

해석 (1) 가이드가 없었다면, 우리는 숲속에서 길을 잃었을 것이다.

(2) 알람이 없다면, 우리는 정각에 일어나지 못할 것이다.

02

해설 (1) 「seem+완료부정사(to have+p.p.)」 구문으로 본동사보다 이전에 일어난 일을 나타낸다.

(2) 「It seems that+주어+동사 ~」 구문이다.

해석 (1) 이 건물은 최근에 개조되었던 것처럼 보인다.

(2) 많은 사람이 댄스파티를 즐겼던 것처럼 보인다.

03

해설 (1) 주절의 동사가 might have won이므로 가정법 과거완료 If it had not been for로 고쳐 써야 한다.

(2) 주절의 동사가 would have given up이므로 가정법 과거완료 Had it not been for로 고쳐 쓴 것은 적절하다.

(3) 「seemed+완료부정사(to have+p.p.)」 형태로 본동사(seemed)보다 이전의 일을 나타내므로 understood를 과거완료시제 had understood로 고쳐 써야 한다.

해석 (1) 그 사고가 없었다면, 그는 경기에서 이겼을 수도 있었을 것이다.

(2) 너의 격려가 없었다면, 나는 그 계획을 포기했을 텐데.

(3) 아무도 히브리어로 쓰인 어느 것도 이해하지 못했던 것처럼 보였다.

04

해설 (1) 주절의 시제가 「조동사 과거형+동사원형」이므로 가정법 과거 if it were not for로 나타낸다.

(2) '~였던 것처럼 보이다'라는 의미의 「seem+완료부정사(to have+p.p.)」 구문으로 나타낸다.

(3) '~인 것처럼 보이다'라는 의미의 「seem+to부정사」 구문으로 나타낸다.

Reading Test pp. 116~117

01 without decisions to make 02 ③ 03 ② 04 ② 05 ③ 06 신중히 생각하는 대신, 쉬운 방법을 선택하고 자동적으로 결정을 내린다.

01

해설 without 가정법으로 '내려야 할 결정이 없다면'이라는 의미에 맞게 주어진 단어들을 배열한다.

해석 결정, 결정, 결정…. 오늘날 소비자가 되기란 어렵다. 동시에, 내려야 할 결정이 없다면 소비자가 되는 것은 더 쉽겠지만 훨씬 덜 재미있을 것이다.

02

해설 빈칸 뒤에 할인하여 판매하는 이유에 관해 설명하고 있으므로 그 이유를 묻는 내용(③)이 오는 것이 가장 알맞다.

해석 여러분은 왜 소매점이 상품을 할인 판매하는지 궁금했던 적이 있는가? 할인 판매는 재고 규모를 줄임으로써 상점이 판매할 물건을 더 사도록 공간을 만들어 주고, 소비자들을 끌어들인다. 만일 청바지가 원래 100달러였는데 지금 할인 판매해서 80달러라면, 더 낮은 가격은 소비자들이 청바지를 사고 또 20달러를 티셔츠에도 쓸 것을 고려해 보도록 이끌 것이다.

① 청바지는 할인을 절대 안 하는지

② 티셔츠가 청바지보다 덜 비싼지

④ 할인이 소비자들이 돈을 쓰도록 유도하는지

⑤ 광고가 자동차와 건물을 덮는지

03

해설 주어진 글은 업셀링에 관한 설명이므로 맨 처음 업셀링을 지칭하는 (B)가 온 다음, 물건들이 바로 옆에 함께 진열되어 있는 이유를 묻는 (A)가 오고, 이에 대한 대답인 (C)가 오는 것이 문맥상 가장 자연스럽다. (C)의 They는 (A)에서 언급한 shoes, hats, and socks를 가리킨다.

해석 여러분은 구입하려고 계획하지 않은 무언가를 구입하도록 제안받은 적이 있는가? 판매원은 원래 계획된 여러분의 구매에 더해서 무엇을 더 살지에 대해 제안을 할지도 모른다. (B) 이것은 업셀링이라고 불리고 이것은 당신뿐 아니라 상점의 수익에도 도움이 되도록 고안된 것이다. (A) 여러분은 신발, 모자, 양말들이 서로 바로 옆에 함께 진열되는 것을 알아차린 적이 있는가? (C) 그것들은 대개 전략적으로 그곳에 배치된 저렴한 물건들이다. 여러분이 이미 청바지를 한 벌 사기로 결정했으니 운동화도 한 켤레 사는 것은 왜 안 되겠는가?

04

해설 똑똑한 소비자가 되기 위한 첫 번째 단계로 '자동 조종 장치'를 인식하는 것을 설명하는 글로, '경험' 모드로 전환하는 것의 중요성에 관해 언급하고 있는 ②는 글의 전체 흐름과 관계가 없다.

해석 만약 세상에 너무 많은 선택권과 마케팅 전략이 있으면, 여러분은 어떻게 똑똑한 소비자가 될 수 있을까? 우리가 서로 다른 취향과 서로 다른 가치관을 가지고 있기 때문에 모든 사람들에게 '맞는' 답은 없지만, 첫 번째 단계는 여러분의 '자동 조종 장치' 모드를 인식하는 것이다. ('자동 조종 장치' 모드에서 '경험' 모드로 전환하는 것이 중요하다.) 이것을 방지하기 위해, 여러분이 어떤 것을 구입하기 전에 이 질문들을 스스로에게 해라. 내가 그 제품을 정말로 필요로 하는 것인가 혹은 그저 그것을 원하는 것인가? 내 돈이 다른 무언가에 더 잘 쓰일 수 있을까? 정보의 정글에서 여러분은 압도당한 느낌을 받을 수 있다.

05~06

왜 여러분은 이러한 마케팅 전략에 영향을 받는가? 여러분의 머릿속에서 무슨 일이 벌어지고 있는가? 음, 여러분의 뇌가 내려야 할 너무나 많은 결정으로 가득 차면, 그것은 '자동 조종 장치' 모드로 진행될 수 있다. 신중히 생각하는 대신, 여러분은 쉬운 방법을 선택하고 자동적으로 결정을 내린다. 예를 들어, 많은 사람들은 그저 할인 판매 중인 물건을 사는 것이 돈을 아끼게 해 줄 것이라든가, 혹은 더 높은 가격표가 달린 것이 질이 더 좋은 것이라고 추정할지 모른다. 게다가, 만일 계산원이 무언가를 제안하면, 여러분은 마치 계속 그것이 '필요한' 것처럼 느낄 지도 모른다.

05 **해설** ⓒ 앞의 and로 동사 choose와 연결되어 병렬 구조를 이루므로 to make를 make로 고쳐 써야 한다.

06 **해설** 뇌가 내려야 할 너무 많은 결정들로 가득차면 '자동 조종 장치' 모드가 되고, 신중히 생각하는 대신 쉬운 방법을 선택하고 자동적으로 결정을 내린다고 설명하고 있다.

---

01 ① **02** ④ **03** ② **04** (C) – (B) – (A) – (D) **05** ④ **06** it were not for water **07** ② **08** ⑤ **09** ⑤ **10** ① **11** ② **12** ⑤ **13** ② **14** ④ **15** ⑤ **16** ⑤ **17** not only helpful for you, but also for the store's bottom line **18** ① **19** ⑤ **20** autopilot mode

01

해설 '의식적인 생각이나 의도 없이'라는 것은 automatically(무의식적으로)에 관한 설명이다.

해석 공연이 끝나자마자, 관중들은 의식적인 생각이나 의도 없이 박수를 쳤다.

① 무의식적으로, 자동적으로 ② 흥미롭게 ③ 신중하게 ④ 전략적으로 ⑤ 마침내

02

해설 ④ '문제와 결정에 관해 신중하게 생각하거나 검토하다'라는 것은 deliberate(신중히 생각하다)에 대한 설명이다. assume은 '추정하다'라는 뜻이다.

해석 ① 취향: 개인적인 선호
② 배열: 어떤 것을 정리하는 방식
③ 미묘한: 이해하거나 구분하기 어려운
⑤ 업셀링: 이미 물건을 산 소비자가 더 물건을 사도록 설득하는 행위

03

해설 맛있었다는 대답으로 보아 포장 음식이 마음에 들었는지를 묻는 질문(②)이 가장 어울린다.

해석
A 엄마, 이것 좀 보세요. 포장 음식들이 할인 판매해요.
B 그거 정말 싸구나. 나는 전에 이것 중에 하나 먹어 봤어.
A 그것이 마음에 들었나요?
B 정말 맛있었어. 너의 이모랑 나눠 먹었단다.
① 무엇을 하셨나요?
③ 저것이 전에 말씀하신 건가요?
④ 엄마의 음식에 만족하나요?
⑤ 새로운 식당이 마음에 드시나요?

04

해석 (C) 먼지가 있는 날엔 마스크를 하는 것이 중요해.
(B) 알아, 그래서 내가 Dust King 마스크를 산 거야.
(A) 그것이 정말 적은 먼지도 걸러 줄 거라고 확신하니?
(D) 응, 포장에 그렇게 적혀 있어.

05

해설 ④ 그가 곧 도착할 것을 어떻게 확신하는지 물었는데 Yes라고 대답하면서 그가 거기에 있을 것을 확신하다고 대답하는 것은 어색하다.

해석 ① A 너는 지난주에 산 신발이 마음에 드니?
B 응, 그것은 아주 편해. 나는 그것을 강력히 추천해.
② A 너의 새로운 디지털 카메라가 마음에 드니?
B 내가 기대했던 것보다 훨씬 유용해.
③ A 너는 이것이 관광객을 끌어들일 것이라고 확신하니?
B 당연하지, 나는 그럴 거라고 확신해.
④ A 그가 곧 도착할 거라고 어떻게 확신하니?
B 응, 나는 그가 거기에 있을 거라고 확신해.
⑤ A 이것이 네가 좋아하는 거니?
B 응, 맞아.

06

해설 주절의 시제가 「조동사의 과거형+동사원형」이므로 Without을
가정법 과거 If it were not for water로 바꾸어 쓸 수 있다.
해석 물이 없다면, 지구에 생명체가 없을 것이다.

07

해설 첫 번째 빈칸에는 과거완료의 had가 적절하며, 두 번째 빈칸에는
시간을 보내다(have a good time)의 have가 과거분사 형태로 들어가
야 하므로 had가 알맞다.
해석 • 그들이 오전 내내 너를 기다렸던 것처럼 보였다.
• 그는 좋은 시간을 보냈던 것처럼 보인다.

08~09

상점에는 매력적인 상품으로 가득하다. 광고가 자동차와 건물을 덮고,
TV 광고는 슬로건을 외치고, 인터넷의 팝업 홍보는 짜증날 수 있다. 우
리가 원하는 모든 것을 가질 수 없으므로, 우리는 가진 자원을 최대한 오
래 이용해야 한다. 여러분이 청바지를 하나 사러 쇼핑몰에 간다고 상상
해 보라. 여러분이 그곳에 있는 동안 여러분의 결정에 영향을 미칠지도
모르는 몇 가지를 살펴보도록 하자.

08

해설 주어진 글의 마지막 부분에서 쇼핑몰에 청바지를 사러 갔다고
상상을 해 보라고 하면서, 거기 있는 동안 당신의 결정에 영향을 미칠지도 모
르는 몇 가지를 살펴보자고 했으므로, 이 글 다음에 쇼핑을 하는 동안 소비
자의 결정에 영향을 미치는 것들이 언급될 것임을 유추할 수 있다.
해석 ① 소비자들이 어디에서 청바지를 살 수 있는지
② 청바지를 사기에 가장 좋은 때가 언제인지
③ 쇼핑몰이 어떻게 그들의 상품을 광고하는지
④ 옷 가게에서 소비자들이 어떻게 대우 받는지
⑤ 쇼핑을 하는 동안에 소비자의 결정에 영향을 미치는 것이 무
엇인지

09 **해설** (A) 광고나 팝업 홍보는 짜증나게 하는 것이므로, annoying
이 와야 한다. (B) 사역동사 make의 목적격 보어로 동사원형 go가 와야
한다. (C) 선행사 things를 꾸며주는 주격관계대명사 that이 알맞다.

10~12

여러분은 왜 소매점이 상품을 할인 판매하는지 궁금했던 적이 있는
가? 할인 판매는 재고 규모를 줄임으로써 상점이 판매할 물건을 더 사
도록 공간을 만들어 주고, 소비자들을 끌어들인다. 만일 청바지가 원래
100달러였는데 지금 할인 판매해서 80달러라면, 더 낮은 가격은 소비
자들이 청바지를 사고 또 20달러를 티셔츠에도 쓸 것을 고려해 보도록
이끌 것이다. 핵심은 할인 판매가 정가에는 구입하지 않았을지도 모를
소비자들을 끌어들이고, 이제 자신이 가진 돈으로 더 많이 살 수 있기 때
문에 소비자들이 돈을 쓰도록 유도한다는 것이다.

10

해설 상품을 할인 판매하는 이유를 청바지 예시를 들어 설명하고
있으므로 제목으로 ①이 가장 적절하다.
해석 ① "이봐요! 이 청바지는 할인 중이에요!"
② "어떻게 현명한 소비자가 될 수 있을까요?"
③ "세상에서 가장 좋은 청바지가 여기 있어요!"
④ "이 운동화는 이 청바지와 어울린다고 생각하나요?"
⑤ "여러분이 항상 되고 싶던 사람이 되세요."

11

해설 정가에 구입하지 않았을지도 모를 소비자들을 할인 판매로
끌어들여 돈을 쓰도록 유인한다는 내용이 되어야 한다.
해석 ① 평균 금액 ② 정가 ③ 단독 상품 ④ 비싼 상점 ⑤ 할인
된 금액

12

해설 ⑤ 할인 판매를 하면 소비자들이 가진 돈으로 더 많이 살 수 있어서 그
들이 돈을 쓰도록 유도한다고 마지막 부분에 언급되어 있다.
해석 ① 소매점은 항상 상품을 할인하여 판매한다.
② 할인 판매는 예상치 못한 단점을 가져온다.
③ 대부분 소비자들은 원래 가격에 물건을 사고 싶어 한다.
④ 더 낮은 가격은 소비자들이 덜 구입하도록 이끈다.
⑤ 할인 판매는 소비자들이 돈을 쓰도록 유도한다.

13~15

청바지는 청바지이다. 그런가? 음, 그렇지 않다! 평범한 청바지가 있
고 디자이너 청바지가 있다. TV 광고가 입증하듯, 아름다운 사람들은
Brand X를 입는다. 그렇지 않은가? 그리고 여러분은 자신도 그것을
입으면 더 아름다워질 것이라고 느낀다. 이것이 연상의 힘이다. 광고업자
들이 매력적인 이미지를 특정한 제품과 연관시킬 때, 소비자들은 자신과
그 이미지를 연관시키기 위해 그 제품을 살지도 모른다. 여러분은 여전
히 똑같은 당신이지만, 여러분이 Brand X의 새 청바지를 입고 있기 때
문에 자신에 대해 더 나아졌다고 느낀다. 이것이 25퍼센트, 50퍼센트,
혹은 심지어 100퍼센트 더 지불할 가치가 있는가? 글쎄, 그것은 각 개
인이 스스로 결정하기에 달려 있다.

13 해설 아름다운 사람들이 입은 것을 보고 자신도 그것을 입으면 더 아름다워질 것이라고 느낀다는 내용 뒤인 ⓑ에 이것이 연상의 힘이라는 주어진 문장이 오는 것이 적절하다. 연상의 힘을 이용하여 광고업자들이 매력적인 이미지를 특정한 상품과 연관시킨다고 이어지는 것이 가장 자연스럽다.

14 해설 associate ~ with...는 '~을 …에 연관 짓다'라는 의미이다.

15 해설 ⑤ 마지막 문장(Well, that's up to ~ her own.)에서 돈을 더 지불할 가치가 있는지는 각 개인이 스스로 결정할 일이라고 언급되어 있다.

| 16~17 |

여러분은 구입하려고 계획하지 않은 무언가를 구입하도록 제안받은 적이 있는가? 판매원은 원래 계획된 여러분의 구매에 더해서 무엇을 더 살지에 대해 제안을 할지 모른다. 이것은 업셀링이라고 불리고 이것은 당신뿐 아니라 상점의 수익에도 도움이 되도록 고안된 것이다. 여러분은 신발, 모자, 양말들이 서로 바로 옆에 함께 진열되는 것을 알아차린 적이 있는가? 그것들은 대개 전략적으로 그곳에 배치된 저렴한 물건들이다. 여러분이 이미 청바지를 한 벌 사기로 결정했으니 운동화도 한 켤레 사는 것은 왜 안 되겠는가? 여러분에게 정말 어울리는 무언가를 사지 말아야 한다고 여러분에게 말할 수 있는 사람은 없지만, 상점에서 물건의 배치가 무작위로 된 것이라는 (→ 무작위로 된 것이 아니라는) 점을 기억하라. 상품 배치는 고객들이 쇼핑하는 동안 그들에게 교묘한 제안을 하도록 고안되어 온 것처럼 보인다.

16 해설 ⓔ 문맥상 물건의 배치가 무작위로 된 것이 아니라는(not random) 내용이 와야 적절하다.

17 해설 「not only A but also B (A뿐만 아니라 B도)」 구문을 사용하여 나타낸다. / bottom line: 수익

| 18~20 |

만약 세상에 너무 많은 선택권과 마케팅 전략이 있으면, 여러분은 어떻게 똑똑한 소비자가 될 수 있을까? 우리가 서로 다른 취향과 서로 다른 가치관을 가지고 있기 때문에 모든 사람들에게 '맞는' 답은 없지만, 첫 번째 단계는 여러분의 '자동 조종 장치' 모드를 인식하는 것이다. 이것을 방지하기 위해, 여러분이 어떤 것을 구입하기 전에 이 질문들을 스스로에게 해라. 내가 그 제품을 정말로 필요로 하는 것인가 혹은 그저 그것을 원하는 것인가? 내 돈이 다른 무언가에 더 잘 쓰일 수 있을까? 정보의 정글에서 여러분은 압도당한 느낌을 받을 수 있다. 그렇지만 걱정하지 마라. 똑똑한 소비자가 되는 것은 저절로 오는 것이 아니다. 일단 여러분이 무엇이 거기 있는지 의식하기 시작하면, 여러분의 경험과 지혜가 여러분을 똑똑한 소비로 안내할 것이다.

18
해설 쏟아지는 정보 속에서 경험과 지혜를 통해 똑똑한 소비자가 될 수 있다고 설명하는 글로 ①이 주제로 적절하다.
해석 ① 현명한 소비자가 되는 방법

② '자동 조종 장치' 모드가 위험한 이유
③ 시장에서 사야 할 것들
④ 마케팅 전략을 이용하는 방법
⑤ 정보의 정글에서 얻어야 할 것들

19 해설 ⓐ be aware of: ~을 알아차리다 ⓒ guide A to B: A를 B로 안내하다.

20 해설 '자동 조종 장치' 모드를 방지하기 위해 스스로에게 질문을 해야 한다는 내용으로 this는 앞 문장의 autopilot mode를 가리킨다.

단원 평가 2회 pp. 122~125

01 ⑤   02 (p)rove   03 Are you sure it captures the essence of the apple snack?   04 ①   05 ④   06 seemed that they had known   07 ③   08 ①   09 ③   10 ②
11 associate, consumers   12 ③   13 ③   14 ④   15 ⑤
16 ④   17 ② 18 ②   19 autopilot   20 ④

01
해설 ⑤ assumed(추정했다)를 guided(안내했다)로 고쳐 써야 의미가 알맞다. (Smith 씨는 우리에게 그 도시를 안내했다.)
해석 ① 나는 누군가가 "불이야!"라고 외치는 것을 들었다.
② 그는 내 딸에게 팝업북을 사주었다.
③ 당신은 간단히 전화를 하거나 온라인을 통해서 신제품을 주문할 수 있다.
④ 일꾼들은 트럭에 짐을 실었다.

02
해석 증명하다(prove): 어떤 것의 진실이나 올바른 것을 증거나 논리 등을 이용하여 보여 주다

03
해설 Are you sure... ?: 너는 ~을 확신하니?(확실성 정도 묻기)
해석 A 사과 과자를 위한 가장 좋은 홍보 문구가 무엇일까?
B '대구의 자랑을 맛보세요'는 어때?
A 너는 그것이 사과 과자의 진수를 담고 있다고 확신하니?
B 응, 나는 그럴 거라고 확신해.

04
해설 빈칸 뒤에 가방이 가볍고 편하다는 B의 대답으로 보아 가방에 대해 만족이나 불만족을 묻는 표현(①)이 오는 것이 적절하다.
해석
A 안녕, 너 가방 새로 샀니?
B 응, 지난 주말에 샀어.

A 그것에 만족하니?
B 응, 그것은 가볍고 편해.
② 너는 실망했니?
③ 무슨 일로 여기에 온 거니?
④ 그것을 얼마나 사고 싶었니?
⑤ 가방을 하나 사는 게 어때?

05

해석 제가 이 선글라스를 써 봐도 될까요?
(C) 물론이죠, 거울로 어떠신지 보세요. 마음에 드세요?
(A) 잘 맞고, 쓰니까 제게 꽤 잘 어울리네요. 그걸 살게요.
(B) 저는 당신이 좋은 선택을 하셨다고 확신해요.

06

해설 「seemed+완료부정사(to have+p.p.)」 형태로 주절의 시제보다 한 시제 앞선 상황을 나타내며, 「It seemed that+주어+과거완료형 ~」 형태로 바꾸어 쓸 수 있다.
해석 그들은 서로를 오랫동안 알았던 것처럼 보였다.

07

해설 주절의 시제가 「조동사의 과거형(would)+동사원형(be)」인 가정법 과거 문장이므로, 현재 사실의 반대를 나타낸다.
해석 가족의 지지가 없으면, 나는 곤경에 처할 것이다.
① 가족이 지지해 주어서 나는 곤경에 처한다.
② 가족이 지지해 주지 않아서, 나는 곤경에 처했다.
③ 나는 가족의 지지 덕분에 곤경에 처하지 않는다.
④ 나는 가족의 지지 때문에 곤경에 처했다.
⑤ 가족의 지지에도 불구하고, 나는 곤경에 처한다.

08~09

여러분은 왜 소매점이 상품을 할인 판매하는지 궁금했던 적이 있는가? 할인 판매는 재고 규모를 줄임으로써 상점이 판매할 물건을 더 사도록 공간을 만들어 주고, 소비자들을 끌어들인다. 만일 청바지가 원래 100달러였는데 지금 할인 판매해서 80달러라면, 더 낮은 가격은 소비자들이 청바지를 사고 또 20달러를 티셔츠에도 쓸 것을 고려해 보도록 이끌 것이다. 핵심은 할인 판매가 정가에는 구입하지 않았을지도 모르는 소비자들을 끌어들이고, 이제 자신이 가진 돈으로 더 많이 살 수 있기 때문에 소비자들이 돈을 쓰도록 유도한다는 것이다.

08

해설 bottom line은 '핵심, 요점'이라는 의미이다.
해석 ① 핵심 ② 최종 가격 ③ 문제 ④ 원인 ⑤ 바닥

09 해설 ③ '할인이 잘 되는 청바지의 종류'에 대해서는 언급되어 있지 않다.

10~11

청바지는 청바지이다. 그런가? 음, 그렇지 않다! 평범한 청바지가 있고 디자이너 청바지가 있다. TV 광고가 입증하듯, 아름다운 사람들은 Brand X를 입는다, 그렇지 않은가? 그리고 여러분은 자신도 그것을 입으면 더 아름다워질 것이라고 느낀다. 이것이 연상의 힘이다. 광고업자들이 매력적인 이미지를 특정한 제품과 연관시킬 때, 소비자들은 자신과 그 이미지를 연관시키기 위해 그 제품을 살지도 모른다. 여러분은 여전히 똑같은 당신이지만, 여러분이 Brand X의 새 청바지를 입고 있기 때문에 자신에 대해 더 나아졌다고 느낀다. 이것이 25퍼센트, 50퍼센트, 혹은 심지어 100퍼센트 더 지불할 가치가 있는가? 글쎄, 그것은 각 개인이 스스로 결정하기에 달려 있다.

10

해설 (A) TV 광고에서 아름다운 사람들은 Brand X를 입는 것을 입증한다. (B) 당신도 Brand X를 입으면 더 아름다워질 것으로 느낀다. (C) 새 청바지를 입고 있기 때문에 자신이 더 나아졌다고 느낀다.

11

해설 associate ~ with...: ~을 …에 연관짓다 / consumer: 소비자
해석 광고주들은 소비자들이 그들의 상품을 구입하도록 매력적인 이미지를 특정 상품과 연관시킨다.

12~14

여러분은 구입하려고 계획하지 않은 무언가를 구입하도록 제안받은 적이 있는가? 판매원은 원래 계획된 여러분의 구매에 더해서 무엇을 더 살지에 대해 제안을 할지 모른다. 이것은 업셀링이라고 불리고 이것은 당신뿐 아니라 상점의 수익에도 도움이 되도록 고안된 것이다. 여러분은 신발, 모자, 양말들이 서로 바로 옆에 함께 진열되는 것을 알아챈 적이 있는가? 그것들은 대개 전략적으로 그곳에 배치된 저렴한 물건들이다. 여러분이 이미 청바지를 한 벌 사기로 결정했으니 운동화도 한 켤레 사는 것은 왜 안 되겠는가? 여러분에게 정말 어울리는 무언가를 사지 말아야 한다고 여러분에게 말할 수 있는 사람은 없지만, 상점에서 물건의 배치가 무작위로 된 것이 아니라는 점을 기억하라. 상품 배치는 고객들이 쇼핑하는 동안 그들에게 교묘한 제안을 하도록 고안되어 온 것처럼 보인다.

12

해설 ⓐ Since는 '~이기 때문에'라는 의미의 이유 접속사로 쓰였다. / ③ ~이기 때문에(이유 접속사) ①, ②, ④, ⑤ ~이래로, 이후로(시간 접속사)
해석 ① 내가 그녀를 만난 이래로 20년이 지났다.
② 나는 8살 이후로 영어를 배워 왔다.
③ 지구가 돌고 있기 때문에 우리는 항상 옆으로 약간 움직인다.
④ 그 편지가 도착한 이후로 그녀는 걱정을 하고 있다.
⑤ 학교에 다닌 이래로 그는 글을 쓰고 싶었다.

13 해설 현재 시제에 맞추어 seems를 쓰고, 고안된 것은 과거 시점이므로 「seem+완료부정사(to have+p.p.)」가 적절하며, 수동의 의미이므로 수동형 완료부정사(to have been+p.p.)로 나타낸다.

14

④ 대개 전략적으로 저렴한 물건들이 진열된다고 했지 비싼 물건들이 함께 진열되는지에 대한 설명은 언급되어 있지 않다.

① 업셀링은 무엇인가?
② 업셀링의 목적은 무엇인가?
③ 업셀링은 누구에게 도움이 되는가?
④ 비싼 물건은 왜 함께 진열되는가?
⑤ 상품 배치는 어떻게 고안되는가?

15~17

만약 세상에 너무 많은 선택권과 마케팅 전략이 있으면, 여러분은 어떻게 똑똑한 소비자가 될 수 있을까? (C) 우리가 서로 다른 취향과 서로 다른 가치관을 가지고 있기 때문에 모든 사람들에게 '맞는' 답은 없지만, 첫 번째 단계는 여러분의 '자동 조종 장치' 모드를 인식하는 것이다. (B) 이것을 방지하기 위해, 여러분이 어떤 것을 구입하기 전에 이 질문들을 스스로에게 해라. 내가 그 제품을 정말 필요로 하는 것인가 혹은 그저 그것을 원하는 것인가? 내 돈이 다른 무언가에 더 잘 쓰일 수 있을까? 정보의 정글에서 여러분은 압도당한 느낌을 받을 수 있다. (A) 그렇지만 걱정하지 마라. 똑똑한 소비자가 되는 것은 저절로 오는 것이 아니다. 일단 여러분이 무엇이 거기 있는지 의식하기 시작하면, 여러분의 경험과 지혜가 여러분을 똑똑한 소비로 안내할 것이다.

15 어떻게 똑똑한 소비자가 될 수 있을 것인가에 관한 주어진 글에 대한 대답으로, 모두를 위한 정답은 없지만 '자동 조종 장치' 모드를 인식할 필요가 있다는 (C)가 맨 처음에 오고, 이어서 '자동 조종 장치' 모드를 방지하기 위해 질문을 해야 한다는 (B)가, 그리고 마지막으로 (B)에서 언급한 정보의 정글에서 어떻게 살아남을지 당부하는 (A)가 오는 것이 가장 적절하다.

16 ⓓ 「feel＋형용사」는 '～하게 느끼다'라는 뜻이다. 정보의 정글에서 압도되는 맥락이므로, overwhelming(압도적인)을 overwhelmed(압도된)로 고쳐 써야 한다.

17 ② 모두가 서로 다른 취향과 가치관을 가지고 있어 모두에게 맞는 답은 없지만, 똑똑한 소비자가 되기 위한 첫 번째 단계로 '자동 조종 장치' 모드를 인식해야 한다고 언급되어 있지만, 인식하기 어렵다는 내용은 나와 있지 않다.

18~20

왜 여러분은 이러한 마케팅 전략에 영향을 받는가? 여러분의 머릿속에서 무슨 일이 벌어지고 있는가? 음, 여러분의 뇌가 내려야 할 너무나 많은 결정으로 가득 차면, 그것은 '자동 조종 장치' 모드로 진행될 수 있다. 신중히 생각하는 대신, 여러분은 쉬운 방법을 선택하고 자동적으로 결정을 내린다. 예를 들어, 많은 사람들은 그저 할인 판매 중인 물건을 사는 것이 돈을 아끼게 해 줄 것이라든가, 혹은 더 높은 가격표가 달린 것이 질이 더 좋은 것이라고 추정할지 모른다. 게다가, 만일 계산원

이 무언가를 제안하면, 여러분은 마치 계속 그것이 '필요한' 것처럼 느낄지도 모른다.

18

(A) 빈칸 뒤에 '자동 조종 장치' 모드가 되면 어떤 현상이 발생할 수 있는지 예를 들어 설명하고 있으므로 '예를 들어(For example)'가 알맞다. (B) 빈칸 뒤에 앞 문장에 덧붙여 '자동 조종 장치' 모드가 되었을 때 사람들이 느낄 수 있는 상황을 설명하는 것이므로, '게다가, 더욱이 (Furthermore)'가 적절하다.

① 그러나 – 게다가
② 예를 들어 – 더욱이, 게다가
③ 이와 같이 – 그럼에도 불구하고
④ 반면에 – 사실은
⑤ 간단히 말하면 – 예를 들어

19

주어진 글은 '자동 조종 장치(autopilot)'를 설명하고 있다.
신중하게 생각하는 대신, 사람들은 쉬운 방법을 선택하고 결정을 자동적으로 내린다.

20

글의 첫 문장에서 '왜 당신은 이러한 마케팅 전략에 영향을 받는가?'라고 했으므로, 이 글의 앞 부분에는 마케팅 전략들에 관한 내용이 언급되어 있음을 알 수 있다.

① 소매점이 직면한 도전 과제들
② 광고주에게 영향을 주는 흥미로운 사실들
③ 쇼핑객이 고전하는 심리적 문제들
④ 소비자에게 영향을 주는 다양한 마케팅 전략들
⑤ 마케팅 전략을 바꾸는 다양한 연령대

Lesson 07 Observe

Words & Expressions Test
p. 129

01 (1) 낮은, 하찮은 (2) 생체 모방 기술 (3) 최종 결과 (4) 주목할 만한, 측정 가능한 (5) 잘게 부수다, 분쇄하다 (6) 규모, 범위 (7) procedure (8) shot (9) complicated (10) bite (11) beneficial (12) conserve **02** (1) incorporation (2) inefficient (3) incredible (4) painless **03** (1) ⑤ (2) ④ **04** (1) smooth (2) inspire

02
(1) 나는 너의 작품에 새로운 디자인과 재료를 포함시키는 데 동의한다.
(2) 그 기계는 너무 비효율적이어서 작업이 지연되고 있다.
(3) 그가 한발로 그렇게 오랫동안 서 있을 수 있다는 것이 믿기 어려웠다.
(4) 모기가 물 때는 통증이 없을 지라도, 매우 가려울 수 있다.

03
(1) 위로 자라는 대신에 그 나무는 옆으로 자란다.
(2) 운동은 건강을 유지하는 매우 유용한 수단이다.

04
(1) 매끄럽게 하다: 어떤 것을 평평한 표면이나 모양을 띠게 하다
(2) 영감을 주다: 누군가에게 무엇을 할지 또는 무엇을 창조할지 아이디어를 주다

Communication Test

p. 131

01 explain **02** likely **03** explain, a driverless car **04** It's likely that tiny nanorobots will be able to perform surgery

01
A 이 문을 어떻게 여는지 좀 설명해 주실래요?
B 물론이죠. 손잡이를 왼쪽으로 돌리면 열릴 거예요.

03
무인 자동차가 무슨 뜻인가요?
= 무인 자동차가 무엇인지 설명해 주실래요?

04
A 나는 나노 기술에 대해 더 배워 볼까 생각 중이야.

B 좋은 생각이야. 그것은 미래에 더 많이 사용될 거야. 너는 어떤 응용 사례에 가장 관심이 있니?
A 나는 의학적 응용에 가장 끌려. 가까운 미래에는 우리의 몸속 가장 깊은 곳에서 아주 작은 나노 로봇들이 수술을 집도할 수 있게 될 것 같아.
B 수술 절차에 큰 진보가 있겠구나.
A 맞아. 그게 바로 내가 대학에서 의료 공학을 공부하고 싶은 이유야.

Grammar Test

p. 133

01 (1) his (2) my brother (3) their (4) me **02** (1) delivered (2) featuring (3) wearing (4) covered **03** (1) I hate his telling a lie. (2) Look at the red car parked in front of his house. (3) Excuse me coming late. (4) The girl swimming in the pool is my daughter. **04** (1) Would you mind my(me) opening the window? (2) I read the novels written by him.

01
해설 (1) 동명사 joining의 의미상의 주어는 소유격 his나 목적격 him이 알맞다.
(2) 동명사 passing의 의미상의 주어인 my brother가 알맞다.
(3) 동명사 coming의 의미상의 주어 자리이므로 소유격 their가 알맞다.
(4) 동명사 staying의 의미상의 주어 자리이므로 목적격 me가 알맞다.
해석 (1) 나는 그가 동아리에 가입하는 것에 반대한다.
(2) 아버지께서는 형이 그 시험에 통과할 거라고 확신하신다.
(3) 그녀는 그들이 오늘 밤에 오는 것을 알고 있니?
(4) 엄마는 내가 늦게까지 자지 않는 것을 좋아하지 않으신다.

02
해설 (1) 소포는 배달되는 것이므로 수동의 의미인 과거분사 delivered로 고쳐 써야 한다.
(2) a documentary는 feature의 대상이 아니라 주체이고 the life of nuns라는 목적어를 갖고 있으므로 능동의 의미인 현재분사 featuring으로 고쳐 써야 한다.
(3) the man은 안경을 끼는 주체이고 glasses가 wear의 목적어이므로 현재분사 wearing으로 고쳐 써야 한다.
(4) 언덕들은 동사 cover의 대상이 되므로 수동의 의미를 나타내는 과거분사 covered로 고쳐 써야 한다.
해석 (1) 나에게 배달된 소포는 아들이 보낸 것이다.
(2) 그것은 수녀들의 삶을 다룬 다큐멘터리이다.
(3) 안경을 끼고 있는 그 남자가 너의 친구니?
(4) 우리는 그 언덕들이 눈으로 덮힌 것을 발견했다.

03

해설 (1) tell a lie는 '거짓말을 하다'라는 의미로 his는 동명사 telling의 의미상의 주어이므로 동명사 앞에 써야 한다.

(2) 과거분사구 parked in front of his house가 the car를 뒤에서 수식한다.

(3) 동명사 coming의 주체가 '나'이므로 의미상의 주어로 목적격 me가 coming 앞에 와야 한다.

(4) 현재분사구 swimming in the pool이 the girl을 뒤에서 수식한다.

해석 (1) 나는 그가 거짓말 하는 것이 싫다.

(2) 그의 집 앞에 주차된 그 차를 봐.

(3) 제가 늦은 것을 양해해 주세요.

(4) 수영장에서 수영하고 있는 그 소녀가 나의 딸이다.

04

해설 (1) 조건절 if I open the window를 동명사구로 바꾸어 쓸 때, I는 opening의 주체이므로 동명사의 의미상의 주어는 소유격 my나 목적격 me로 나타낸다.

(2) the novels를 수식하는 관계대명사절 that he wrote에서 주어 he가 by him으로 바뀌었으므로 동사 wrote를 수동의 의미의 과거분사 written으로 나타낸다.

해석 (1) 제가 창문을 열어도 될까요?

(2) 나는 그가 쓴 소설들을 읽었다.

Reading Test pp. 136~137

01 ⑤ 02 ③ more → less 03 invent a product, nature 04 ⑤ 05 ② 06 공기의 흐름을 원활하게 하여 비행 시 힘을 아낄 수 있게 돕는다.

01

해설 생체 모방 기술인 biomimetics를 소개하고 이해를 돕는 글의 도입부이다. 마지막에서 오늘날 또는 가까운 미래에 볼 수 있는 예를 살펴보자(Let's look at some examples of ~)고 했으므로, 100% 상상에서 비롯되었다는 ⑤의 예는 적절하지 않다.

해석 생체 모방 기술을 연구하는 사람들은 자연이 문제를 해결하는 방법을 모방하여 인간의 문제를 해결하고자 한다. 그것은 복잡하게 들릴 수도 있지만, 일단 여러분이 이해하고 나면 훨씬 더 쉽다. 우리가 현재 접하는 또는 가까운 미래에 보게 될 생체 모방 기술의 사례 몇 가지를 살펴보자.

① 흰개미 집: 자연 냉방

② 통증 없는 주사: 모기 물린 자국에서 얻은 힌트

③ 새의 날개를 모방한 비행기의 윙렛

④ 우주의 샘플 수집가: 성게의 입에서 얻은 영감

⑤ 변신 로봇: 한 천재의 100% 상상의 산물

02

해설 ③ 흰개미집의 자연 냉방을 모방하여 만들어 냉방비를 줄인 건축물에 대한 내용이므로 ③의 more money는 내용상 맞지 않다. less money가 알맞다.

해석 흰개미집은 뜨거운 공기는 상승하여 나가고, 차가운 공기는 바닥을 통해 들어오는 방식으로 지어진다. 흰개미집에서 영감을 받아, 아프리카의 건축가인 Mick Pearce는 짐바브웨와 호주에 이와 같은 수동(자연) 냉방 기술을 사용하여 건물을 지었다. 이 건물들은 통풍 장치에 더 적은 돈이 들었기 때문에 건축비를 10퍼센트 절감하였고, 이 디자인은 냉방비를 35퍼센트만큼 줄였다. 이것이 바로 멋진 아이디어다!

03

해설 '자연이 완성해 온 것을 모방하는 것'이라는 비유적 표현은 글의 마지막 문장에서 자연의 영감을 받아 '제품을 발명해 내는 것'이라고 더 구체적인 표현으로 반복되고 있다.

해석 우리가 자연을 관찰할 때, 우리는 그것의 아름다움과 거대한 규모에 놀랄 수 있다. 우리는 자연이 수백만 년의 실험을 거쳤다는 것을 기억해야 한다. 이제, 우리가 크고 작은 모든 측면에서 자연을 관찰할 때, 우리는 자연이 완성해 온 것들을 모방할 기술과 수단을 가지게 된다. 아직 우리가 자연에 대해 모르는 것이 아주 많기 때문에, 발견할 것도 아직 많이 남아 있다. 어쩌면 언젠가 여러분이 자연에서 영감을 얻어 세계를 변화시킬 제품을 발명할지도 모른다.

04

해설 ⑤ 성게 입의 디자인의 효율성은 우주 임무에 포함 가능한지 보기 위해 실험되고 있다(5행 The efficiency of ~ in space.)고 하였으므로 ⑤ '성게 입의 디자인은 곧 우주 임무에 포함될 지도 모른다.'가 글의 내용과 일치한다.

① 성게는 삽 모양의 입을 갖고 있다. (2행 A sea urchin mouth looks a lot like a five-fingered claw ~.의 내용과 맞지 않음)

② 성게는 다섯 개의 날카로운 입을 가지고 있다. (3행 a five-fingered claw에서 알 수 있듯이, 다섯 개의 갈고리가 있는 발톱과 유사하다는 것이지 입이 다섯 개는 아님)

③ 자연에서 디자인을 모방하는 것보다 새로운 디자인을 창조하는 것이 더 쉽다. (본문에서 언급되지 않음)

④ 성게 입의 디자인은 움켜잡을 때 삽보다 덜 효율적이다. (4행 This design is surprisingly efficient at grabbing and grinding.의 내용과 맞지 않음)

해석 세계의 몇몇 지역에서는 성게가 먹이가 되기도 하지만, 그것들은 또한 자신들의 가시 많은 입으로 일부 지역의 바다 환경을 손상시킬 수도 있다. 성게의 입은 여러분이 아케이드에서 상품을 뽑으려고 애쓰는 동안 볼 수도 있는 다섯 손가락 달린 갈고리 발톱과 매우 비슷하다. 이 디자인은 움켜잡는 일과 분쇄하는 일에 놀랍도록 효율적이다. 이 천연 디자인의 효율성은 이제 우주 임무에 포함 가능한지 보기 위해 실험되고 있다. 작은 로봇이 토양 샘플을 수집하기 위해 다른 행성으로 보내지면, 일반적인 방식은 작은 삽과 같은 비효율적인 무언가를 사용하는 것이다. 성게 입의 디자인을 모방함으로써, 과학자들은 샘플을 수집하는 것이 더 쉬워질 것이라 믿는다. 놀랍게도, 심해에서 자연적으로 개발된 디자인이 곧 먼 우주에서 목격될지도 모른다.

| 05~06 |

비행기의 날개를 보면, 가끔 끝 부분이 위쪽을 향하고 있는 것을 볼 수 있다. 이것들은 '윙렛'이라 불리고, 아마 아담해 보이겠지만, 그것들은 상당히 중요한 이점을 가지고 있다. 기술자들이 새들을 연구했을 때, 그들은 날고 있는 새들의 날개 끝 부분이 위쪽을 향하고 있는 것을 관찰했다. 그들은 그 끝 부분이 공기의 흐름을 원활하게 하여, 새들이 날 때 힘을 아낄 수 있도록 돕는다는 것을 알았다. 그 기술자들은 만약 그것이 새들에게 효과가 있다면, 왜 비행기에는 안 될까라고 생각했다. 최종 결과는 비행기 윙렛이 비행기를 더 작게 유지하도록 돕고, 이것이 연료 비용을 대략 10퍼센트 정도 절감한다는 것이다. 이것은 환경뿐만 아니라 승객들의 주머니 사정에도 이득이 된다.

05 해설 ⓑ found의 목적어 역할을 하는 that절에서 주어 the tips의 동사가 필요하므로 smoothing을 smooth로 쓰는 것이 알맞다.

06 해설 4행 They found that the tips smooth the flow of air ~ conserve energy when flying.에서 확인할 수 있다.

단원 평가 1회   pp. 138~141

01 ② 02 ⑤ 03 ① 04 ④ 05 ① 06 ③ 07 my (me),
being 08 taking 09 without us knowing 10 ② 11 ①
12 ④ 13 ⑤ 14 ② 15 ② 16 ④ 17 ③ 18 ② 19 ⑤
20 ②

01
해설 • 약을 복용한 후, 나는 좀 나아졌다.
• 그 회사는 당뇨병에 맞는 신약을 개발해 왔다.
① 규모, 범위 ② 약 ③ 주사 ④ 작은 날개 ⑤ 흰개미

02
해설 ⑤ measurable은 '주목할 만한, 중요한'의 뜻으로 '너무 작고 중요하지 않아 고려할 가치가 없는'이라는 설명에 맞지 않다.
해설 ① 하찮은: 지위나 중요성이 낮은
② 일반적인: 정기적이고 널리 쓰이거나 보여지거나 받아들여지는
③ 완벽하게 하다: 어떤 것을 결점이나 단점이 없게 만들다
④ 끝: 보통 길고 얇은 것의 끝

03
해설 ① incorporation(합병; 법인) – corporation(기업) ②, ③, ④,

---

⑤ in/im-은 'not'의 의미로 형용사 앞에 붙어 반대의 뜻을 나타내는 접두어이다.
해설 ① 합병 ② 완벽하지 않은 ③ 믿을 수 없는 ④ 측정할 수 없는 ⑤ 비효율적인

04
해설 ④ 장거리 여행이 필요 없는 상황은 불편하기보다는 편리한 상황이므로 '그거 진짜 불편하겠다.'라는 B의 대답은 어색하다.
해석
① A 그게 어떻게 도움이 되는지 좀 설명해 줄래?
　 B 음, 크림이 빗과 너의 머리카락 사이에 막을 형성하지. 그 막이 정전기를 줄여주는 거야.
② A NFC 기술이 뭐야?
　 B NFC는 '근거리 무선통신'을 뜻해.
③ A 언젠가 우리가 화성으로 여행갈 수 있게 될 거야.
　 B 정말? 그러면 정말 신나겠다.
④ A 미래에는 우리가 친구를 만나려고 장거리 여행을 할 필요가 없을 것 같아.
　 B 그거 진짜 불편하겠다.
⑤ A 아마도 언젠가 나는 의료용 나노 로봇을 디자인할 수 있을 거야.
　 B 그거 진짜 인생의 훌륭한 목표구나. 나도 너처럼 꿈이 있으면 좋겠어.

05
해설 빈칸 앞의 NFC 기술이 스마트 워치에서도 사용되고 있다는 말에 이어서 '미래에는 더 많은 곳에서 찾아 볼 수 있을 것'이라는 가능성을 나타내는 말로 연결되는 것이 자연스러우므로 It's likely that ~이 알맞다.
해석
A NFC는 두 장치가 서로 가까이 있는 것만으로도 정보를 교환할 수 있게 해줘.
B 그거 정말 편리하구나. 너의 휴대전화를 여기 판독기 위에 대는 것만으로도 결제가 가능하다는 말이지?
A 맞아. NFC 기술은 스마트 워치에서도 찾아볼 수 있지. 미래에는 이것을 더 많은 것들에서 찾아볼 수 있게 될 것 같아.
B 그거 놀라운데.

06
해설 ③ come은 동사 appreciate의 목적어인 동명사 형태 coming이 되어야 하고, your는 동명사 coming의 의미상의 주어이다.
해석 ① 나는 그가 그렇게 열심히 공부하는 것을 이전에 본 적이 없다.
② 5시를 가리키는 시계를 보아라.
③ 나는 네가 파티에 와서 고맙다.
④ 그녀는 안에서 잠긴 문을 열 수 없었다.
⑤ 나는 더 이상 그녀가 밤에 큰 소리로 노래하는 것을 참을 수 없다.

07 해설 접속사 that이 이끄는 명사절(that I was sick)을 전치사 about의 목적어 역할을 하는 동명사구로 바꿔야 하므로, 주어 I는 동명사의 의미상의 주어 my나 me로 바꾸고, 동사 was는 동명사 being으로 바꾸어야 한다.
해석 아빠는 내가 아파서 걱정하셨다.

| **08~09** |

여러분의 어머니께서 여러분을 병원에 데려가셨던 것을 기억하는가? 의사는 여러분에게 약을 주기로 결정했다. 그녀는 여러분의 소매를 걷어 올린 후 팔 위쪽에 주사를 놓았다. 아야! 그것은 아팠다, 그렇지 않았는가? 만약 팔에 놓는 주사가 아프지 않다면 어떨까? 음, 아마도 미래에는 아프지 않을 것이다. 몇몇 과학자들은 어떻게 하찮은 모기가 우리도 모르게 우리를 물 수 있는지를 연구해 오고 있다. 그들이 그 비밀을 알아내면, 의사의 주사는 통증 없는 과정이 될지도 모른다. 이것이 바로 '생체 모방 기술'이 다루는 것이다.

08 해설 문맥상 엄마를 기억하는 것이 아니라 엄마가 병원에 데려간 것을 기억하는 것이므로 take가 동사 remember의 목적어로 쓰여야 한다. 따라서 동명사형인 taking이 되어야 하며, your mom은 taking의 의미상의 주어이다.

09 해설 without의 목적어 자리에 동명사의 의미상의 주어 us와 동명사 knowing을 함께 써서 '우리도 모르게'라는 부사구로 나타낸다.

| **10~11** |

생체 모방 기술을 연구하는 사람들은 자연이 문제를 해결하는 방법을 모방하여 인간의 문제를 해결하고자 한다. 그것은 복잡하게 들릴 수도 있지만, 일단 여러분이 이해하고 나면 훨씬 더 쉽다. 우리가 현재 또는 가까운 미래에 보게 될 생체 모방 기술의 사례 몇 가지를 살펴보자.

10 해설 '생체 모양 기술'은 '자연'에서 영감을 얻는 기술이므로 ②가 알맞다.
해석 ① 다른 사람들 ② 자연 ③ 곤충들 ④ 생명 공학 ⑤ 해양 생물

11 해설 글의 마지막 문장에서 '현재나 가까운 미래에 보게 될 생체 모방 기술의 사례 몇 가지를 살펴보자'고 하였다.

| **12~13** |

우리가 자연을 관찰할 때, 우리는 그것의 아름다움과 거대한 규모에 놀랄 수 있다. 우리는 자연이 수백만 년의 실험을 거쳤다는 것을 기억해야 한다. 이제, 우리가 크고 작은 모든 측면에서 자연을 관찰할 때, 우리는 자연이 완성해 온 것들을 모방할 기술과 수단을 가지게 된다. 아직 우리가 자연에 대해 모르는 것이 아주 많기 때문에, 발견할 것도 아직 많이 남아 있다. (지구는 자연 도태의 법칙을 따르는 데 결코 실패하지 않았다.) 어쩌면 언젠가 여러분이 자연에서 영감을 얻어 세계를 변화시킬 제품을 발명할지도 모른다.

12 해설 자연을 모방하는 기술과 그 가치에 대해 이야기하는 글이므로 ⓓ '자연 도태의 법칙'에 관한 내용은 글의 전체 흐름과 관계 없다.

13 해설 (A) '자연에 놀라다'라는 수동의 의미이므로 조동사의 수동태 (can+be+p.p.)가 와야 한다. (B) '자연이 (이미) 완성해 놓은'이라는 완료의 뜻이므로 현재완료(have(has)+p.p.)가 알맞다. 이때, perfect은 동사로 쓰였다. (C) '자연에 의해 영감을 받을 것이다'라는 수동의 뜻으로 미래형 수동태(will+be+p.p.)가 와야 한다.

| **14~15** |

흰개미집에 대한 또 다른 놀라운 사실이 있다. 외부의 온도가 낮에는 섭씨 40도에서 밤에는 섭씨 1도로 달라질지라도, 내부는 항상 대략 섭씨 30도이다. (B) 흰개미집은 뜨거운 공기는 상승하여 나가고, 차가운 공기는 바닥을 통해 들어오는 방식으로 지어진다. (A) 흰개미집에서 영감을 받아, 아프리카의 건축가인 Mick Pearce는 짐바브웨와 호주에 이와 같은 수동(자연) 냉방 기술을 사용하여 건물을 지었다. (C) 이 건물들은 통풍 장치에 더 적은 돈이 들었기 때문에 건축비를 10퍼센트 절감하였고, 이 디자인은 냉방비를 35퍼센트만큼 줄였다. 이것이 바로 멋진 아이디어다!

14 해설 첫 단락은 외부 온도의 변화에도 불구하고 흰개미집의 내부 온도가 일정하게 나타나는 현상에 대한 설명이므로 주어진 문장 다음에는 그것의 온도 유지의 원리를 설명하는 (B)가 오고, 이어서 흰개미집의 냉방시스템을 본 따 지어진 짐바브웨와 호주의 건축물을 언급하는 (A)가 오고, 마지막으로 (A)에서 언급한 두 건축물을 'These buildings'로 지칭하며 장점을 설명하는 (C)가 오는 것이 가장 자연스럽다.

15 해설 빈칸 앞의 문장에서 건축비를 10% 절감하였다고 했으므로 ② reduced(줄였다)가 적절하다.

| **16~18** |

세계의 몇몇 지역에서는 성게가 먹이가 되기도 하지만, 그것들은 또한 자신들의 가시 많은 입으로 일부 지역의 바다 환경을 손상시킬 수도 있다. 성게의 입은 여러분이 아케이드에서 상품을 뽑으려고 애쓰는 동안 볼 수도 있는 다섯 손가락 달린 갈고리 발톱과 매우 비슷하다. 이 디자인은 움켜잡는 일과 분쇄하는 일에 놀랍도록 효율적이다. 이 천연 디자인의 효율성은 이제 우주 임무에 포함 가능한지 보기 위해 실험되고 있다. 작은 로봇이 토양 샘플을 수집하기 위해 다른 행성으로 보내지면, 일반적인 방식은 작은 삽과 같은 비효율적인 무언가를 사용하는 것이다. 성게 입의 디자인을 모방함으로써, 과학자들은 샘플을 수집하는 것이 더 쉬워질 것이라 믿는다. 놀랍게도, 심해에서 자연적으로 개발된 디자인이 곧 먼 우주에서 목격될지도 모른다.

16 해설 ⓐ surprisingly의 수식을 받아 is와 함께 '놀랍도록 효율적이다'라는 서술어 역할을 하므로 형용사 efficient가 알맞다. ⓑ of this natural design과 함께 명사구를 이루어 문장의 주어가 되어야 하므로 명사형인 efficiency가 알맞다.

17 해설 빈칸 뒤에는 앞의 내용의 확장된 내용이 나오므로, ③ '놀랍게도'가 흐름상 가장 적절하다.
해석 ① 그와 반대로 ② 유감스럽게도 ③ 놀랍게도 ④ 예를 들어 ⑤ 다른 한편으로는

18 해설 ② 성게의 가시 많은 입은 일부 지역의 바다 환경을 손상시킬 수도 있다고 하였다. (2행 they can also damage ~)

│19~20│

비행기의 날개를 보면, 가끔 끝 부분이 위쪽을 향하고 있는 것을 볼 수 있다. 이것들은 '윙렛'이라 불리고, 아마 아담해 보이겠지만, 그것들은 상당히 중요한 이점을 가지고 있다. 기술자들이 새들을 연구했을 때, 그들은 날고 있는 새들의 날개 끝 부분이 위쪽을 향하고 있는 것을 관찰했다. 그들은 그 끝 부분이 공기의 흐름을 원활하게 하여, 새들이 날 때 힘을 아낄 수 있도록 돕는다는 것을 알았다.

19 해설 ⓔ them은 새들(birds)을 지칭하고, 나머지는 비행기의 날개 끝인 winglets를 지칭한다.

20 해설 마지막 문장 which helps them conserve energy에서 새들이 날 때 힘을 아낄 수 있도록 돕는다고 하였으므로 ②가 알맞다.

단원 평가 2회 pp. 142~145

01 ③ 02 ④ 03 ④ 04 ⑤ 05 ⑤ 06 ⑤ 07 written
08 ④ 09 ① 10 ④ 11 ⑤ 12 ④ 13 모기가 우리도 모르게 우리를 무는 방법 14 ② 15 ⑤ 16 ④ 17 developed naturally in the deep sea 18 ③ 19 ④ 20 ④

01 해설 ③ scale은 '규모, 범위'를 뜻한다. '누군가를 두렵게 하다'라는 것은 scare(겁나게 하다)에 대한 설명이다.
해설 ① 단정한: 정돈되고 보기 좋은
② 유익한: 유리하고 도움이 되는
④ 분쇄하다: 매우 작은 조각으로 부수거나 쪼개다
⑤ 위쪽으로: 더 높은 장소, 지점, 수준으로 향해

02 해설 ④ bony는 형용사이고, 나머지는 모두 명사이다.
해석 ① 효율성 ② 수단 ③ 약품 ④ 가시〔뼈〕가 많은 ⑤ 절차

03 해설 ④ 3D 프린터가 인기가 있을 거라고 생각하는지 묻는 A의 말에 말도 안 된다고 말하고 3D 프린터가 (인기가 많아서) 어디에나 있을 거 같다고 대답하는 것은 어색하다.
해석
① A 나노 기술이 무엇이니?
   B 그것은 매우 작은 것들을 연구하고 적용하는 거야.
② A 의료 나노 기술이 단지 반창고에서 보다는 훨씬 더 많이 사용될 거야.
   B 맞아. 미래에는 나노 로봇이 수술을 하는 것이 가능할 거야.
③ A 머리에 핸드크림을 바르는 것이 정전기에 어떻게 도움을 주는지 설명해 줄 수 있니?
   B 크림은 빗 사이에 층을 형성해서 정전기를 감소시켜.
④ A 너는 3D 프린터가 인기가 있을 거라고 생각하니?
   B 말도 안 돼. 3D 프린터가 어디에나 있을 것 같아.
⑤ A 이것의 용도를 좀 설명해 줄래?
   B 아, 그것은 얼음을 얼리는 장치야.

04 해설 Could you explain ~?은 '~을 설명해 주시겠어요?'라는 뜻의 설명을 요청하는 표현으로 ⑤ Could you give an explanation of ~?로 바꾸어 쓸 수 있다.
해석
A Smith 박사님, 청중들에게 하시는 일에 대해 말씀해 주세요.
B 저는 의료용 야생 식물의 사용에 관심이 있습니다.
A 이 분야에 당신이 어떻게 관심을 가지게 되었는지 설명해 주실 수 있으신가요?
B 물론이죠. 어느 날, 저는 어떤 잎의 냄새를 맡았고 두통이 바로 사라졌습니다. 그래서 우리 팀은 두통 치료제로서 그 식물을 상품화하는 것을 현재 연구하고 있습니다.

05 해설 빈칸에는 대화의 문맥상 가능성을 나타내는 표현이 와야 한다. ⑤는 불가능할 거라는 뜻이므로 적절하지 않다.
해석
A 우리는 이미 존재하는 것에서 새로운 것을 개발할 수 있을 거예요.
B 아마도요. 저는 자연의 원리가 과학의 많은 다른 분야에도 적용이 될 수 있다고 확신해요.
A 네. 그것이 제가 대학에서 생체 모방 기술을 공부하고 싶은 이유예요.

06 해설 ⑤의 분사 running은 앞의 children을 수식하여 '식당에서 뛰어다니는 아이들'의 의미인데, 과거분사 run으로 restaurant을 수식하도록 고치면 의미가 달라진다.
해석 ① 오늘 나는 이 책을 다 읽을 수 있을 것 같다.

② 나는 네가 그것을 시간 안에 끝낼 거라고 확신한다.

③ 우리 엄마는 내가 경주를 이긴 것을 자랑스러워하셨다.

④ 나는 300년 전에 지어진 성을 방문했다.

⑤ 많은 사람들이 식당에서 뛰어다니는 아이들 때문에 화가 났다.

≠ 아이들이 운영하는 그 식당이 많은 사람들을 화나게 했다.

07

해설 The novels를 꾸며주는 관계대명사절에서 which were를 생략하고, The novels를 뒤에서 수식하는 형용사구 written in English로 바꾸어 쓸 수 있다.

해석 영어로 집필된 그 소설들은 한국어로 번역되었다.

08

해설 ④ 책은 던지는 주체가 아니라 던져지는 대상이므로 throwing을 thrown으로 고쳐 써야 한다.

해석 ① 피아노를 치고 있는 소년은 Ben이다.

② 당신은 그가 집에서 흡연하는 게 괜찮나요?

③ 다양한 모양으로 구워진 쿠키들이 있었다.

④ 나는 바닥에 던져져 있는 책을 주웠다.

⑤ 그는 자신의 아들이 외국에서 공부하는 것에 동의하지 않았다.

| 09~11 |

흰개미는 단순한 생물이지만, 그들이 힘을 합치면 굉장한 자연 구조물을 지을 수 있다. 어떤 흰개미집은 높이가 7미터에 이르기도 한다. 그것들은 심지어 지하 3미터까지 내려간다. 흰개미집에 대한 또 다른 놀라운 사실이 있다. 외부의 온도가 낮에는 섭씨 40도에서 밤에는 섭씨 1도로 달라질지라도, 내부는 항상 대략 섭씨 30도이다. 흰개미집은 뜨거운 공기는 상승하여 나가고, 차가운 공기는 바닥을 통해 들어오는 방식으로 지어진다. 흰개미집에서 영감을 받아, 아프리카의 건축가인 Mick Pearce는 짐바브웨와 호주에 이와 같은 수동(자연) 냉방 기술을 사용하여 건물을 지었다. 이 건물들은 통풍 장치에 더 적은 돈이 들었기 때문에 건축비를 10퍼센트 절약하였고, 이 디자인은 냉방비를 35퍼센트만큼 증가했다(→ 줄였다). 이것이 바로 멋진 아이디어!

09

해설 글 앞부분에서 흰개미집의 규모를 설명하면서 뒷부분에서는 흰개미집의 내부 온도 유지 기능을 통해 냉방비를 줄인다는 사실을 소개하고 있으므로 제목으로 ①이 가장 적절하다.

해석 ① 자연 에어컨 시스템

② 낮과 밤의 기온의 변화

③ 단순한 생물을 보호하는 현명한 방법

④ 거친 환경에서 살아남는 비결

⑤ 흰개미의 협동에서의 교훈

10

해설 바깥 온도가 1도에서 40도까지 변하는 것과 흰개미집 내부의 온도가 30도 정도로 일정하게 유지되는 것이 서로 상반되므로 ④ even though (비록 ~일지라도)로 연결하는 것이 가장 알맞다.

해석 ① ~때문에 ② ~을 고려하면 ③ ~와 비교하여 ⑤ 꼭 ~처럼

11

해설 ⓔ 문맥상 냉방비를 줄였다는 내용이 되어야 하므로 more expensive를 cheaper와 같은 단어로 고쳐 써야 한다.

| 12~13 |

여러분의 어머니께서 여러분을 병원에 데려가셨던 것을 기억하는가? 의사는 여러분에게 약을 주기로 결정했다. 그녀는 여러분의 소매를 걷어 올린 후 팔 위쪽에 주사를 놓았다. 아야! 그것은 아팠다, 그렇지 않았는가? 만약 팔에 놓는 주사가 아프지 않다면 어떨까? 음, 아마도 미래에는 아프지 않을 것이다. 몇몇 과학자들은 어떻게 하찮은 모기가 우리도 모르게 우리를 물 수 있는지를 연구해 오고 있다. 그들이 그 비밀을 알아내면, 의사의 주사는 통증 없는 과정이 될지도 모른다. 이것이 바로 '생체 모방 기술'이 다루는 것이다.

12

해설 ⓓ 누군가에 의해 팔에 주사가 놓아지는 것이므로 수동의 의미를 나타내는 과거분사 given이 와야 한다.

ⓐ remember+동명사: ~한 것을 기억하다 ⓑ decide+to부정사: ~하기로 결정하다 ⓒ 앞에 나온 동사 rolled와 병렬구조를 이루므로 과거시제 gave가 온다. ⓔ 의미상 '연구해 오고 있는 중이다'라는 뜻의 현재완료진행형(have+been+-ing)이 오는 것이 알맞다.

13

해설 the secrets는 바로 앞 문장의 how the lowly mosquito is able to bite us without us knowing을 의미한다.

| 14~16 |

비행기의 날개를 보면, 가끔 끝 부분이 위쪽을 향하고 있는 것을 볼 수 있다. 이것들은 '윙렛'이라 불리고, 아마 이담해 보이겠지만, 그것들은 중요한 이점을 가지고 있다. 기술자들이 새들을 연구했을 때, 그들은 날고 있는 새들의 날개 끝 부분이 위쪽을 향하고 있는 것을 관찰했다. 그들은 그 끝 부분이 공기의 흐름을 원활하게 하여, 새들이 날 때 힘을 아낄 수 있도록 돕는다는 것을 알았다. 그 기술자들은 만약 그것이 새에게 효과가 있다면, 왜 비행기에는 안 될까라고 생각했다. 최종 결과는 비행기 윙렛이 비행기를 더 작게 유지하도록 돕고, 이것이 연료 비용을 대략 10퍼센트 정도 절약한다는 것이다. 이것은 환경뿐만 아니라 승객들의 주머니 사정에도 이득이 된다.

14

해설 ⓑ 바로 다음 문장의 They는 주어진 문장의 engineers를 가리키며 기술자들의 연구 결과에 관한 내용이 이어지므로 ⓑ에 위치하는 것이 자연스럽다.

15

해설 빈칸 이후에 윙렛의 여러 장점이 언급되고 있으므로 빈칸에는 ⑤ measurable benefits(중요한 이점)이 적절하다.

16

해설 ④ 윙렛은 연료 비용을 대략 10% 절약하고, 환경에도 이득이 된다고 하였다. (The end result ~. This is beneficial not just for the environment but for passengers' wallets, too.)

17~18

　　세계의 몇몇 지역에서는 성게가 먹이가 되기도 하지만, 그것들은 또한 자신들의 가시 많은 입으로 일부 지역의 바다 환경을 손상시킬 수도 있다. 성게의 입은 여러분이 아케이드에서 상품을 뽑으려고 애쓰는 동안 볼 수도 있는 다섯 손가락 달린 갈고리 발톱과 매우 비슷하다. 이 디자인은 움켜잡는 일과 분쇄하는 일에 놀랍도록 효율적이다. 이 천연 디자인의 효율성은 이제 우주 임무에 포함 가능한지 보기 위해 실험되고 있다. 작은 로봇이 토양 샘플을 수집하기 위해 다른 행성으로 보내지면, 일반적인 방식은 작은 삽과 같은 비효율적인 무언가를 사용하는 것이다. 성게 입의 디자인을 모방함으로써, 과학자들은 샘플을 수집하는 것이 더 쉬워질 것이라 믿는다. 놀랍게도, 심해에서 자연적으로 개발된 디자인이 곧 먼 우주에서 목격될지도 모른다.

17 해설 developed는 명사 design을 수식하는 과거분사로 쓰였고, 전치사구(in the deep sea)가 뒤에서 수식하고 있는 형태이다.

18 해설 ③ 성게 상품에 대한 내용은 나와 있지 않다.
① 성게 입은 다섯 손가락 달린 발톱과 매우 비슷하다. (A sea urchin mouth looks a lot like a five-fingered claw ~.)
② 성게 입은 움켜잡고 분쇄하는 일에 효율적이다. (This design is surprisingly efficient at grabbing and grinding.)
④ 토양 샘플을 수집하기 위해 다른 행성으로 보내진다. (When small robots are sent to another planet to collect soil samples ~.)
⑤ 작은 삽과 같은 비효율적인 것을 사용한다. (~ the standard method is to use something inefficient like a small shovel.)
해석 ① 성게 입은 어떻게 생겼는가?
② 성게 입은 어떤 행동에 효율적인가?
③ 당신은 성게 상품을 어디에서 찾을 수 있는가?
④ 다른 행성으로 보내진 로봇은 무슨 일을 하는가?
⑤ 토양 샘플을 수집하는 일반적인 방법은 무엇인가?

19~20

　　우리가 자연을 관찰할 때, 우리는 그것의 아름다움과 거대한 규모에 놀랄 수 있다. 우리는 자연이 수백만 년의 실험을 거쳤다는 것을 기억해야 한다. 이제, 우리가 크고 작은 모든 측면에서 자연을 관찰할 때, 우리는 자연이 완성해 온 것들을 모방할 기술과 수단을 가지게 된다. 아직 우리가 자연에 대해 모르는 것이 아주 많기 때문에, 발견할 것도 아직 많이 남아 있다. 어쩌면 언젠가 여러분이 자연에서 영감을 얻어 세계를 변화시킬 제품을 발명할지도 모른다.

19 해설 ⓓ that 앞에 선행사가 없고, 이하가 불완전하므로 선행사를 포함하는 관계대명사 what으로 고쳐 써야 알맞다.

20 해설 ④ 우리가 아직 자연에 대해 모르는 것이 많기 때문에 아직 발견할 것이 많이 있다고 하였다. (Because there is still so much we do not know about nature, ~.)

Lesson 08 Appreciate

Words & Expressions Test
p. 149

01 (1) 빨아들임, 흡입 (2) 반영하다, 나타내다 (3) 재현하다, 되살리다 (4) 자극하다 (5) 해석하다 (6) 그에 알맞게, 부응해서 (7) representation (8) interaction (9) aggressive (10) imaginary (11) suite (12) capture　**02** (1) unexpected (2) auditory (3) influence (4) aggressive　**03** (1) ② (2) ①　**04** (1) role (2) associated

02
(1) 그 소식은 매우 예상 밖이어서 모두가 할 말을 잃었다.
(2) 청각적 자극의 손실은 듣기 경험의 손실을 의미한다.
(3) 텔레비전과 라디오는 청소년의 태도와 선호도에 영향을 끼친다.
(4) Marsha의 개는 공격적으로 보이지만 물지 않도록 훈련받았다.

03
(1) 그 예술가는 정신적으로 성장하였고 그에 따라 그의 예술의 깊이도 깊어졌다.
(2) 그 소설은 8개의 언어로 번역되었다.

Communication Test

p. 151

01 delighted(glad / happy / pleased)　**02** (1) nice that (2) This(It) means　**03** (1) ⓐ (2) ⓓ　**04** a pleasure to hear you find the e-book interesting

01
A 콘서트가 훌륭했어. 나를 초대해줘서 고마워.
B 네가 콘서트를 즐겼다니 나는 기뻐.

03
(보기) ⓐ 고마워. 네가 좋아하니 기뻐. 원한다면 남은 것도 집에 가져가도 돼.
ⓑ 멋진 사진들을 보니 정말 좋아.
ⓒ 멋진 노래여서 나는 따라 부르지 않을 수가 없어.
ⓓ 그것은 남을 돕기 위해 자신의 지위나 부를 사용하는 도덕적 의무를 뜻해.
(1) 이 케이크 정말 맛있어! 너는 굉장한 제빵사야.
(2) '노블리스 오블리주'는 무슨 뜻이야?

04

A 안녕, 보라야! 내가 오늘 아침에 너에게 보낸 전자책을 받았니?

B 응! 나는 그것을 읽는 것을 멈출 수가 없어.

A 너에게 그 책이 흥미롭다니 기뻐. 이야기가 정말 마음을 사로잡지, 그렇지?

B 응. 그리고 나는 특히 그것이 실제 역사를 근거로 만들어졌다는 점이 좋아.

Grammar Test p. 153

01 (1) I like pasta with tomato sauce but (I like) risotto with cream sauce. (2) My favorite flavor is vanilla but my mother's (favorite flavor) is chocolate. (3) I enjoy playing classical music as well as (playing) rock music. (4) The owner of the restaurant has a lot of money and (he has) a good reputation. **02** (1) should not have (2) must have **03** (1) in Paris for five years (2) the second on Thursday (3) might not have eaten yet (4) must have been very busy **04** (1) turn left for milk (2) should have

01

해설 앞에서 이미 언급되어 표현이 반복되면 생략할 수 있다.

해석 (1) 나는 파스타에는 토마토소스를 곁들이는 것을 좋아하지만 리소토는 크림소스와 먹는 것을 좋아한다.

(2) 내가 가장 좋아하는 맛은 바닐라이지만 우리 엄마가 가장 좋아하는 맛은 초콜릿이다.

(3) 나는 록 음악뿐만 아니라 클래식 음악을 연주하는 것도 즐긴다.

(4) 그 식당의 주인은 돈이 많고 평판도 좋았다.

02

해설 (1) 지나간 일에 대해 유감이나 후회를 나타내므로 '~하지 않았어야 했는데'라는 의미의 「should not+have+p.p.」가 알맞다.

(2) 그는 절대로 거짓말을 하지 않는다는 B의 대답으로 보아 '~했음에 틀림없다'라는 의미의 「must have+p.p.」가 알맞다.

해석 (1) **A** 집에 가는 버스를 타게 2달러만 빌릴 수 있을까?

B 다시는 안 돼! 너는 돈을 다 쓰지 말았어야 했어.

(2) **A** 그가 그렇게 말했다면 사실이었음에 틀림없어.

B 맞아. 그는 절대로 거짓말을 하지 않아.

03

해설 (1) I lived in Paris for five years.라는 문장에서 반복되는 I lived가 생략되어 있다.

(2) we have와 meeting은 반복되는 어구이므로 생략되어 있다.

(3) 그가 식사를 했는지에 대해 확실히 모르는 상태에서 추측을 하고 있으

므로 「might not have+p.p.」로 나타낸다.

(4) 뛰어가는 모습을 보면서 틀림없이 바빴을 거라 확신하고 있으므로 「must have+p.p.」로 나타낸다.

해석 (1) 나는 뉴욕에서 3년간 살았고 파리에서 5년간 살았다.

(2) 우리는 첫 번째 회의는 화요일에, 두 번째 회의는 목요일에 있다.

(3) 그에게 배가 고픈지 물어 봐. 그는 아직 식사 전일 수도 있어.

(4) 나는 Brown 씨가 거리를 뛰어 내려가는 것을 보았어. 그는 매우 바빴음이 틀림없어.

04

해설 (1) 반복되어 생략된 동사 turn을 넣어서 쓸 수 있다.

(2) 과거의 일에 대한 후회나 유감을 나타내는 표현인 「should have+p.p.」로 나타낼 수 있다.

해석 (1) **A** 빵과 우유가 어디에 있는지 알려주실래요?

B 물론이죠. 저 통로 끝으로 가세요. 빵은 오른쪽에, 우유는 왼쪽에 있어요.

(2) **A** 저 빨간 셔츠가 너한테 잘 어울리네. 좋은 선택이야!

B 그래? 사실, 나는 핑크색 셔츠를 사지 않은 것을 후회하고 있어.

Reading Test pp. 156~157

01 ③ **02** ③ **03** were inspired by Shakespeare's play, *A Midsummer Night's Dream* (to create their own artistic work) **04** ① **05** ④ **06** 음악이 화가에게 영감을 준 것, 그림이 음악가에게 작곡하도록 영감을 준 것, 소설이나 시의 구절이 화가나 음악가에게 활기를 준 것

01~02

음악가 또한 화가와 그들의 예술 작품에서 영감을 얻어 왔다. 모데스트 무소륵스키는 자신의 음악에서 색채 묘사로 유명한 작곡가였다. 그의 가장 자주 연주되는 피아노 작품 중 하나인 '전람회의 그림'은 예술가 친구인 빅토르 하르트만의 그림에서 느낀 것을 담아내고자 한 그의 노력으로 작곡되었는데, 하르트만은 39살의 이른 나이에 세상을 떠났다. 하르트만의 작품을 모아 놓은 추모 전시회를 방문하고 나서, 무소륵스키는 전시회에 진열된 하르트만의 그림을 각각 묘사하고자 10개의 악장으로 된 피아노 모음곡을 작곡했다. 악장을 들은 누구나 그 선율을 그들이 하르트만의 그림에서 본 것과 연관지을 수 있다. 무소륵스키는 선율을 작곡하는 동안, 그림 속 이야기를 그의 음악 언어로 옮기고 싶어 했던 것이 분명하다.

01 해설 ⓒ만 하르트만을 가리키고, 나머지는 무소륵스키를 가리킨다.

02 해설 ③ '전람회의 그림'이 그가 가장 자주 연주하는 피아노 작품 중

하나라고 하였다. / ① 무소륵스키는 작곡가였다. ② 그가 아니라 그의 친구 하르트만이 39세의 이른 나이에 세상을 떠났다. ④ 그는 하르트만의 10개의 그림을 묘사하는 10개의 악장으로 된 모음곡을 작곡하였다. ⑤ 그의 악장을 듣는 누구나 하르트만의 그림과 연관지을 수 있었다.

해석 ① 그는 유명한 화가였다.
② 그는 39세의 나이에 일찍 세상을 떠났다.
③ 그는 '전람회의 그림'을 자주 연주하였다.
④ 그는 피아노 모음곡을 묘사하는 10개의 그림을 그렸다.
⑤ 그의 악장을 하르트만의 그림과 연관짓기는 어렵다.

03

해설 Felix Mendelssohn was inspired ~ in Shakespeare's imaginary world.와 Marc Chagall, ~ *Midsummer Night's Dream.* 두 부분에서 두 사람이 셰익스피어의 작품에서 영감을 받았음을 알 수 있다.

해석 소설이나 희곡은 종종 음악가나 화가에게 영감을 준다. 예를 들어 펠릭스 멘델스존은 17살에 셰익스피어의 희곡인 '한여름 밤의 꿈'을 읽고 영감을 받아, 셰익스피어의 상상의 세계 속 마법과 환상을 담을 수 있는 곡을 작곡하기 시작했다. 그것은 그의 유명 작품인 '한여름 밤의 꿈'의 일부가 되었다. '결혼 행진곡'은 그 모음곡에서 가장 잘 알려진 작품 중 하나이다. 몽환적인 색채 사용으로 알려진 마르크 샤갈 또한 그 희곡에 감명을 받아 '한여름 밤의 꿈'이라는 동명의 그림을 그렸다. 그림 속 모습은 몽환적인 희곡의 분위기를 재현한다.

04~05

음악은 몇몇 예술 작품의 창작에 중요한 역할을 해 왔다. 시각 예술에 끼친 음악의 영향은 표현주의 화가 바실리 칸딘스키에게서 가장 잘 관찰할 수 있다. 칸딘스키는 법학과 경제학을 공부했고, 법조계에서 성공했다. 그러나 그가 30대 초반이었을 때, 모네의 '건초더미'를 보다가 기이한 시각적 경험을 했다. 그는 또한 바그너의 '로엔그린'의 선율에 영향을 받았다. "모든 색상이 제 눈 앞에 펼쳐졌어요."라고 그가 말했다. 그는 마치 역동적이고 강렬한 선들이 그의 앞에 나타나는 것 같다고 느꼈다. 결국 그는 그림을 공부하기 위해 법조계 경력을 포기했다. 칸딘스키에게 음악과 색상은 서로 가깝게 연관되어 있었다. 예를 들어 그의 그림에서 노란색은 트럼펫의 소리와 연관되어 있으며, 파란색은 첼로의 소리와 연관되어 있다. 게다가 그의 그림에서 어떤 모양은 특정한 감정과 연관되어 있다. 삼각형은 공격적인 느낌을 나타내고 사각형은 차분한 기분을 나타낸다. 그가 붓으로 캔버스에 획을 그을 때마다, 그는 일련의 음표들을 시각적 형태로 바꾸고자 했을지도 모른다.

04

해설 음악의 영향을 받아 창작된 회화에 관한 이야기이므로 ①이 제목으로 가장 적절하다.
해석 ① 캔버스에 그려진 음악
② 예술과 경제학을 보여주는 형태들
③ 선율과 그림 속에 살아 있는 이야기

④ 소리와 색상과 글자가 만나는 곳
⑤ 색과 형태를 반영하는 선율

05

해설 ⓓcertain shapes는 연관지어지는 대상이므로 associating을 associated로 바꾸어 수동태로 나타내는 것이 알맞다.

06

해설 '예술가들 사이 상호 작용'의 예시로 첫 번째 음악이 화가에게 영감을 준 것, 두 번째 그림이 음악가에게 음악을 작곡하게 하는 것, 세 번째로 소설이나 시의 구절이 화가나 음악가에게 활기를 불어넣는 경우를 글에서 설명하고 있다.

해석 한 분야의 작품은 다른 분야의 예술가가 새로운 어떤 것을 창조하는 데 영감을 불어넣을 수 있다. 음악은 화가가 자신이 들은 것을 시각적으로 표현하는 데 영감을 줄 수 있다. 마찬가지로, 그림은 음악가가 거의 다른 색채와 형태를 볼 수 있는 음악을 창조하도록 영감을 줄 수 있다. 더욱이, 소설이나 시의 구절은 화가나 음악가가 이야기에 활기를 불어넣는 시각적이거나 청각적인 예술을 창조하도록 영감을 줄 수 있다. 이러한 예술가들 사이 상호 작용은 사람들에게 강한 시각적, 청각적, 감정적인 영향을 미치는 예술 작품을 생산하면서 예상치 못한 결과를 가져올 수 있다.

단원 평가 1회   pp. 158~161

01 ③ **02** ① **03** ⑤ **04** ⑤ **05** ③ **06** ③ **07** ⑤ **08** what they see in Hartmann's paintings **09** ④ **10** ③ **11** ② **12** ⑤ **13** ① **14** visual, auditory or emotional **15** ② **16** ④ **17** his descriptions of colors in his music **18** ④ **19** ③ **20** (A): play (B): same

01

해설 ③ atmosphere는 '분위기'라는 뜻이다. '천체, 우주, 그리고 물리적 우주 전체에 대한 전문가'라는 것은 astronomer(천문학자)에 관한 설명이다.

해석 ① 상상의: 상상 속에만 존재하는
② 흡입: 무언가 특히 숨을 들이쉬는 행위
④ 자극하다: 발달을 장려하거나 활동을 늘리다
⑤ 선(획)을 긋다: 펜, 연필, 붓, 조각칼과 같은 것으로 표시하다

02

해설 ① promise(약속)의 형용사형은 promissory(약속하는)이다.
해석 ② 습관, 관습 – 습관적인, 관례적인 ③ 전설 – 전설적인
④ 순간 – 순간적인 ⑤ 상상하다 – 상상의

03

해설 I'm delighted to ~.는 '나는 ~해서 기쁘다.'라는 기쁨을 표현하는 말로, I'm glad(happy) to ~. / It's nice that ~. / It's a pleasure to ~.와 바꾸어 쓸 수 있다. ①, ②, ③, ④ 나는 ~을 만나서 기뻐 ⑤ ~을 만나면 좋겠어

해석 **A** 안녕, Ben. 너 음악을 뭐 듣고 있니?
B 미국의 힙합 그룹인 The Black Eyed Peas의 새 앨범.
A 정말? 나 그들 정말 좋아해. 나는 또 다른 BEP(The Black Eyed Peas) 팬을 만나서 기뻐.
B 동감이야. 나는 그들의 최신 앨범을 요즘 많이 듣고 있어.

04

해설 ⑤ B에 쓰인 형용사 mean의 의미는 '야비한, 치사한'의 의미로 그 나라가 경제적 성공을 거두었다는 것을 의미한다는 A의 말에 대한 대답으로 어색하다.
해석 ① **A** 나는 네가 추천해 준 새로운 만화책을 읽고 있어. 그건 정말 재미있어.
　　B 네가 그 책을 즐기고 있다니 나는 기뻐.
② **A** 우리가 몇 시간을 기다려야 할 것 같아.
　　B 오, 안 돼! 우리는 그 기차를 타야 해!
③ **A** 나는 정전이 되었다고 들었어.
　　B 맞아. 전기가 2시간 후에 다시 들어왔어. 모든 게 정상으로 돌아가서 좋아.
④ **A** 그 깃발은 세 부족이 하나의 왕국으로 통합되었다는 것을 의미해.
　　B 멋지다. 나는 그것에 관해 전혀 몰랐어.
⑤ **A** 이것은 그 나라가 주목할 만한 경제적 성공을 거두었다는 것을 의미해.
　　B 그거 참 치사하다!

05

해설 B가 이미 일에 지원을 하지 않은 것이 명백한 상황에서 나누는 대화이다. 지원하지 않은 것을 후회하는 내용이 되도록 should have applied가 오는 것이 알맞다. / should have+p.p.: ~했어야 했는데 (안 했다)
해석 **A** 너는 왜 그 일에 지원하지 않았어? 네가 지원했으면 됐을지도 모르는데.
B 맞아. 나는 그 일에 지원했어야 했어.

06

해설 ③의 경우 반복되는 것을 유추할 수 없고, First come이 first served와 대응을 이루고 있으므로 first를 생략할 수 없다.
해석 ① 커피를 드시겠어요? 차를 드시겠어요?
② Anna의 졸업은 5월이고 John의 졸업은 9월이다.
③ 선착순(먼저 오면 먼저 서비스 받는다).
④ 우리는 어떤 음식이나 음료를 제공하지 않습니다.
⑤ 아는 것과 가르치는 것은 별개이다.

| 07~08 |

하르트만의 작품을 모아 놓은 추모 전시회를 방문하고 나서, 무소륵스키는 전시회에 진열된 하르트만의 그림을 각각 묘사하고자 10개의 악

장으로 된 피아노 모음곡을 작곡했다. 악장을 들은 누구나 그 선율을 그들이 하르트만의 그림에서 본 것과 연관지을 수 있다. 무소륵스키는 선율을 작곡하는 동안, 그림 속 이야기를 그의 음악 언어로 옮기고 싶어 했던 것이 분명하다.

07 **해설** ⓔ 이미 지나간 과거에 일어난 일을 이야기하고 있으므로 must have wanted를 쓰는 것이 적절하다.

08 **해설** 「what+주어+동사」 관계대명사절이 전치사 with의 목적어로 쓰이고 있으므로 「목적격 관계대명사 (what)+주어(they)+동사 (see)+전치사구(in Hartmann's paintings)」의 어순으로 나타낸다.

09

해설 한 분야의 작품이 다른 분야의 작품에 영감을 주는 예를 두 가지 이야기하고, 한 가지를 덧붙이는 상황이므로 ④가 알맞다.
해석 한 분야의 작품은 다른 분야의 예술가가 새로운 어떤 것을 창조하는 데 영감을 불어넣을 수 있다. 음악은 화가가 자신이 들은 것을 시각적으로 표현하는 데 영감을 줄 수 있다. 마찬가지로, 그림은 음악가가 거의 다른 색채와 형태를 볼 수 있는 음악을 창조하도록 영감을 줄 수 있다. 더욱이, 소설이나 시의 구절은 화가나 음악가가 이야기에 생기를 불어넣는 시각적이거나 청각적인 예술을 창조하도록 영감을 줄 수 있다.
① 대조적으로 ② 예를 들어 ③ 그러나 ④ 게다가, 더욱이
⑤ 그러므로

| 10~11 |

칸딘스키에게 음악과 색상은 서로 가깝게 연관되어 있었다. 예를 들어 그의 그림에서 노란색은 트럼펫의 소리와 연관되어 있으며, 파란색은 첼로의 소리와 연관되어 있다. 게다가 그의 그림에서 어떤 모양은 특정한 감정과 연관되어 있다. (그들은 길을 따라 산책하는 동안 예술가들의 상상의 세계에 들어가게 했다.) 삼각형은 공격적인 느낌을 나타내고 사각형은 차분한 기분을 나타낸다. 그가 붓으로 캔버스에 획을 그을 때마다, 그는 일련의 음표들을 시각적 형태로 바꾸고자 했을지도 모른다.

10 **해설** 칸딘스키의 그림에 관한 글로서, ②에서 칸딘스키의 그림에서 모양과 감정의 연관성에 대해 설명하고 ④에서 그것에 대한 예시들이 나오고 있으므로 서로 연결되는 것이 문맥상 자연스럽다. 그러므로 ③이 글의 전체 흐름과 관계 없다.

11 **해설** ⓐ 빈칸 뒤에서 색상과 소리의 연관성에 대해 이야기하고 있으므로 빈칸에는 'color(색상)'가 와야 한다. ⓑ 빈칸 뒤에서 삼각형, 사각형과 같은 모양과 특정 감정을 연관지어 설명하고 있으므로, 빈칸에는 'shapes (모양)'가 오는 것이 알맞다.

| 12~13 |

영어 단어 'inspire(영감을 주다)'는 원래 '숨을 들이쉬다'를 의미했

다. 들이쉰 숨은 어떻게든 내쉬어져야만 한다. 칸딘스키, 무소륵스키, 멘델스존, 그리고 샤갈은 그들이 들이마신 숨을 새로운 방식으로 우리에게 자극을 주는 예술 작품으로 바꾸었기 때문에, 훌륭한 호흡자들이었다. 아마도, 그들은 우리가 선율, 색채, 형태, 그리고 이야기가 서로 영향을 준다는 것을 인식하면서, 그들의 작품을 그에 알맞게 해석할 것임을 알았을 것이다.

12
해설 novel은 '새로운, 기존의 틀을 깬'이라는 의미로 쓰였으므로 ⑤ '전통적인'과는 바꾸어 쓸 수 없다.
해석 ① 창의적인 ② 혁신적인 ③ 새로운 ④ 선구적인

13
해설 '예술가들이 우리가 선율, 색채, 형태, 그리고 이야기가 서로 영향을 준다는 것을 알고, 그들의 작품을 그에 알맞게 해석하리라는 것을 알았을 것이다.'라는 의미가 되도록 ① '그에 알맞게'가 오는 것이 가장 적절하다.
해석 ② 우연히 ③ 공통적으로 ④ 일상적으로 ⑤ 이상하게

14
해설 명사 influences를 수식하는 형용사 형태가 오는 것이 알맞다.
해석 이러한 예술가들 사이의 상호 작용은 사람들에게 강한 시각적, 청각적, 감정적인 영향을 미치는 예술 작품을 만들어 내면서 예상치 못한 결과를 가져올 수 있다.

| 15~16 |

음악은 몇몇 예술 작품의 창작에 중요한 역할을 해 왔다. (B) 시각 예술에 끼친 음악의 영향은 표현주의 화가 바실리 칸딘스키에게서 가장 잘 관찰할 수 있다. 칸딘스키는 법학과 경제학을 공부했고, 법조계에서 성공했다. (A) 그러나 그가 30대 초반이었을 때, 모네의 '건초더미'를 보다가 기이한 시각적 경험을 했다. 그는 또한 바그너의 '로엔그린'의 선율에 영향을 받았다. "모든 색상이 제 눈 앞에 펼쳐졌어요."라고 그가 말했다. (C) 그는 마치 역동적이고 강렬한 선들이 그의 앞에 나타나는 것 같다고 느꼈다. 결국 그는 그림을 공부하기 위해 법조계 경력을 포기했다.

15 **해설** 주어진 문장인 '음악이 예술 작품의 창작에 중요한 역할을 해 왔다'는 예가 (B)에서 소개되고, 칸딘스키가 법학과 경제학을 공부했고, 법조계에서 성공했다는 내용은, 그가 그림을 공부하기 위해 경력을 포기하는 내용과 however로 잘 연결된다. 30대 초반에 겪은 특별한 경험이 (A)에서 소개되기 시작하여 (C)까지 이어지고 있으므로 (B) – (A) – (C)가 알맞다.

16 **해설** ④ Kandinsky studied law ~ in his law career.에서 알 수 있듯이 칸딘스키는 법학과 경제학을 공부했고, 법조계에서 성공했다.

| 17~18 |

음악가 또한 화가와 그들의 예술 작품에서 영감을 얻어 왔다. 모데스트 무소륵스키는 자신의 음악에서 색채 묘사로 유명한 작곡가였다. 그

의 가장 자주 연주되는 피아노 작품 중 하나인 '전람회의 그림'은 예술가 친구인 빅토르 하르트만의 그림에서 느낀 것을 담아내고자 한 그의 노력으로 작곡되었는데, 하르트만은 **39**살의 이른 나이에 세상을 떠났다.

17
해설 무소륵스키는 유명한 작곡가이며, 글의 첫 문장에서 음악가도 화가와 그들의 예술 작품에서 영감을 얻어 왔다고 했으므로 문맥상 (A) 무소륵스키가 자신의 색채에서 음악 묘사로 유명했다는 것을 자신의 음악에서 색채 묘사로 유명했다는 것으로 고쳐 써야 알맞다.

18
해설 ⓓ '빅토르 하르트만이라고 불리는'이라는 수동의 의미를 나타내며, an artist friend를 수식하고 있으므로 naming을 named로 고쳐 써야 한다.

| 19~20 |

소설이나 희곡은 종종 음악가나 화가에게 영감을 준다. 예를 들어 펠릭스 멘델스존은 17살에 셰익스피어의 희곡인 '한여름 밤의 꿈'을 읽고 영감을 받아, 셰익스피어의 상상의 세계 속 마법과 환상을 담을 수 있는 곡을 작곡하기 시작했다. 그것은 그의 유명 작품인 '한여름 밤의 꿈'의 일부가 되었다. '결혼 행진곡'은 그 모음곡에서 가장 잘 알려진 작품 중 하나이다. 몽환적인 색채 사용으로 알려진 마르크 샤갈 또한 그 희곡에 감명을 받아 '한여름 밤의 꿈'이라는 동명의 그림을 그렸다. 그림 속 모습은 몽환적인 희곡의 분위기를 재현한다. 샤갈과 멘델스존은 다른 시대에 살았지만, 둘 다 셰익스피어의 단어와 문장을 그들 자신의 예술적 언어로 옮겼다.

19
해설 Shakespeare의 희곡에 영향을 받은 작곡가와 화가의 이야기이므로 Shakespeare의 글을 대변하는 words와 멘델스존 음악의 선율을 뜻하는 melodies, 샤갈의 그림을 일컫는 images로 표현된 ③이 제목으로 알맞다.
해석 ① 캔버스에 그려진 음악
② 셰익스피어 희곡의 탄생 이야기
③ 선율과 그림 속에 살아 있는 이야기
④ 색과 형태를 반영한 음악
⑤ 샤갈과 멘델스존의 삶과 예술

20
해석 셰익스피어의 (A) 희곡, '한여름 밤의 꿈'은 멘델스존이 그의 피아노곡을 작곡하도록 영감을 주었고, 또한 샤갈이 (B) 동일한 제목의 그림을 그리도록 영향을 미쳤다.

단원 평가 2회   pp. 162~165

01 ④ **02** ③ **03** ② **04** ② **05** ② **06** the department store **07** ⑤ **08** ④ **09** ③ **10** ① **11** ① **12** ④ **13** ③ **14** ⑤ **15** ③ **16** aggressive, calm **17** ③ **18** (A): imaginary (B): closely **19** ④ **20** ⑤

01

해설 '발화되거나 쓰여진 말을 다른 언어로 바꾸다'라는 것은 ④ 'translate (번역하다)'에 관한 설명이다.

해석 ① 반영하다 ② 포착하다 ③ 재현하다 ⑤ 자극하다

02

해설 ③은 「명사-형용사」 관계이고, 나머지는 모두 「동사-명사」 관계이다.

해석 ① 재현하다 - 재현

② 상호 작용하다 - 상호 작용

③ 기억, 기념 - 기념의

④ 묘사하다 - 묘사, 표현

⑤ 움직이다, 이동하다 - 움직임, 이동

03

해설 자신이 연주한 음악을 듣고 정말 좋았다는 말을 들었으니 기쁨을 표현하는 말(I'm delighted to ~.)이 오는 것이 가장 알맞다.

해석 A 와. 네가 방금 연주한 음악은 정말 멋졌어.

B 고마워. 네가 그것을 좋아했다는 말을 들으니 나도 기뻐.

A 나는 특히 큰 스푼처럼 생긴 악기가 좋았어. 그게 뭐야?

B 그건 sitar야. 인도에서 온 악기야.

① 그게 무슨 뜻이니?

② 네가 그것을 좋아했다는 말을 들으니 나도 기뻐.

③ 너는 그것을 들을 기회가 있었니?

④ 너는 어떤 종류의 음악을 듣고 있니?

⑤ 나는 네가 그 악기를 더 열심히 연습했어야 했다고 생각해.

04

해설 ② postpone은 '연기하다'(put off)의 뜻이고, post는 '(자료 등을) 게시하다'는 뜻이므로 어울리지 않는다.

해석 ① A 나는 마지막 암스테르담 여행 때 반고흐 박물관에 갔어. 네 말대로 정말 인상적이었어.

   B 네가 즐거웠다니 기뻐.

② A 시험이 연기되었다고 들었어.

   B 정말? 드디어 그것들이 게시되었다니 좋구나.

③ A 이 자료는 경제가 불황을 벗어나고 있다는 것을 의미해.

   B 그래? 우리가 희망이 있다니 좋다.

④ A 그 표지판의 의미가 뭐야?

   B 그것은 밤에 수영하는 것이 위험하다는 의미야.

⑤ A 이것은 계약이 종료되었다는 것을 뜻해.

   B 알겠어. 설명해 주어서 고마워.

05

해석 봐. 이것은 조지운의 '숙조도'야! – (B) 오, 멋져. 그것은 정말 간결하고 우아해, 그렇지 않니? – (A) 응. 그건 그렇고, 나는 '도'가 '그림'을 의미한다는 것은 알겠는데 '숙조'는 무슨 의미니? – (C) 그것은 '잠자는 새'를 의미해. – (D) 이제 나는 그것이 왜 그렇게 이름지어졌는지 알겠어.

06

해설 opens라는 동사가 반복되므로 생략할 수 있다.

해석 식당은 아침 9시에 문을 열고, 백화점은 아침 10시에 문을 연다.

07

해설 (A) 지갑을 잃어버리지 않게 조심하지 않은 것에 대한 후회의 말 (should have+p.p.)이 오는 것이 알맞다. (B) 마지막 문장에 Let's go check.(가서 확인해 보자.)가 나오므로 누군가 지갑을 가져다 놓았을 지도 모른다는 추측의 말(might have+p.p.)이 적절하다.

해석 A 너 왜 이렇게 늦었어?

B 나 지갑을 잃어버린 것 같아.

A 오, 이런.

B 지하철을 타려고 뛰어가면서 지갑을 떨어트린 것 같아. 내가 더 조심했어야 했는데.

A 누군가가 지하철 역에 있는 안내소에 가져다 놓았을지도 몰라. 확인하러 가자.

08

해설 ④ 「must have+p.p.」는 '~했음에 틀림없다'의 뜻으로 took을 taken으로 고쳐 써야 한다.

해석 ① 나는 그렇게 많은 음식을 먹지 말았어야 했어.

② 그는 지금 틀림없이 집에 있을 거야.

③ 그녀는 박람회에 가 봤을지도 몰라.

④ 그는 그녀를 치과의사에게 데리고 갔음에 틀림없어.

⑤ 그 회의는 취소될 수도 있어.

09~10

시각 예술에 끼친 음악의 영향은 표현주의 화가 바실리 칸딘스키에게 서 가장 잘 관찰할 수 있다. 칸딘스키는 법학과 경제학을 공부했고, 법조 계에서 성공했다. 그러나 그가 30대 초반이었을 때, 모네의 '건초더미' 를 보다가 기이한 시각적 경험을 했다. 그는 또한 바그너의 '로엔그린'의 선율에 영향을 받았다. "모든 색상이 제 눈 앞에 펼쳐졌어요."라고 그가 말했다. 그는 마치 역동적이고 강렬한 선들이 그의 앞에 나타나는 것 같 다고 느꼈다. 결국 그는 그림을 공부하기 위해 법조계 경력을 포기했다.

09

해설 ⓒ visually는 명사 experience를 꾸며주는 형용사 visual 로 고쳐 써야 한다.

10

해설 빈칸 뒤의 wild and powerful lines appeared in front of him은 비현실적인 상황이므로 as if(마치 ~인 것처럼)가 가장 적절하다.

해석 ① 마치 ~인 것처럼 ② 평소처럼 ③ 비록 ~일지라도 ④ 예를 들어 ⑤ ~와 같은

11~12

몽환적인 색채 사용으로 알려진 마르크 샤갈 또한 그 희곡에 감명을

받아 '한여름 밤의 꿈'이라는 동명의 그림을 그렸다. 그림 속 모습은 몽환적인 희곡의 분위기를 재현한다. 샤갈과 멘델스존은 다른 시대에 살았지만, 둘 다 셰익스피어의 단어와 문장을 그들 자신의 예술적 언어로 옮겼다.

11
해설 두 사람이 다른 시대에 살았다는 사실과 Shakespeare의 영향을 받아 예술적 창작을 하였다는 공통점이 서로 대비를 이루고 있으므로 ①이 알맞다.
해석 ① 비록 ~이긴 하지만 ② ~하기 때문에, ~함에 따라 ③ ~하기 때문에 ④ ~할 때 ⑤ 마찬가지로

12
해설 ④ Chagall and Mendelssohn lived in different times에서 두 사람이 다른 시대에 살았음을 알 수 있다.

13~14
음악가 또한 화가와 그들의 예술 작품에서 영감을 얻어 왔다. 모데스트 무소륵스키는 자신의 음악에서 색채 묘사로 유명한 작곡가였다. 그의 가장 자주 연주되는 피아노 작품 중 하나인 '전람회의 그림'은 예술가 친구인 빅토르 하르트만의 그림에서 느낀 것을 담아내고자 한 그의 노력으로 작곡되었는데, 하르트만은 39살의 이른 나이에 세상을 떠났다. 하르트만의 작품을 모아 놓은 추모 전시회를 방문하고 나서, 무소륵스키는 전시회에 진열된 그의 그림을 각각 묘사하고자 10개의 악장으로 된 피아노 모음곡을 작곡했다. 악장을 들은 누구나 그 선율을 그들이 하르트만의 그림에서 본 것과 연관지을 수 있다. 무소륵스키는 선율을 작곡하는 동안, 그림 속 이야기를 그의 음악 언어로 옮기고 싶어 했던 것이 분명하다.

13
해설 ⓐ, ⓑ, ⓓ, ⓔ는 무소륵스키를 가리키고, ⓒ는 하르트만을 가리킨다.

14
해설 ⑤ 무소륵스키는 음악가이며 친구 하르트만의 미술에 담긴 이야기를 자신의 음악적 언어로 옮기고 싶어 했다.

15~16
칸딘스키에게 음악과 색상은 서로 가깝게 연관되어 있었다. 예를 들어 그의 그림에서 노란색은 트럼펫의 소리와 연관되어 있으며, 파란색은 첼로의 소리와 연관되어 있다. 게다가 그의 그림에서 어떤 모양은 특정한 감정과 연관되어 있다. 삼각형은 공격적인 느낌을 나타내고 사각형은 차분한 기분을 나타낸다. 그가 붓으로 캔버스에 획을 그을 때마다, 그는 일련의 음표들을 시각적 형태로 바꾸고자 했을지도 모른다.

15
해설 (A) 단수명사 the sound를 가리키는 지시대명사가 와야 하므로 that이 알맞다. (B) 복수명사 certain shapes가 주어로 복수동사 were가 알맞다. (C) 주절에 과거를 추측하는 might have+p.p.가 있으므로, 부사절도 과거시제로 맞추는 것이 적절하다. 따라서 stroked가 알맞다.

16
해설 The triangle represents ~ calm moods.라는 문장에서 알 수 있듯이 칸딘스키의 그림에서 삼각형은 공격적인(aggressive) 느낌을, 사각형은 차분한(calm) 기분을 나타낸다고 하였다.
해석 칸딘스키의 그림에서 삼각형은 공격적인 느낌과 연관되어 있고 사각형은 차분한 기분과 연관되어 있다.

17~18
소설이나 희곡은 종종 음악가나 화가에게 영감을 준다. 예를 들어 펠릭스 멘델스존은 17살에 셰익스피어의 희곡인 '한여름 밤의 꿈'을 읽고 영감을 받아, 셰익스피어의 상상의 세계 속 마법과 환상을 담을 수 있는 곡을 작곡하기 시작했다. (칸딘스키에게 음악과 색상은 서로 가깝게 연관되어 있다.) 그것은 그의 유명 작품인 '한여름 밤의 꿈'의 일부가 되었다. '결혼 행진곡'은 그 모음곡에서 가장 잘 알려진 작품 중 하나이다.

17
해설 멘델스존이 셰익스피어 희곡의 영향을 받아 동명의 곡을 작곡하는 내용에 관한 글로, 칸딘스키에 대한 내용인 ③은 글의 전체 흐름과 관계 없다. .

18
해설 ⓐ 명사 world를 수식하므로 형용사 imaginary(상상의)가 알맞고, ⓑ 분사형 형용사 tied를 수식하므로 부사 closely(가깝게)가 알맞다.

19~20
영어 단어 'inspire(영감을 주다)'는 원래 '숨을 들이쉬다'를 의미했다. 들이쉰 숨은 어떻게든 내쉬어져야만 한다. 칸딘스키, 무소륵스키, 멘델스존, 그리고 샤갈은 그들이 들이마신 숨을 새로운 방식으로 우리에게 자극을 주는 예술 작품으로 바꾸었기 때문에, 훌륭한 호흡자들이었다. 아마도, 그들은 우리가 선율, 색채, 형태, 그리고 이야기가 서로 영향을 준다는 것을 인식하면서, 그들의 작품을 그에 알맞게 해석할 것임을 알았을 것이다.

19
해설 ⓓ '인식하면서'라는 의미의 부대상황을 나타내는 분사구문으로 noticing으로 고쳐 써야 한다.

20
해설 (A) novel은 '새로운'이라는 의미의 형용사이다. / ①, ②, ③, ④ '소설'이라는 뜻의 명사이다.
해석 ① 그녀는 아직 자신의 소설을 끝마치지 못했다.
② 그 소설은 5개 언어로 번역되었다.
③ 그 영화는 Anne Tyler의 소설을 바탕으로 하고 있다.
④ 그의 첫 번째 소설이 마침내 출판 허가를 받았다.
⑤ 과학자들은 물고기를 잡는 새로운 방식을 생각해냈다.

01 ①　02 ⑤　03 ②　04 ④　05 ③　06 Unless　07 ②　08 ③
09 ⑤　10 ③　11 ③　12 recording　13 ④　14 ⑤　15 ⑤
16 ④　17 ④　18 ①　19 one of the easiest ways of matching colors　20 ①

01

해설 ①은 「동사 – 형용사」 관계이고, 나머지는 「동사 – 명사」 관계이다.

해석 ① (감정을) 표현하다 – (감정을) 표현하는
② 결합하다 – 결합
③ 공연하다 – 공연
④ 필요로 하다 – 필요
⑤ 작곡하다 – 작곡

02

해설 ⑤의 analogous는 의미상 bold와 같은 단어로 고쳐 써야 한다.

해석 ① 나는 마침내 하루를 쉬고 해변에 갔다.
② 그는 그녀를 위한 선물을 찾았지만 적당한 것을 찾을 수 없었다.
③ 그들은 다르지만 상호 보완적인 능력을 가지고 있다.
④ 나는 매일 아침 커피를 마시곤 했다.
⑤ 그는 유사하고(→ 대담하고) 겁 없는 등산가이다.

03

해설 ② 어떤 문제가 있는지 묻는 A의 질문에 Yes라고 대답하고 문제가 무엇인지 알아봐야 한다고 대답하는 것은 어색하다.

해석
① A 나는 댄스 동호회에 가입할 생각이야.
　 B 와! 나는 네가 춤을 추는 것에 관심이 있는 줄 몰랐어.
② A 너는 깊은 생각에 잠긴 것 같아 보여. 어떤 문제가 있니?
　 B 맞아, 우리는 문제가 무엇인지 알아봐야 해.
③ A 그녀의 복장에 대해 어떻게 생각하니?
　 B 나는 그것이 이상하다고 생각해. 그녀의 치마가 신발이랑 안 어울려.
④ A 나는 다음 주 말하기 대회가 정말 걱정돼.
　 B 내가 만약 너라면, 가능한 많이 연습을 할 거야.
⑤ A 왜 네가 작은 점들을 그렸는지 궁금해.
　 B 왜냐하면 그것들이 어떤 패턴과도 잘 어울리기 때문이야.

04

해설 두 사람은 서로의 주말 계획에 대해서 이야기하고 있다. 한강에서 한발 자전거를 탈 것이라는 계획을 이야기하는 A의 말로 보아 ④에는 걱정을 묻는 것이 아니라 계획을 묻는 질문이 와야 한다.

해석
A 너는 이번 주말에 무엇을 할 거니?
B 나는 가족과 한라산 정상을 등반할 거야.

A 멋지다! 너는 등산을 좋아하니?
B 당연하지. 나는 산길을 올라가는 것을 즐겨. 요즘 무엇이 너를 힘들게 하니?
A 나는 한강을 따라서 한발 자전거를 탈 거야.
B 한발 자전거? 한발 자전거를 샀니?
A 응, 나는 지난 주에 그것을 샀어.

05

해설 마을을 향해 가고 있고(to), town은 사물이므로 관계대명사 which를, 프로젝트를 함께 하고 있고(with), person은 사람이므로 관계대명사 whom을 사용한다.

해석 ・ 우리가 운전해 가고 있는 마을은 단지 2마일 떨어져 있다.
・ 내가 프로젝트를 같이 하는 사람은 인도에서 왔다.

06

해설 if ~ not = unless(만약 ~하지 않는다면)

해석 만약 비가 오지 않는다면, 우리는 내일 하이킹을 갈 것이다.

07

해설 ② 「one of+the 최상급+복수명사」는 단수 취급하여 뒤에 단수동사가 온다. (are → is)

해석 ① 갈등을 해결하는 가장 좋은 방법은 무엇인가?
② 가장 큰 나무들 중 하나는 캘리포니아 삼나무이다.
③ 그는 배우가 되겠다는 장래의 꿈에 대한 계획을 가지고 있다.
④ 이 기계가 사용될 수 있는 많은 방법들이 있다.
⑤ 서두르지 않으면, 너는 그것을 제시간에 끝낼 수 없을 것이다.

08

해설 ⓒ 3인칭 단수 He를 주어로 하고 동사 watches와 병렬 구조를 이루어야 하므로 keeps가 와야 한다.

09

해설 'I'는 프로 마술사가 되겠다는 장래 계획을 가진 진호를 부러워하며 자신도 장래 계획을 갖고 있으면 좋겠다고 하였으므로 장래 계획을 세울 수 있도록 도움을 줄 수 있는 조언들이 필요하다.

해석 ① 직업 현장 체험 프로그램에 참여해 봐.
② 진로 개발 센터를 방문하는 것이 어때?
③ 직업에 대해 정보를 얻어 보는 것이 어때?
④ 자신에 대해 알고 직업 테스트를 할 필요가 있어.
⑤ 공연을 위해 다양한 마술을 연습해야 해.

10

해설 주어진 문장의 At this point는 더 이상 관심을 두지 않게 된 직업들을 목록에서 지우는 시점을 말하므로 ⓒ에 오는 것이 가장 적절하다.

11

해설 ③ 직업에 관해 조사를 하기 전이 아니라 조사를 하고 나서 관심을 두지 않게 된 직업들을 지울 수 있다고 하였다.

12

해설 삼촌과 작곡가, 그리고 음향 기술자에 의해 녹음(the recording)이 중단되기까지 오랜 시간이 걸리지 않았다는 의미로, it은 the recording(녹음)을 가리킨다.

13

해설 ④ '음악에 대한 가수들의 의견'에 대한 언급은 나와 있지 않다.

해석 ① 가수들은 녹음실에서 무엇을 하고 있었는가?
② 삼촌은 녹음이 시작되자 무엇을 하셨는가?
③ 음악 녹음이 왜 중지되었는가?
④ 음악에 대한 가수들의 의견은 무엇이었는가?
⑤ 한 곡을 마치는데 시간이 얼마나 걸렸는가?

14

해설 ⓔ 대동사 did는 tried various shades를 대신한다.

15

해설 주어진 글은 자신이 제일 좋아하는 패션 아이템이 있고, 그것이 다른 옷들과 잘 어울린다면 매일 새로운 복장을 만들 수 있다는 내용으로 ⑤ '여러분은 많은 옷이 필요하지 않다!'가 제목으로 가장 적절하다.

해석 ① 단순한 디자인이 멋지다!
② 안경에 투자하라!
③ 색상으로 즐겨라!
④ 교복이 최고다!

16

해설 (A) 선행사를 포함한 관계대명사 what이 알맞다.
(B) 문장의 주어 역할을 하는 동명사가 알맞다.
(C) '패션 아이템이 있고 그것이 다른 옷들과 잘 어울린다면'이라는 의미가 되도록 접속사 If가 와야 한다.

17

해설 빈칸 뒤에 액세서리에 주의를 기울이는 방법 중 하나인 안경을 고르고 활용하는 방법에 대한 내용이 옴에 유추할 수 있다.

해석 ① 최신 유행처럼 보이기 위해 붉은 색을 선택하는 것
② 넓은 바지, 줄무늬 셔츠를 입고 야구 모자를 쓰는 것
③ 색깔을 결정하고 함께 잘 어울리는 다른 색을 찾는 것
④ 신발, 모자, 안경이나 시계 같은 액세서리에 주의를 기울이는 것
⑤ 쇼핑할 때 둥근 테 안경을 써 보는 것

18

해설 ⓑ since는 '~때문에'라는 뜻의 이유를 나타내는 접속사이다. / ① 이유의 접속사(~때문에) ②, ③ 시간의 접속사(~이래로, ~이후로) ④ 그 이후로(부사) ⑤ ~부터(이후)(전치사)

해석 ① 아무도 문을 열지 않았기 때문에 그들은 들어갈 수 없었다.
② 어릴 때부터, 나는 항상 코미디언이 되고 싶었다.
③ 내가 고등학교를 졸업한지 3년이 지났다.
④ 나는 그 후로 그를 만나지 못했다.
⑤ 그때 이래로 그가 어디에 갔는지 궁금해 하고 있었다.

19

해설 「one of+the 최상급+복수명사」 형태의 구문으로 나타낸다.

20

해설 ① 문장의 주어가 Choosing ~ colors(동명사구)로 단수 취급하므로 create를 단수동사 creates로 고쳐 써야 한다.

기말고사 1학기   pp. 172~175

01 ② 02 ① 03 ⑤ 04 ③ 05 ④ 06 is important that we take care of the environment 07 sleeping → to sleep
08 ⑤ 09 ④ 10 ③ 11 (A): disposable (B): edible
12 ② 13 ⓐ: used ⓑ: ruining 14 ② 15 ⑤ 16 ③ 17 ③
18 ⑤ 19 ① 20 ③

01

해석 • 우리는 이 문제를 완전히 다른 관점에서 접근해야 한다.
• 나는 그가 어떻게 매년 해외여행을 할 여유가 있는지 궁금하다.
① 관점, 시야 – 드러내다
② 관점, 시각 – ~할 여유가 있다
③ 음악 학교 - 확신시키다
④ 복사물 – 망치다
⑤ 분배 - 홍보하다, 촉진하다

02

해설 tackle은 '문제를 해결하다'라는 뜻의 동사로 쓰였다.

해석 지역 단위로 이 문제를 해결하기 위해 설립된 온라인 플랫폼인 'foodsharing.de'는 당신의 냉장고나 찬장에 있는 여분의 음식이 이웃에게 나눠질 수 있게 해 준다.
① 무엇이나 누군가를 해결하려고 노력하다

② 다른 팀 선수로부터 공을 빼앗으려고 하다

③ 일이나 스포츠에 필요한 모든 물건들

④ 구기 경기 활동이나 그렇게 하려는 시도

⑤ 무거운 물체를 들기 위한 줄, 당기는 블록, 후크 또는 다른 것들로 이루어진 기구

03

해설 여행 준비를 했는데 집에 머물며 휴식을 취하고 싶다(⑤)는 내용은 적절하지 않다.

해석

A 베니스 여행 준비는 되었니?

B 물론이지. _____

A 나도. 오, 여권과 비행기 티켓을 가져오는 것을 잊지 마.

B 그래, 안 잊을게. 고마워.

① 나는 역사 유적지 방문이 정말 기대돼.

② 나는 직접 축구 경기를 볼 것이 기대돼.

③ 나는 지역 음식을 맛보기를 원해.

④ 나는 쇼핑을 가서 가죽 제품을 사고 싶어.

⑤ 나는 집에 머물며 쉬고 싶어.

04

해설 Have you heard about ~?과 유사 표현으로는 Do you know of ~?, Did you hear about ~?, Are you aware of ~? 등이 있다.

해석

A 무슨 일이야? 너 신나 보인다.

B 응. 나는 정말 재밌는 게임을 하고 있어. '나의 나무, 우리의 숲'이라고 들어봤니?

A 아니. 그건 무엇이니?

B 게임하는 사람들이 나무 심기 프로젝트에 참여하도록 하는 모바일 게임이야.

A 환경 친화적인 것 같구나.

① 무슨 뜻인지

② 가 본 적이 있는지

③ 알고 있는지

④ 게임을 하는 것이 즐거운지

⑤ 어떻게 들어봤는지

05

해설 ④ 분사구문의 시제가 주절의 시제보다 이전의 일로, As I finished my homework, I can watch my favorite TV program.라는 의미이다.

해석 ① 나는 콘서트에 가는 것을 기대한다.

② 당신의 여행 프로그램에 대해 제게 말씀해 주시겠습니까?

③ 너는 우리가 같이 놀이 공원에 간 날을 기억하니?

④ 숙제를 다 했기 때문에, 나는 내가 좋아하는 TV프로그램을 볼 수 있다.

≠ 내가 숙제를 다 끝내면, 나는 내가 좋아하는 TV프로그램을 볼 수 있다.

⑤ 그의 도움은 내가 그 문제를 풀 수 있도록 해 주었다.

06

해설 It is important that ~.은 '~하는 게 중요하다.'라는 강조하기 표현이다.

해석

A 너는 소풍 갈 때 항상 일회용 접시를 이용하니?

B 응. 그것들은 이용하기 편리하잖아.

A 너도 알다시피, 일회용품은 환경에 해로운 영향을 줄 수 있어.

B 나도 동의해. 환경을 돌보는 것은 중요해.

07

해설 allow는 목적격 보어로 to부정사를 취한다.

해석 우리 엄마는 내가 친구네 집에서 자는 것을 허락해 주셨다.

08

해설 「help+목적어+동사원형(to부정사)」 구문으로 (to) go가 되어야 한다.

09

해설 ④ 봉투의 투명한 면이 내용물을 보여 준다고 언급되어 있다. (Goedzak's bright color attracts attention while the transparent side of the bag reveals its contents.)

10

해설 what은 선행사를 포함하는 관계대명사이다. / ①, ②, ⑤ 의문사 ③ 관계대명사 ④ 의문형용사

해석 ① 무엇이 그들을 이 프로젝트에 집중하도록 했니?

② 환경을 보호하기 위해 너는 무엇을 할 수 있니?

③ 나를 화나게 한 것은 그의 태도이다.

④ 그는 내게 이 기계가 무슨 기능을 가지고 있는지를 물었다.

⑤ 나는 그의 이름이 무엇인지를 모른다.

11

해석 많은 (A) 일회용 컵들이 버려져서, 몇몇 디자이너들이 쿠키, 화이트 초콜릿, 그리고 설탕 종이로 만든 먹을 수 있는 컵을 생각해냈다.

12

해설 (A) 잉크를 사용하는 것은 많은 사람들이 이미 하고 있지만, 한 단계 더 나아가면 어떨지를 제안하고 있으므로, 역접의 연결사(But)가 알맞다.

(B) Ecofont에 관한 내용에 대해 자세한 내용을 덧붙일 때 사용하는 연결 사인 in fact가 들어가는 것이 적절하다.

해석 ① 예를 들면 – 더욱이, 게다가
② 그러나 – 사실은
③ 게다가 – 그러나
④ 그러나 – 그에 반해서
⑤ 마침내 – 더욱이, 게다가

13

해설 ⓐ '사용되는 잉크 양'이라는 수동의 의미로 앞의 명사구 the amount of ink를 수식하는 과거분사 used가 알맞다. ⓑ 전치사 뒤에는 동명사 (-ing)가 온다.

14

해설 ② 혼자 처음으로 해외여행을 해서 조금 걱정된다는 내용이 문맥상 자연스러우므로, excited를 worried와 같은 단어로 고쳐 써야 한다.

15

해설 ⑤ 'I'가 이탈리아에서 무엇을 공부할지에 대해서는 언급되어 있지 않다.

해석 ① 수지는 이탈리아에서 무엇을 공부하는가?
② 이탈리아에 가는 데 시간이 얼마나 걸리는가?
③ 수지와 'I'는 어디에서 만났는가?
④ 'I'는 왜 이탈리아에 도착했을 때 지쳤는가?
⑤ 'I'는 이탈리아에서 무엇을 공부할 것인가?

16

해설 ③ a small store를 선행사로 하는 관계부사 where이나 「전치사+관계대명사」 형태의 in which가 와야 한다.

17

해설 그 대작이 너무 인상적이어서 거의 사진을 찍을 뻔했다는 내용이다. (so ~ that...: 너무 ~해서 …하다)

18

해설 빈칸 앞에 그녀가 옳았다는 내용으로 보아 20분 넘게 줄을 서서 기다렸던 먹을 만큼 젤라토가 매우 맛있었다는 내용이 옴을 알 수 있다.

해석 ① 풋사과 젤라토는 요거트보다 훨씬 나았다
② 맛은 내가 기대했던 것보다 좋지 않았다
③ 풋사과 젤라토는 3가지 종류의 맛이 있었다
④ 그 젤라토 가게는 매우 인기 있었다
⑤ 그 젤라토는 너무도 훌륭했다

19

해설 처음에는 가격 때문에 곤돌라를 탈 수 없어서 실망했으나 (discouraged), 영국 여행객 친구들과 같이 곤돌라를 타고 관광을 할 수 있어서 기분이 좋아졌으므로(pleased) ①이 가장 알맞다.

해석 ① 낙담한 → 기쁜
② 편안한 → 좌절한
③ 질투 나는 → 즐거운
④ 무관심한 → 호기심 많은
⑤ 흥분된 → 실망한

20

해설 베니스에서 여행을 하고 있었던 내용으로 영국 여행객 친구들을 만나서 같이 티켓 비용을 나눠서 내고 곤돌라를 탔다는 내용이 이어져야 하므로, 베니스로 가고 있다는 내용인 ③은 글의 흐름상 어색하다.

중간고사 2학기 ✦✦ pp. 176~179

01 ④ 02 ② 03 ② 04 had been bought → had bought 05 ① 06 ② 07 ③ 08 ⓓ – ⓑ – ⓒ – ⓐ 09 ④ 10 ② 11 ① 12 a tunnel large enough to lift them one by one 13 ⓐ: making ⓑ: spending 14 ① 15 ⑤ 16 ④ 17 additional purchase 18 ⑤ 19 ④ 20 (A): associate (B): images

01

해설 ④는 「형용사 – 명사」 관계이고, 나머지는 「동사 – 명사」 관계이다.

해석 ① 진동하다 – 진동 ② 폭발하다 – 폭발 ③ 안도하다 – 안도 ④ 습한 – 습기 ⑤ 배열하다 – 배열

02

해설 live on: ~을 먹고 살다 / associate A with B: A를 B에 연관짓다

해석 • 채식주의자는 브로콜리와 같은 채소를 먹고 사는 사람들이다.
• 이 이야기와 연관시킬 수 있는 특정한 예술 작품을 골라봐.

03

해설 ② 시험 치는 동안 휴대전화를 사용할 수 없다는 A의 말에 몰랐다고 말하고서는 휴대전화를 가져오는 것을 잊지 않겠다고 대답하는 것은 어색하다.

해석

① **A** 나는 요양원에서 자원봉사를 하고 싶은데, 무엇을 해야 할지 모르겠어.

　B 너는 훌륭한 음악가잖아. 그분들에게 노래를 불러드리면 어때?

② **A** 시험을 치는 동안 휴대전화를 사용할 수 없습니다.

　B 아, 몰랐어요. 가져오는 것을 잊지 않을게요.

③ **A** 실례합니다, 선생님. 미술관에서는 사진을 찍으시면 안 됩니다.

　B 그렇군요. 명심하겠습니다.

④ **A** 너는 축제 동안 우리 아이스크림 부스가 사람들의 관심을 끌 거라고 생각하니?

　B 그럼! 나는 우리가 많이 팔 거라고 확신해.

⑤ **A** 새로 산 시계는 어때? 너는 그것을 추천해?

　B 아니. 작동은 잘 되는데 째깍 소리가 꽤 거슬려.

04

해설 '아버지가 사 주신 자전거'이므로, 수동형(had been bought)이 아니라 능동형(had bought)으로 고쳐 써야 한다.

해석 나는 아버지가 사 주신 자전거를 타고 다니곤 했다.

05

해설 ① Never dreamed I ~는 부정어(Never)가 문장 앞으로 도치된 것인데, dreamed가 일반동사이므로 Never did I dream ~과 같이 「부정어+do(does / did)+주어+동사원형」의 형태로 고쳐 써야 한다.

해석 ① 나는 그가 시험에 합격하리라고 꿈에도 생각하지 못했다.

② Jenny는 지난밤에 화가 났던 것으로 보인다.

③ 그 대학교는 다양한 프로그램을 보유하고 있는 듯 보인다.

④ 디저트는 그가 식사를 끝내기 전에 제공되었다.

⑤ 그들이 집을 나서자마자 눈이 오기 시작했다.

06

해설 ② 「without 가정법」으로 주절의 동사가 could have survived (조동사의 과거형+have+p.p.)이므로 가정법 과거완료 If it had not been for ~로 바꾸어 쓸 수 있다.

해석 ① 너의 도움이 없다면, 나는 시험에 떨어질 거야.

② 물이 없었다면, 아무도 살아남지 못했을 것이다.

③ 몇 가지 기발한 아이디어가 그녀의 머릿속에 스쳐가는 듯 보였다.

④ Jonathan은 미술 프로젝트를 위해 준비를 많이 했던 것처럼 보였다.

⑤ Sally는 어제 파티에도 없었고, 출근도 하지 않았다.

07

해설 '우리는 아직 살아 있다'는 메시지를 보고 구조 작업에 착수했다는 것이 글의 중심 내용이므로 제목으로 ③이 가장 적절하다.

해석 ① 탐색용 구멍 뚫기의 어려움

② 탄광 붕괴에서 살아남는 방법

③ 놀라운 메시지에서 촉발된 구조 노력

④ 칠레 광부들이 건강을 유지한 방법

⑤ 첫 번째 희망 신호의 갑작스러운 사라짐

08

해설 최초 붕괴 이후 17일 동안 아무런 소식이 없자, 「ⓓ 칠레인들은 광부들 중 누구라도 살아남아 있을 거라는 희망을 잃었다. - ⓑ 탐색용 구멍이 뚫렸다. - ⓒ (비디오카메라가 보내져) 카메라에 찍힌 이미지는 광부들이 살아 있음을 보여주었다. - ⓐ 구조 노력이 시작되었다.」의 순서로 연결되는 것이 적절하다.

09

해설 빈칸 ⓐ에는 광부들이 헤드 램프의 '배터리(batteries)'를 충전한다는 내용이 가장 어울리고, 빈칸 ⓑ 다음에 갇혀 있는 동안 음식을 어떻게 해결해 나갔는가에 대한 내용이 이어지므로 food가 들어가는 것이 적절하다.

10

해설 광부들이 탄광 속에서 갇힌 채로 공기를 보충하고 음식을 먹으며 견디는 내용과 덥고 습한 가운데 체중이 감소하는 등 구조가 시급한 열악한 상황이므로 글의 분위기로 ② '긴박하고 다급한'이 알맞다.

해석 ① 조용하고 평화로운

③ 무섭고 불가사의한

④ 우울하고 희망이 없는

⑤ 즐겁고 흥미진진한

11

해설 어려운 환경 속에서도 광부들이 하나로 뭉쳐 어려움을 극복해 내는 내용에 어울리는 속담은 ①이다.

해석 ① 뭉치면 산다.

② 가장 좋은 거울은 친구의 눈이다.

③ 나쁜 친구와 함께 하는 것보다 혼자가 낫다.

④ 익숙한 길과 오래된 친구가 가장 좋다.

⑤ 오늘 할 일을 내일로 미루지 말라.

12

해설 「명사+형용사+enough to ~」 구문으로 '~하기 충분히 …한 명사'라는 뜻이다.

13

해설 ⓐ and they make의 의미를 나타내는 분사구문(연속동작) making이 알맞다. ⓑ consider는 동명사를 목적어로 취하는 동사로 앞에 쓰인 buying과 and로 연결되어 병렬구조를 이루는 동명사 spending이 알맞다.

14

해설 할인이 정가에는 구입하지 않았을지도 모르는 소비자들을 끌어들이고, 자신이 가진 돈으로 더 많이 살 수 있으므로 소비자들이 결국 돈을 더 쓰도록 유도한다는 것이 중심 내용이므로 ①이 알맞다.

해석 ① 할인은 소비자들을 끌어들여 돈을 쓰도록 유도한다.
② 모든 소매점이 할인 기간 동안 이익을 내는 것은 아니다.
③ 사람들은 할인하는 품목에 더 많은 돈과 시간을 쓰는 경향이 있다.
④ 대부분의 경우에, 할인하는 물건을 구입하는 것이 더 이득이다.
⑤ 어떤 물건이 할인 중이더라도, 현명한 소비자들은 상점별로 가격을 비교한다.

15

해설 신발, 모자, 양말과 같이 저렴한 물건들이 연이어 진열된 것은 상점의 수익에 도움이 되도록 ⑤ '전략적으로(strategically)' 고안된 것이라는 내용이 되어야 자연스럽다.

해석 ① 깔끔하게 ② 정식으로 ③ 무작위로 ④ 우연히

16

해설 ⓓ why not ~ 다음에는 동사원형이 와서 '~하는 게 어때?'라는 의미를 지닌다. (buying → buy)

17

해설 A sales clerk may make suggestions to you ~. This is called up-selling ~.에서 알 수 있듯이 업셀링은 판매원이 원래 계획된 구매에 더해 무엇을 더 살지에 제안하는 것을 의미한다. 그러므로 빈칸에는 additional purchase(추가적인 구매)라는 말이 오는 것이 적절하다.

해석 Q 업셀링은 무엇을 의미하는가?
A 업셀링은 추가적인 구매를 부추기려고 판매원이 하는 제안이다.

18

해설 주어진 문장의 Well, that's up to ~에서 that은 ⓔ 앞에 나온 'X-brand에 25%, 50%, 100%를 더 지불할 가치가 있는가'에 대한 판단을 의미하므로 ⓔ에 들어가는 것이 가장 적절하다.

19

해설 빈칸 앞에서 소비자들이 TV 광고에서 아름다운 사람들이 특정 상표의 청바지를 입은 모습을 보면, 자신도 그것을 입으면 아름다워질 것이라고 생각한다는 내용으로 보아 빈칸에는 association(연상)이 가장 적절하다.

해석 ① 전략 ② 배치 ③ 상상 ⑤ 광고

20

해설 When advertisers ~ with those images.에서 '소비자들은 광고주들이 연관시킨 매력적인 이미지와 자신을 연관시키려고 특정 제품을 살지도 모른다.'는 내용이 나오고, 이것이 글의 중심 내용이다.

해석 소비자들은 그들이 특정 제품과 어떤 (B) 이미지를 (A) 연관시킬 때 구매를 할 가능성이 있다.

기말고사 2학기   pp. 180~183

01 ⑤ **02** ② **03** ④ **04** ⑤ **05** ⑤ **06** (1) developed (2) is interested **07** ④ **08** ② **09** ⓐ: a shot ⓑ: some scientists **10** ⓐ: benefits ⓑ: conserve **11** ⑤ **12** ③ **13** ② **14** ③ **15** ④ **16** ③ **17** ④ **18** he must have wanted to translate **19** ④ **20** ②

01

해설 ⑤ dependent(의존하는)의 반의어는 independent(독립한)이다.

해석 ① 고통을 주는 – 고통이 없는 ② 효율적인 – 비효율적인
③ 예상되는 – 예기치 않은 ④ 복잡한 – 복잡하지 않은

02

해설 당신이 무언가를 해석한다면, 당신은 그것의 의미를 설명하는 것이다.
① 영감을 주다 ② 해석하다 ③ 매끄럽게 하다 ④ 보존하다
⑤ 다양하게 하다

03~04

A 머리카락이 항상 빗에 달라붙어. 이것에 대해서 내가 할 수 있는 게 있을까?
B 핸드크림을 네 머리카락 사이사이에 약간 발라 봐. 그게 도움이 될 거야.
A 그게 어떻게 도움이 되는지 설명해 줄 수 있어?
B 음. 크림이 빗과 네 머리카락 사이에 막을 형성하는 거야. 그것이 정전기를 줄여 주지.
A 정말? 나는 정전기가 정말 싫어! 우리가 그것을 이 세상에서 완전히 없애 버릴 수는 없는 걸까?
B 그래도 그게 없다면 우리의 삶이 더 편하지는 않을 거야. 복사기와 프린터는 정전기를 이용하거든!
A 정말? 그것이 실제로 유용한지 나는 몰랐어.

03 해설 정전기를 아예 없애 버리면 안 되는 이유에 관해 언급된 부분의 앞(ⓓ)에 와야 한다.

04
해설 ⑤ 정전기는 복사기와 프린터에 이용된다고 하였다.
해석 ① 어떻게 빗을 제대로 사용하는가
② 왜 머리카락이 빗에 달라붙으면 안 되는가
③ 핸드크림이 무엇으로 만들어 지는가
④ 정전기가 얼마나 위험한가
⑤ 왜 정전기가 유용한가

05
해설 연주한 음악이 정말 멋졌다는 A의 말을 듣고 기쁨을 나타내는 말이 오는 것이 적절하다. 기쁨을 나타내는 말에는 I'm delighted(glad) to hear that ~. / It's nice that ~. / It's a pleasure to hear that ~. 등이 있다. ⑤ I'm disappointed to hear that ~.은 실망을 나타내는 표현이다.
해석
A 와. 네가 방금 연주한 곡은 정말 멋졌어.
B 고마워. _____
A 나는 특히 달걀처럼 생긴 악기가 좋았어. 그게 뭐니?
B 그건 Xun이야. 중국에서 온 악기야.

06
해설 (1) 「주격관계대명사+be동사」는 생략되어 명사를 뒤에서 수식하는 분사구 형태로 쓸 수 있다.
(2) 「be동사+interested」가 반복되는 어구이므로 생략된 부분을 주어에 맞게 쓴다. my sister는 단수이므로 is가 알맞다.
해석 (1) 심해에서 자연적으로 개발된 디자인이 곧 먼 우주에서 보일지도 모른다.
(2) 나는 책을 읽는 것에 관심이 있고, 여동생은 음악을 듣는 것에 관심이 있다.

07
해설 ④ 「could+have+p.p.」는 '~했을 수도 있다'는 의미이므로 '그들은 여기에 20년 전에 집을 샀을 수도 있다.'로 해석한다.

08
해설 (A) remember의 목적어로 동명사 taking이 적절하며, your mom이 의미상의 주어이다. (B) 주사는 놓아지는 것이므로 수동태 given이 알맞다. (C) 선행사를 포함한 관계대명사가 와야 하므로 what이 적절하다.

09
해설 ⓐ it은 앞 문장의 a shot을 가리킨다. ⓑ they는 모기의 비결을 알아내는 사람들을 가리키므로 앞 문장의 some scientists를 가리킨다.

10
해설 ⓐ 새들이 날 때 공기의 흐름을 원활하게 해 주는 등의 내용이 뒤에 언급되므로, 장점인 benefits가 오는 것이 알맞다. ⓑ 공기의 흐름을 원활하게 해 주므로 에너지를 절약하게(conserve) 해 주고, 비행기에도 활용하여 연료비 경감을 가져온다는 의미가 되어야 한다.

11
해설 '이것은 환경뿐만 아니라 승객들의 주머니 사정에도 이득이 된다.'라는 것에 알맞은 의미로 ⑤가 적절하다.
해석 ① 환경보호론자뿐만 아니라 승객들도 비행기 이용에 영향을 받는다.
② 윙렛은 환경 친화적이지만, 승객들에게는 좋지 않다.
③ 연료비를 절약하는 것은 환경에는 이익이지만, 승객들에게는 그렇지 않다.
④ 승객들은 환경 친화적인 비행기를 이용함으로써 돈을 절약할 수 있다.
⑤ 윙렛은 공기 오염을 줄이고 비행기 승객들에게는 돈을 절약한다.

12
해설 성게 입모양을 따른 디자인의 활용도에 관한 내용이므로, 샘플이 지구로 전달되는 과정인 ⓒ는 문맥상 어색하다.
해석 ⓒ 샘플은 지구로 직접 전달될 수도 있지만, 우주 셔틀을 통해 돌아올 수도 있다.

13
해설 ② 성게들은 잡아 먹히기도 하지만 자신들 또한 가시 많은 입으로 일부 지역의 바다 환경을 손상시키기도 한다고 하였다. (1행 Sea urchins may be eaten in some parts of the world, but they can also damage parts of the sea environment with their bony mouths.) / ① 세계의 몇몇 지역에서는 성게를 먹기도 한다. ③ 입모양은 다섯 손가락 달린 갈고리 발톱과 매우 비슷하다. ④ 성게의 입모양을 따라한 디자인을 활용한다. ⑤ 입모양을 모방하는 것이 과학자들에게 도전적인 과제인지 언급되어 있지 않다.

14
해설 ⓐ 앞에서 음악은 화가에게 영감을 주고, ⓐ 뒤에서 음악가에게 그림이 영감을 준다는 동등한 내용이 이어지므로 likewise(이와 같이)가 적절하다. ⓑ 음악가와 화가가 서로 영감을 주고 받는다는 내용을 앞에서 설명하고, 소설이나 시의 구절 또한 영감을 불어 넣어준다는 내용이 추가로 나오므로 furthermore(더욱이)가 오는 것이 적절하다.

해석 ① 그러나 – 예를 들면
② 게다가 – 반대로
③ 이와 같이 – 더욱이
④ 사실은 – 그럼에도 불구하고
⑤ 예를 들면 – 그러므로, 따라서

15

해설 빈칸 앞에 예술가들의 상호 작용(interaction)에 관한 내용들이 언급되어 있다.

해석 ① 고립 ② 인터뷰 ③ 도전
④ 상호 작용 ⑤ 감정

16

해설 화가와 그들의 예술 작품에서 영감을 얻어 음악가들이 작곡한 내용을 다루고 있으므로 ③ '색채와 형태를 반영한 선율'이 제목으로 가장 적절하다.

해석 ① 서로에게서 영감을 받는 작가들
② 캔버스에 그려진 음악
④ 선율과 그림 속에 살아 있는 이야기
⑤ 음악가와 소설가를 매혹시키는 몇몇 그림

17

해설 ⓓ paintings는 전시되는 대상이므로 수동의 의미를 나타내는 displayed로 고쳐 써야 한다.

18

해설 '~했음이 틀림없다'라는 의미의 「must+have+p.p.」 구문을 활용하여 나타낸다.

19

해설 소설이 음악가와 화가에게 영감을 주었다는 주어진 문장에 대해 예시를 들어 설명하는 (C)가 맨 처음에 오고, 샤갈 역시 유사한 영향을 받았다는 내용인 (A)가 온 후, (A)와 (B)에 언급된 두 사람에 관한 내용을 묶어서 설명하는 (B)가 오는 것이 가장 적절하다.

20

해설 ② '결혼 행진곡'은 멘델스존의 잘 알려진 작품 중 하나이다.

memo